EEN NACHT OM TE STERVEN

Van dezelfde auteur:

Dansen met de ongenode gast

JULIA WALLIS
MARTIN

Een nacht om te sterven

the house of books

Oorspronkelijke titel
The Long Close Call
Uitgave
Hodder & Stoughton, Londen
Copyright © 2000 by J. Wallis Martin
Copyright voor het Nederlandse taalgebied © 2004 by The House of Books,
Vianen/Antwerpen

Vertaling
Geert van Linschoten
Omslagontwerp
Studio Jan de Boer BNO, Amsterdam
Omslagdia's
Photonica/Image Store
Foto auteur
Anette Haug

ISBN 90 443 1140 9
D/2004/8899/165
NUR 332

Russ – dit boek draag ik aan jou op

Januari 1968

Je holde langs een spoordijk, van een tracé dat allang niet meer gebruikt werd en was over-woekerd, met aan beide kanten een greppel. De rails zelf waren verdwenen, maar je volg-de de oude route die je uiteindelijk bij de weg deed uitkomen. En eenmaal bij de weg aan-gekomen ging je met je voeten in de goot zitten en huilde je.

Er stopte een vrouw in een auto. Ze dacht dat je gewond was en vroeg of ze misschien kon helpen. Ze gaf je een lift naar Glasgow, maar de avond ervoor had een storm nogal huisgehouden in de stad, waarbij er omgewaaide schoorstenen dwars door de daken van woningen waren geslagen. Er was op de weg geen doorkomen aan en ze zei dat ze je niet verder kon brengen dan hier; dus stapte je uit en holde de rest van de weg, je een weg zoe-kend langs de mensen die buiten naar de ruïne van hun huis stonden te kijken.

Je bereikte het spoorwegstation en stond op het perron totdat de kou je naar de be-schutting van de restauratie dreef. Het was daar donker, de ruiten nagenoeg opaak van het vuil. De enige bron van warmte was een heetwaterketel, en een vrouw die achter het buffet stond liet je er vlakbij zitten, gaf je een Coke en een sandwich, en vroeg of je je jas soms kwijt was.

Je wilde haar vertellen dat je álles kwijt was, maar de woorden om te beschrijven wat er was gebeurd leken van het ene op het andere moment weg te smelten. Uiteindelijk liet ze je met rust, en daar zat je dan, terwijl je behoedzaam stukjes vette ham van een korst brood haalde die in feite veel te hard was om nog opgegeten te kunnen worden. En toen liep de trein naar Londen binnen, en je ging aan boord, je bewust van het feit dat ze toekeek; je be-wust van het feit dat ze – als de zoektocht naar jouw broer eenmaal zou beginnen – zich jou zou herinneren.

Proloog

Voordat hij op de deur van dat donkere, vervallen huis klopte, nam inspecteur Jarvis van de recherche eerst de omgeving in zich op. En terwijl hij dat deed wees niets erop dat dit deel van Noord-Londen over dertig jaar zeer in zwang zou zijn, dat elk van deze huizen dan minimaal driehonderdduizend pond waard zou zijn, en dat een toekomstige premier een paar blokken verderop zou wonen.

Elsa deed de deur open, met haar negen jaar oude zoon naast zich. Het was een van de weinige keren in haar leven geweest dat ze had goedgevonden dat de politie haar huis betrad, en het feit dat haar echtgenoot niet had geprobeerd het huis gelijktijdig via de achteruitgang te verlaten, mocht voor een keertje een aangename verandering worden genoemd.

Haar gezicht had iets van een icoon uit de jaren veertig, een zweem van een sterretje dat al vroeg oud was geworden. Ze had Jarvis altijd aan de filmster Jane Russell doen denken, en als hij tegen haar sprak probeerde hij er altijd voor te zorgen dat niets van wat hij voor haar voelde in zijn stem te horen zou zijn.

Ze ging hem voor naar een vertrek dat uiterst spaarzaam was gemeubileerd en waar haar zoontje op de vloerbedekking neerplofte, waar hij zijn op een kleedje liggende Lego-steentjes sorteerde om daar vervolgens mee te gaan spelen. Eerder had hij al een klein, doosvormig bouwsel in elkaar gezet, met witte wanden en een groen dak, en toen hij het had opgepakt had er iets in gerammeld, waarna de jongen het geluid onmiddellijk had onderdrukt door het bouwsel bewegingloos vast te houden.

Jarvis had deze kamer de afgelopen jaren al talloze keren gezien; de laatste keer nog maar een paar weken geleden, toen hij en een groepje agenten te hulp waren geroepen bij het opsporen van de vader van de jongen, George McLaughlan. Het was vier weken voor Kerstmis geweest en Elsa was op dat moment druk bezig met het vastprikken van zelfgemaakte papieren slingers in de met structuurbehang beplakte wanden. Het was nu begin januari, maar de papieren slingers hingen er nog steeds, terwijl de plakkerige verbindingen onder een dun stoflaagje zaten en de oorspronkelijk felle kleuren waren vervaagd.

Toen Jarvis al die eenvoudige, zelfgemaakte versieringen zag, herinnerde hij zich weer dat Elsa haar zoon bij het maken ervan had geholpen, waarbij ze de papieren uiteinden van de schakels van lijm had voorzien of ze had vastgehouden terwijl hij ze aan elkaar niette. Dat was dan zo'n beetje hun hele kerst geweest, en zijn hart ging op slag naar haar uit. Een van zijn stelregels was dat hij geen tijd had voor de vrouwen van misdadigers, althans, geen tijd voor hen die zich verontschuldigden voor hun hachelijke situatie, maar Elsa was nooit met excuses op de proppen gekomen. Het is mijn eigen schuld, meneer Jarvis.

Hij kon begrip opbrengen voor haar onverbloemde aanvaarding van haar persoonlijke verantwoordelijkheid, maar hij bleef zich afvragen waarom ze het haar taak achtte om de rest van haar leven met deze schuld verder te leven. Hij had ooit eens opgemerkt: 'Je hóeft niet in deze omstandigheden te blijven zitten, Elsa. Niemand zal het je kwalijk nemen als je bij George weggaat en een nieuw leven probeert op te bouwen.' En hij had toen gevraagd hoe een meisje uit zo'n fatsoenlijk arbeidersmilieu om te beginnen kans had gezien om op een man als George te vallen, een man die, toen ze hem voor het eerst ontmoette, al in de gevangenis had gezeten voor een gewapende overval, een man die was opgegroeid in de Gorbals en wiens achtergrond zozeer verschilde van de hare. Jarvis kon zich onmogelijk voorstellen hoe die twee met elkaar in aanraking hadden kunnen komen.

'Niemand heeft me hiertoe gedwongen,' zei Elsa. 'Ik viel op hem. Ik dacht dat ik hem kon veranderen, begrijp je.' Ze had om haar eigen stommiteit moeten glimlachen. 'Hoeveel vrouwen heb je dat al horen zeggen?'

Meer dan voldoende, dacht Jarvis, die zijn blik eindelijk losmaakte van de zelfgemaakte papieren slingers en naar Elsa's gezicht keek, en concludeerde dat ook dat van elke kleur ontdaan leek en er nu bleek en afgetobd uitzag. Hij was vaak genoeg in de verleiding geweest haar echtgenoot eens stevig de waarheid te zeggen, maar wat hem tegenhield was de wetenschap dat áls hij dat deed, haar man op de een of andere wijze een manier zou vinden om zich op Elsa af te reageren. Bovendien was het zonde van de moeite. Mannen die geen enkel verantwoordelijkheidsgevoel jegens hun gezin hadden, veranderden hun manier van doen maar zelden, ook al werd hun eens stevig de waarheid gezegd. 'Je hebt het politiebureau gebeld,' zei hij. 'Je vroeg of ik langs wilde komen,' en Elsa zei, doelend op de oudste van haar twee zonen: 'Tam is ergens naartoe gegaan. En hij is nog niet teruggekomen.'

'Wáár is hij naartoe gegaan?'

'Naar Glasgow.'

'Wanneer?'

'Veertien dagen geleden.'

Véértien dagen, dacht Jarvis, en Elsa vervolgde: 'De dag vóór de storm is hij er met de trein naartoe gegaan.'

Jarvis wist maar al te goed dat Glasgow pas was getroffen door een van de ernstigste stormen uit de recente geschiedenis, en hij maakte zich onmiddellijk grote zorgen. In de armoediger delen van de stad waren twee doden gevallen omdat door ouderdom verrotte daken van huurkazernes waren gewaaid en op enkele bewoners waren terechtgekomen. 'Wat deed hij daar?'

'Hij probeerde daar zijn vader te vinden.'

Nou, veel succes daarmee, bedacht Jarvis, die de afgelopen zes weken druk doende was geweest George op te sporen. 'Had hij daar een bepaalde reden voor?'

'We hadden hard geld nodig,' zei Elsa simpelweg, en daar hoefde ze ook niet verder over uit te wijden, Jarvis zag het tafereel al duidelijk voor zich. Kerstmis was gekomen en gegaan, en omdat George op de vlucht was voor de politie, was het begrijpelijk dat óf Elsa óf Tam zou proberen hem te pakken te krijgen om eventueel wat geld van hem los te krijgen. 'Nog geluk gehad?' vroeg hij.

'Ik heb geen flauw idee,' zei Elsa. 'Hij heeft Robbie meegenomen, maar die is later in z'n eentje naar huis gekomen.'

Jarvis sprak nu tegen Robbie. 'Heeft Tam jullie vader nog gevonden, Robbie?'

Robbie hield zijn hoofd gebogen en klikte een klein wit Lego-steentje op z'n plaats, maar gaf geen antwoord.

Jarvis probeerde het opnieuw. 'Waarom is Tam niet gelijk met jou teruggekomen?'

'Je verdoet je tijd,' zei Elsa. 'Ik krijg ook geen zinnig woord uit hem.'

'Robbie?' zei Jarvis, die naast hem op z'n hurken ging zitten en heel zachtjes tegen de jongen sprak.

Hij kwam weer overeind toen Elsa zei: 'Wat denk jij dat ik moet doen – moet ik hem als vermist opgeven?'

Jarvis wist het niet zeker. Tam was zestien, dus tenzij er bij de politie het vermoeden bestond dat hem iets ergs was overkomen, zou die waarschijnlijk niet veel meer doen dan hier en daar wat inlichtingen inwinnen. Per slot van rekening leefden er in het centrum van Londen meer adolescenten op straat dan de autoriteiten raad mee wisten.

'Het is helemaal niets voor hem,' zei Elsa, en Jarvis, die Tam goed kende, moest toegeven dat ze gelijk had. Toen het gezin naar Londen was verhuisd, toen Tam twaalf en Robbie vijf waren geweest, had Jarvis deel uit gemaakt van een team dat ooit eens naar hun huis was gestuurd om daar naar gestolen geld op zoek te gaan.

Elsa had zich toen op de achtergrond gehouden, een arm om elk van haar beide zoons geslagen, waarbij Robbie nog te jong was geweest om er iets van te begrijpen, maar Tam was duidelijk getraumatiseerd door de manier waarop de politie met veel geweld hun huis was binnengedrongen.

In de kamer had een scheepsmodel gestaan, een model dat Tam had gemaakt van lucifers die hij op straat en in asbakken had gevonden. Het had het grootste deel in beslag genomen van een tafel die Elsa niet langer meer had, een model met een bijna delicaat staand want en waarop de vernis met grote zorg was aangebracht, maar een politieman had het model kapotgemaakt door zijn vuist dwars door de romp te rammen. Toen Tam zag hoe zijn schip uiteen werd gereten, stortte hij in, iets dat Jarvis zeer had aangegrepen. 'Dit is niet bepaald een geschikte plaats voor de jongens,' had hij gezegd. 'Zal ik ze mee naar buiten nemen?' en Elsa had instemmend geknikt, niet in staat ook maar iets te zeggen, terwijl George in een kamer boven een van Jarvis' collega's de huid vol schold terwijl de agent bezig was hem op zijn rechten te wijzen.

Een uurtje later was hij met de jongens teruggekeerd, bij wie het ijs nog rond de mond zat, en een dag later was hij teruggekomen met een heleboel dozen lucifers en een paar tubes lijm. Jarvis was te onhandig om te kunnen helpen, dus had hij alleen maar toegekeken hoe Tam het model weer in elkaar zette, en later, nadat Jarvis vertrokken was, had Tam iets gemompeld in de trant van 'Met jou is niks mis'.

Jarvis had hem willen vertellen dat met de meeste politieagenten 'niks mis' was, maar dat hun werk noodzakelijk was, een taak die – helaas – voor alle betrokkenen nogal eens onplezierig kon zijn. Hij had eraan toe willen voegen dat als lieden als Tams vader er om te beginnen nou eens van afzagen om gewapende overvallen te plegen, het voor de politie niet nodig zou zijn om huizen binnen te vallen om dat vervolgens systematisch te doorzoeken, wat nogal eens schade aan dat huis veroorzaakte, maar hij had al die gedachten vóór zich gehouden.

Hij moest aan het feit denken dat Elsa er ondanks alle toestanden toch in geslaagd was haar beide zoons als verantwoordelijke, gezagsgetrouwe individuen groot te brengen. Ze verdiende helemaal geen problemen met haar zoons, hoewel datgene wat mensen verdienden en wat ze kregen vaak twee heel verschillende dingen waren. Desondanks zou hij teleurgesteld zijn als Tam toch op het punt stond haar problemen te bezorgen. En dat zou hem trouwens ook verbazen, want hij ging ervan uit dat hij precies wist welke knapen die ooit door een slechterik waren verwekt, eventueel voor problemen zouden kunnen zorgen, en naar zijn mening waren de jongens van McLaughlan uit heel ander hout gesneden. 'Als er nou eens iets met hem gebeurd is?' zei Elsa, en omdat hij daar geen antwoord op had antwoordde Jarvis met een vraag die bedoeld was om haar wat praktische informatie te ontlokken. 'Wanneer is Robbie naar huis gekomen?'

'De dag na de storm,' antwoordde Elsa.

'En hóé is hij terug naar Londen gekomen?'

'Op dezelfde manier als hij naar Glasgow is afgereisd – met de trein.'

Jarvis was enigszins verbaasd door het feit dat op de dag na de storm toch nog treinen uit Glasgow hadden kunnen vertrekken, en ging verder met de vraag: 'Wat hadden hij en Tam aan?'

De blik die over haar gezicht gleed zorgde ervoor dat hij zich haastte haar te verzekeren dat hij dat alleen maar wilde weten voor het geval het noodzakelijk was dat er een signalement van Tam verspreid zou moeten worden, en Elsa beschreef de gebruikelijke kleding – spijkerbroek, trui en sportschoenen, geen van alle opmerkelijk, en niet bepaald kleding die door mensen zou worden onthouden wanneer er ooit een signalement zou worden verspreid.

'Hoe zit het met het windjack of de jas die hij aanhad?' wilde Jarvis weten.

'Dat kan ik me niet meer herinneren.'

Jarvis liet het daar voorlopig bij. 'Waar hadden ze willen overnachten tijdens hun verblijf daar?'

'Bij Iris.'

Dat klonk zinnig. Volgens de geruchten zou George naar Glasgow zijn gevlucht, na een gewapende overval die verkeerd was uitgepakt, en het was niet meer dan logisch dat Tam had aangenomen dat zijn oma, Iris, misschien een idee had waar hij ergens zat. Per slot van rekening had Jarvis kort geleden een bezoek aan haar gebracht om exact dezelfde reden.

Het was zijn allereerste bezoek aan Glasgow geweest, en Jarvis herinnerde zich een kade die vol stond met vracht, brutale meeuwen die voedsel stalen uit een opslagplaats, en de een of andere ijzeren brug die beide oevers van de Clyde met elkaar verbond. Het was vijf minuten lopen naar de rode zandstenen huurflat waar Georges moeder haar dodelijke spruit groot had gebracht, en toen Jarvis een blik in de kleinste van de twee slaapkamers had geworpen, kon hij zich moeiteloos voorstellen hoe George en zijn broertje Jimmy in hun jonge jaren kop-aan-staart op het kermisbed hadden geslapen, op een matras die vergeven was van de vlooien. De matras lag er nog steeds, een kronkelend, levend iets, waarvan de hoes blauwwit was gestreept, dezelfde kleuren als een melkkan.

Iris mocht een forse vrouw worden genoemd, wier gelaatstrekken door jarenlange ontberingen waren verhard. Jarvis had haar ondervraagd en hij was er snel achtergekomen dat ze niet bang was voor de politie. Dat wil zeggen, ze was niet bang voor Jarvis, die een nogal softe indruk moest hebben gemaakt, vergeleken met sommigen van de beesten die de politie van Strathclyde binnen haar gelederen telde. Jarvis was naar Londen teruggekeerd met het vermoeden dat ze wist waar George uithing, maar hij was ook naar de hoofdstad teruggereisd met de overtuiging dat er meer dan één man voor nodig was om dat uit haar te krijgen. Hij stond op het punt om aan Elsa te vragen of George volgens haar nog steeds in Glasgow zat, toen ze vervolgde met: 'Ik heb onze Tam gezegd dat het zonde van de tijd was. Iris zou hem niets vertellen, ook al zou ze weten waar hij zat.'

'Waarom niet?'

'Ze is veel te bang dat hij dat aan de politie zou doorgeven.'

'Weet ze dat Tam niet naar Londen is teruggekeerd?'

'Ze zegt dat dat helemaal nieuw voor haar is.'

'Denk je dat ze de waarheid vertelt?'

Daar moest Elsa even over nadenken. 'Ik zou niet weten waarom ze daarover zou liegen,' zei ze. 'Niet tegenover mij tenminste. En waarom heeft hij nog steeds niets van zich laten horen?'

Daar had ze een punt, bedacht Jarvis.

Elsa ging verder: 'Ze heeft me verteld dat ze die nacht bij haar hebben geslapen, en dat ze de volgende ochtend vroeg weer naar het station zijn gegaan.'

'Hoe vroeg?'

'Rond een uur of zes.'

'Hoe laat vertrekt de sneltrein naar Londen?'

'Rond achten.'

Daarop zweeg Jarvis. Hijzelf zou voor de trip van de Gorbals naar het centraal station van Glasgow op z'n hoogst een halfuurtje nodig hebben. Ze moesten tussen hun vertrek vanuit de woonkazerne en het tijdstip waarop Robbie op de trein was gestapt ergens naartoe zijn geweest. Aangezien Tam naar Glasgow was afgereisd om naar zijn vader op zoek te gaan, was het niet ondenkbaar dat de beide jongens de ochtend hadden gebruikt om hem alsnog op te sporen. Of ze hem hadden gevonden of niet was een heel andere zaak.

Hij richtte zijn aandacht op Robbie, die nog steeds op de grond met zijn Lego zat te spelen. Sinds Jarvis was binnengekomen had hij nog geen woord gezegd en de politieman had de indruk dat de jongen zich ongebruikelijk teruggetrokken gedroeg. Het was de koudste januari in Glasgow geweest sinds het begin van het vastleggen van de temperatuur, en als datgene wat Elsa had gezegd over de kleren die ze hadden gedragen waar was, was geen van de jongens voor dat soort weer gekleed geweest. Kinderen konden soms erg teruggetrokken zijn als ze naar iets smachten, bedacht Jarvis, die niet gek zou staan te kijken als Robbie een longontsteking aan dit alles zou overhouden. 'Heeft Robbie ook tekenen vertoond die erop zouden kunnen wijzen dat hij een ziekte onder de leden heeft?' vroeg hij.

Elsa was er niet helemaal zeker van wat hij bedoelde, en Jarvis verduidelijkte: 'Heeft hij koorts gehad, of is hij misschien thuisgebleven in plaats van naar school te gaan?'

Ze schudde haar hoofd.

'Ik zou voor de zekerheid toch even met hem bij de huisarts langsgaan.'

Hij ging op zijn hurken naast Robbie zitten en reikte naar de doos van Lego-steentjes. Tijdens zijn gesprek met Elsa had hij die doos af en toe horen rammelen, en hij was nieuwsgierig. 'Mag ik eens in die doos kijken?' vroeg hij, en zonder Jarvis aan te kijken overhandigde Robbie hem de doos.

Jarvis nam hem aan en schudde de doos behoedzaam. 'Mag ik er even in kijken?'

Omdat er geen reactie kwam, begon Jarvis met het verwijderen van het deksel, de bovenkant van de zelfgemaakte doos. Die zat behoorlijk stevig vast en hij moest een vingernagel onder het harde groene plastic steken om houvast te krijgen, en met enige moeite slaagde hij erin de bovenkant te verwijderen. Hij deed dat wat ruwer dan zijn bedoeling was en de doos viel onder zijn vingers uit elkaar. De Lego-steentjes vielen op de grond, met tussen de steentjes een klein gouden crucifix.

Jarvis, die besefte dat zoiets wel het laatste was wat hij verwachtte uit de doos te zien vallen, boog zich over het tapijt en pakte het op. Het was oud en uiterst eenvoudig. Het was ook nog eens van uitstekende kwaliteit, en hij had het gevoel dat het misschien wel –

Er kwam een woord bij hem boven, een woord dat hij met geen mogelijkheid door een toepasselijker woord zou kunnen vervangen. Het was het woord *gezegend*. Wat het ook voor een crucifix mocht zijn, het was zonder meer kostbaar, en plotseling zag hij het in een flits ergens uit een bankkluisje tuimelen. George had de gewoonte ontwikkeld dingen die hij mooi vond op deze manier te bewaren. Bij meer dan één gelegenheid was dat een duur slippertje gebleken, waarbij bewijsmateriaal was gevonden – zij het niet in de romp van een scheepsmodel – dan wel in een schuilplaats die minstens even ingenieus mocht worden genoemd, maar desondanks niet minder opspoorbaar.

Er was ook een kettinkje uit de doos gevallen en Jarvis pakte ook dat op, en vond het kettinkje niet bepaald passen bij een crucifix van die afmetingen en gewicht. Het was gebroken, iets dat hem niet verbaasde. Eén enkele ruk zou al voldoende zijn om de sluiting te forceren, vond Jarvis, die overdacht wat hij het beste met het crucifix kon doen: hij had het volste recht om het door te spelen aan het Antiekteam, de afdeling die zich met gestolen kunstvoorwerpen bezighield, die eens zouden kunnen kijken of dit kleinood in hun dossiers voorkwam, maar hij gaf het terug aan Robbie – hij kon onmogelijk zeggen waarom. Misschien had hij het gevoel dat het iets met zijn eigen leven te maken had, iets dat gezegend was, alsof een beetje van wat het ook mocht zijn dat gezegend was, op hem oversloeg en een positieve invloed op zijn lot uitoefende. Hij ving Elsa's blik op en zag een spoortje dankbaarheid dat hij bij het kind nog niet teweeg had kunnen brengen. 'Bewaar dat goed,' zei hij. 'Niet aan iemand verkopen – hoor je me?'

Robbie nam het voorwerp van hem over. De blik die over zijn gezicht gleed. Die zorgde ervoor dat er een huivering over Jarvis' rug ging, en op dát moment besefte hij dat Tam iets overkomen was.

'Robbie,' zei Jarvis, 'waar is Tam?'

De jongen gaf geen antwoord, en op dat moment vroeg Jarvis zich af hoeveel andere jongetjes van negen ooit reden hadden gehad om zó te kijken zoals Robbie nu keek. Het was alsof hij wist dat, ondanks het spelen met Lego, het met zijn jeugd gedaan was, dat hij een geheim met zich meedroeg van een enorme omvang, dat hij uit zijn jeugd was geplukt en in de wereld van de volwassenen was neergezet, waar geheimen niet zomaar een spelletje zijn, maar een zaak van leven en dood.

Hij krulde zijn vingers om het crucifix alsof hij probeerde het in zijn vlees te branden, om het voor altijd in zichzelf te verbergen – iets waaruit hij de komende jaren, tijdens de beproevingen die nog voor hem lagen, kracht zou kunnen putten.

'Robbie?' vroeg Jarvis.

De jongen keek naar hem op, het crucifix stijf omklemmend, maar zei geen woord.

'Robbie?'

Niets.

1

September 1999

Het huis waarin Robbie McLaughlan ruim dertig jaar had gewoond had sinds de laatste keer dat hij het had gezien nogal een gedaantewisseling ondergaan. Het haveloze exterieur was verdwenen, en het schilderwerk op de splinternieuwe deur en de recentelijk aangebrachte kozijnen glom hem tegemoet.

Als hij er nu naar keek, besefte hij dat niets ervan meer paste bij zijn perceptie van hoe het was geweest om daar te wonen, maar hij twijfelde er niet aan dat de huidige bewoners geen flauw idee hadden hoe het huis er in de jaren zestig had uitgezien. En ook konden ze onmogelijk weten dat hij, ondanks het feit dat het gebouw tot een kwalitatief hoog niveau was gerenoveerd, het huis nog steeds zag zoals het was geweest toen hij daar als jongen had gewoond.

Hij had half en half verwacht dat hij zijn moeder in de deuropening zou zien staan, toekijkend terwijl mannen in uniform haar man naar buiten sleepten. En op dat moment zag hij Tam – Tam, die nog maar zestien was, zijn beeltenis bevroren in de tijd.

Tam had altijd de gewoonte gehad om naar de zijkant van het huis om te lopen en naar binnen te gaan via een deur die rechtstreeks in de keuken uitkwam. Die herinnering was nog zó levend, dat het een soort beklemmend gevoel in zijn borst tot gevolg had. En toen herinnerde hij zich Jarvis weer, de man die had geprobeerd een soort vader voor hem te zijn nadat Tam was verdwenen. *Niet alle politieagenten zijn erop uit om anderen in het verderf te storten – vergeet dat alsjeblieft nooit.*

McLaughlan had dat nooit vergeten.

Hij had het huis in jaren niet gezien en hij vond het enigszins verontrustend er zo dicht bij in de buurt te staan. De herinneringen die het teweegbracht waren niet plezierig, en hij probeerde te voorkomen dat hij erdoor afgeleid zou raken, want hij was hier niet vanwege het huis naartoe gekomen, maar vanwege zijn werk.

Hij keek door het raam van een etage die tegenover een bijkantoor van de Midland Bank was gesitueerd. De etage was eigendom geweest van de kruidenier die vroeger de winkel eronder had gerund, maar was nu van iemand die zo vriendelijk was geweest de woning die ochtend zelf te verlaten en ter beschikking te stellen aan een stel gewapende politieagenten om van hieruit de omgeving in de gaten te houden.

Toen hij zijn blik losmaakte van het huis en hem weer op de bank richtte, reed er een overvalwagen, een zogenaamde ARV, voorbij, om even later een zijstraat in te rijden.

Het zien van die ARV beviel hem allerminst, en hij vermoedde dat zijn superieur het ook niet leuk zou vinden. Leonard Orme ging ervan uit dat als hij zijn mensen opdracht gaf zo min mogelijk op te vallen, zijn team zich aan dat verzoek zou houden, maar om redenen die McLaughlan onmogelijk kon doorgronden, reden de mannen in die ARV in het volle zicht van het publiek, de politie en misschien ook nog wel in het volle zicht van de overvallers, langs de bank, op die manier de hele operatie in gevaar brengend.

'Wel verdomme,' zei McLaughlan.

Hij was niet alleen in het vertrek, en zijn partner, Doheny, een misleidend kwetsbaar uitziende man die vroeger bij de SAS had gediend, merkte in het halfduister op: 'Ik geloof mijn ogen niet.'

De mannen in die overvalwagen hadden Smith and Wesson-pistolen bij zich, alsmede twee karabijnen en voldoende munitie om er in een klein derdewereldland een revolutie mee neer te slaan, en hoewel hij absoluut niet godsdienstig was, zorgde het besef dat die wapens wel eens afgevuurd zouden kunnen worden, en dat dat vuur dan weer beantwoord werd door wapens die minstens even dodelijk waren, ervoor dat McLaughlan eerder naar het crucifix tastte dan naar de Glock 17 waarmee hij sinds die ochtend bewapend was. Hij zat verborgen onder een ruimvallende donkerblauwe coltrui die hij over zijn kogelwerende vest droeg. Stevig. Zwaar. Beschermend.

Hij had het crucifix bij zich sinds de dag dat Jarvis het aan hem had teruggegeven nadat hij erbij had gezegd dat hij het nooit mocht verkopen. Aanvankelijk had hij het teruggestopt in de doos die hij weer van Lego in elkaar had gezet, maar toen hij iets ouder was vlocht hij het in een lederen riempje en droeg hij het altijd om zijn pols. Weer later hing het aan een gouden oorring die hij allang niet meer droeg, en tegenwoordig was het bevestigd aan een dikke gouden ketting die hij altijd om zijn nek had hangen.

Enkele collega's hadden er wel eens commentaar op geleverd, en hij had de mensen die ernaar hadden gevraagd verteld dat hij het droeg omdat hij het gevoel had dat het crucifix hem op de een of andere manier beschermde, en dat, als hij hem af zou doen...

De meesten van hen konden daar wel begrip voor opbrengen, al was het alleen maar omdat ze zelf ook dit soort rituelen kenden, het kloppen op onbewerkt hout bijvoorbeeld, waarvan ze maar al te graag wilden aannemen dat het hen zou beschermen als er iets helemaal fout ging.

Het nieuws dat er binnenkort een gepantserde geldwagen zou worden overvallen tijdens een stop bij een kantoor van de Midland Bank was tot McLaughlan gekomen door tussenkomst van een informant – een zekere Gerald Ash.

Het was niet ongewoon dat een boef op een gegeven moment, als ze te oud voor het spel waren geworden en ze door hun geld heen waren – iets wat beide op Ash van toepassing was – als informant ging optreden. Om op een leeftijd van zeventig-plus een overval te beramen en vervolgens ook nog uit te voeren werd zelden als een zinnige optie beschouwd. Er waren maar weinig mensen van die leeftijd die het vooruitzicht van een nieuwe lange gevangenisstraf als de zaak in het honderd liep, aan zouden kunnen, en McLaughlan maakte nu al een aantal jaren op ongeregelde tijdstippen van Ash' wanhoop gebruik.

Ze ontmoetten elkaar in een Virgin Megastore in Oxford Street, waarbij McLaughlan naar binnen stapte vanaf een trottoir waar het bijzonder druk was, met boven zijn hoofd een winterse middaglucht die al donker begon te worden.

Hij vond Ash, die in een bak met cd's – golden oldies – aan het zoeken was, en de aanblik veroorzaakte een soort schok: het was nog maar een paar maanden geleden dat McLaughlan hem voor het laatst had gezien, maar in die tijd had de ouderdom genadeloos toegeslagen. De kleur van zijn ogen was van het staalgrijs uit zijn bloeitijd veranderd in het blauwachtige grijs van een kind dat nog niet eens goed kan focussen, en zijn bewegingen, net als zijn woorden, waren aanzienlijk trager geworden.

Het duurde een paar seconden voor hij besefte dat McLaughlan was gearriveerd, maar nadat hij hem herkend had ging hij rustig door met zijn zoektocht naar een gezicht uit het verleden. Elvis Presley. Little Richard. Roy Orbison. Dit waren de mensen die ervoor hadden gezorgd dat Ash niet gek was geworden in zijn cel, in het soort gevangenis waar lieden als Ash maar één uur per dag uit hun hok mochten. *Ik ken elk woord van elke song die ze ooit ten gehore hebben gebracht –*

Hij kwam met de onthulling dat een gepantserde bestelwagen de komende maandag om elf uur 's ochtends bij het kantoor van de Midland Bank een geldzending zou afleveren, en toen McLaughlan opmerkte dat ze dan nog maar weinig tijd hadden, had Ash bijna geïrriteerd opgemerkt dat hij nog twee dagen had, en dat het Flying Squad – het arrestatieteam – er altijd zo prat op ging dat ze na een bankoverval in Londen binnen vijf minuten ter plaatse was, dus waar hád hij het nou eigenlijk over?

Het was niet het observeren van de omgeving van de bank, en ook niet het ervoor zorgen dat alle noodzakelijke maatregelen zouden worden getroffen dat McLaughlan dwarszat. Nee, hij maakte zich zorgen over het feit dat hij de overvallers moest laten schaduwen vóór ze met de klus begonnen.

Hij had naar namen gevraagd, en meer nog dan verwacht begon Ash aan zijn hoofd te zeuren, want dit was het punt waarop hij gewoonlijk over geld begon. Maar bij deze gelegenheid nam Ash genoegen met vijftig pond, stopte het geld in zijn zak en deed niet eens een poging McLaughlan meer afhandig te maken. Toen noemde hij de naam *Swift*, en op het moment dat hij dat zei dacht McLaughlan dat hij zich vergiste, of misschien wel loog.

Calvin Swift, zesenvijftig jaar oud, was een van Londens meer beruchte boeven. Hij was ooit een keertje begonnen als manusje-van-alles voor een bekende bende in het East End, maar had daarna snel carrière gemaakt, en zowel hij als zijn broer Ray hoefde zijn handen niet meer vuil te maken aan een bankoverval. Die periode lag áchter de gebroeders Swift, en McLaughlan kon zich niet voorstellen dat ze naar dat soort activiteiten zouden terugkeren, een activiteit die er uiteindelijk voor had gezorgd dat Calvin in de jaren tachtig voor een lange periode achter de tralies was verdwenen – tenzij hun zaken momenteel slecht gingen, en volgens McLaughlan ging het hen momenteel behoorlijk voor de wind.

'Wat moet Calvin nou met een bankoverval?'

'Wie heeft het hier over Calvin? Het gaat om zijn zoon, Stuart.'

McLaughlin vond dit denkbeeld even vreemd als het idee dat Swift senior zich met zo'n klus zou inlaten. Hij zei dan ook: 'Als Stuart geld nodig heeft, dan hoeft hij toch alleen maar zijn hand op te houden bij pa?'

'Hij heeft een drugsprobleem,' zei Ash.

Als Stuart Swift een drugsprobleem had, dan was dat voor McLaughlan nieuw, maar met een stem die oprecht ongeloof uitdrukte, voegde Ash eraan toe: 'Ik heb gehoord dat hij geld steelt van zijn ouwe heer.'

Domme jongen, dacht McLaughlan. Van bepaalde mensen stal je niets, zelfs niet als je toevallig hun enige, zeer geliefde zoon was, en Calvin viel duidelijk binnen die categorie. Niemand kon hem ongestraft bedriegen. Ongetwijfeld hadden heel wat mensen dat in het verleden geprobeerd, en dat was dan ook net de reden waarom de afdeling Ernstige Delicten altijd grote aandacht voor hem had, aangezien lieden die zijn ongenoegen hadden gewekt de neiging hadden spoorloos te verdwijnen. En sommige mensen hadden dat ongenoegen geheel zelf opgewekt. Anderen weer niet. Maar geruchten waren één ding. Het vinden van een lichaam en de betreffende moord waterdicht aan Calvin kunnen koppelen waren iets heel anders.

'Wie is er nog meer bij betrokken?' vroeg McLaughlan.

'Carl Fischer,' antwoordde Ash.

McLaughlan had nog nooit van hem gehoord.

'De chauffeur is een vriendje van Fischer – een knaap die naar de naam Leach luistert.'

McLaughlan had ook nog nooit van Leach gehoord, maar dat was zijn probleem niet. Het behoorde helemaal niet tot zijn taak om van elke boef in Londen gehoord te hebben, en het was ook zijn taak niet om te beslissen wat er met deze informatie gedaan moest worden: van hem werd alleen maar verlangd dat hij zijn directe chef op de hoogte zou brengen, en dan mocht Orme zeggen wat er moest gebeuren, áls hij al vond dat er iets gedaan moest worden.

Orme zou wel eens van mening kunnen zijn dat Ash óf loog, óf van de verkeerde informatie was voorzien, en in beide gevallen zou het Flying Squad weinig meer doen dan ervoor zorgen dat de overvalwagen op het tijdstip dat de tipgever had aangegeven voldoende dicht in de buurt van de bank was opgesteld. Daar stond tegenover dat hij ook tot de conclusie zou kunnen komen dat een grootschalige operatie gerechtvaardigd was.

McLaughlan wilde details horen over de manier waarop de gepantserde bestelwagen zou worden aangevallen, en dacht daar vervolgens zorgvuldig over na. Toen zei hij, terwijl hij ervoor zorgde dat hij zo neutraal mogelijk klonk: 'Ik zal eens met m'n baas gaan praten.'

'Zoals je wilt,' zei Ash, die een eindje verder liep om een andere bak met cd's te bekijken.

McLaughlan keek hem nog even na en verliet vervolgens de megastore. Het was de afgelopen tien minuten donker geworden en Oxford Street was vol mensen die oog in oog stonden met het begin van een nieuwe Britse winter. De meeste voorbijgangers leken zich er al helemaal bij neergelegd te hebben. Iedereen maakte een kouwelijke indruk.

Het verkeer reed langzaam, en terwijl McLaughlan naar het station van de ondergrondse liep dacht hij aan datgene wat Ash zojuist had onthuld. Als Orme naar aanleiding van deze informatie in actie kwam om vervolgens te ontdekken dat die waardeloos was, zouden ze allemaal voor gek staan. En wat nog belangrijker was, zelfs kleinschalige operaties kostten geld, en Orme zou ongetwijfeld verantwoording moeten afleggen voor zijn redenen om kostbare middelen te spenderen aan een operatie die uiteindelijk zonde van de tijd en het geld bleek te zijn. Daarom was het in ieders belang van te voren vast te stellen of deze informatie klopte, en in dit geval, met een overval die op korte termijn gepleegd zou worden, konden ze alleen maar vertrouwen op een analyse van de informatie en vervolgens hopen dat ze het bij het juiste eind hadden.

De ellende was dat informanten maar al te vaak regelrecht logen. Je was er nooit zeker van of ze de waarheid vertelden, de gedeeltelijke waarheid, of – om maar eens een uitdrukking van Doheny te gebruiken – met *puur gelul* op de proppen kwam. Misschien zat Ash om geld verlegen, en vooropgesteld dat hij het niet al te vaak deed en zo zijn geloofwaardigheid bij McLaughlan zou verliezen, was het doorgeven van pseudo-informatie altijd wel goed voor het opstrijken van een paar pond. Maar in dit geval had McLaughlan al direct het gevoel dat de informatie van Ash klopte.

Orme zou willen weten waaróm hij dat gevoel had, en McLaughlan zou erop wijzen dat politiemensen en boeven nu eenmaal bepaalde dingen gemeen hebben: als je enige zoon aan de drugs is, zul je gewoonlijk proberen hem daarmee op te laten houden. In Calvins geval betekende dat dat hij zou proberen te voorkomen dat Stuart over voldoende geld beschikte om drugs te kunnen kopen. Daar staat tegenover dat als je drugs gebruikt, je al het mogelijk zult doen om aan geld te komen, en voor iemand met Stuarts achtergrond zou een gewapende overval wel eens de natuurlijke oplossing kunnen zijn voor het irriterende probleem van een chronisch tekort aan fondsen. Hij zou ongetwijfeld precies weten welke risico's hij daarbij liep, en hoe hij die moest omzeilen. Het enige wat hij nodig had was voldoende lef om de klus te klaren.

McLaughlan kon onmogelijk zeggen of hij over dat lef beschikte, maar onder de huidige omstandigheden en de familie een beetje kennende, was hij bereid Orme te vertellen dat de kans groot was dat Stuart de komende maandag bij een bijkantoor van de Midland Bank te vinden zou zijn. Naar alle waarschijnlijkheid hield hij op dat moment een geweer met afgezaagde loop tegen het hoofd van een doodsbange geldloper gedrukt en dreigde hij dat hoofd op een zodanige manier van de romp te knallen dat de resten ervan helemaal in Islington en Richmond teruggevonden zouden worden.

Die geldloper zou het enige zinnige doen wat hij kón doen: hij zou hem alle geldcassettes meegeven die maar te vinden waren. Maar zelfs dan, als Stuart ook maar een beetje op zijn vader leek, zou hij de man alsnog door het hoofd schieten.

Maar niemand zou er ooit achter komen of Stuart net zo gewelddadig was als zijn ouwe heer, want dit zou zijn eerste gewapende overval worden – en McLaughlan was ervan overtuigd dat Orme ervoor zou zorgen dat het ook zijn laatste werd.

2

McLaughlan stond een kleine meter bij het raam vandaan, dat ondanks de regen een stukje openstond, zodat er door de vijf centimeter brede opening toch nog druppels naar binnen spetterden. Het regenwater liep in een koud, gestaag stroompje van de vensterbank af en verdween achter de radiator, waar het op de wand natte strepen achterliet en de vaste vloerbedekking langzaam maar zeker doorweekt raakte.

Het eerste wat hij had gedaan nadat hij die ochtend wakker was geworden, was kijken hoe het met het weer was gesteld. Hij had de gordijnen opengetrokken en de zware regen verwelkomd, want hij wist dat die er misschien voor zou kunnen zorgen dat er ten tijde van de overval minder mensen op straat zouden lopen, een overval die op dat moment over zes uur zou plaatsvinden.

Claire was onder het dekbed blijven liggen, maar hij wist dat ze wakker was, want ze had haar haar uit haar gezicht en ogen geschoven. Ze had toegekeken hoe hij zich in de bijna duisternis had aangekleed, waarbij zijn verlangen om haar niet te storen groter was geweest dan zijn behoefte om precies te zien waarmee hij bezig was, en als ze uit het feit dat hij in gedachten verzonken was had kunnen afleiden dat er een speciale actie stond te gebeuren, dan liet ze in elk geval na er bij hem naar te informeren. Ze wist wel beter.

Hij was de niet-gestoffeerde trap afgedaald en naar de keuken gelopen, waar de kat, die opmerkelijk droog was geweest, door het kattenluikje ten tonele was verschenen en direct duidelijk had gemaakt dat ze haar eten wenste. Hij had wat kattenvoer in haar etensbakje gedaan, ze had er wat van gegeten om vervolgens direct weer te vertrekken, terug naar het geheime tweede tehuis dat ze blijkbaar ergens had gevonden, een tehuis waar ze, vermoedde McLaughlan, wederom een ontbijt voorgezet zou krijgen.

In de wetenschap dat hij straks wat op het bureau zou eten volstond McLaughlan met een kop koffie, bracht vervolgens Claire een kop thee op bed en liep toen naar de kamer van Ocky.

Zijn zoon verkeerde nog in een diepe slaap, en McLauglan had niet anders verwacht. McLaughlan had nog nooit goed kunnen slapen, zelfs niet op vierjarige leeftijd, en hij benijdde zijn zoon om zijn lange, ongebroken nachten.

Zijn kamer was niet te vergelijken met de kamers waarin McLaughlan als kind had moeten slapen. De wanden waren geschilderd in verschillende tinten blauw en groen, geen pasteltinten, maar felle, krachtige kleuren. Het was een heel verschil met de vensterloze kast waarin hij en Tam tijdens hun verblijft bij Iris hadden geslapen, en het was ook niet te vergelijken met hun kamertje in Islington. Daar waren de wanden gelig lichtbruin geweest, en dat was zeer toepasselijk, aangezien het vocht er maar al te vaak voor had gezorgd dat de schimmel op de muren stond en ook het plafond ging ervan verkleuren. Zijn moeder had het spul met een mes weggeschraapt, had er een laag schimmelwerende emulsie overheen gesmeerd en had hen beloofd dat ze ooit in een veel beter huis zouden wonen.

McLaughlan kon zich niet meer herinneren op welk tijdstip hij zich had gerealiseerd dat ze nooit in een beter huis zouden wonen. Hij herinnerde zich alleen maar dat hij had gezworen dat als hij ooit een zoon zou krijgen, hij ervoor zou zorgen dat die vanuit zijn bed tegen iets beters aan zou kijken dan een vochtige muur.

Hij was terug naar Claire gelopen, die nu rechtop in bed zat en net de beker thee wilde pakken die hij op haar nachtkastje had neergezet. Ze had niet gevraagd hoe laat hij terug zou zijn en hij was zonder afscheid van haar te nemen weggegaan – hij vond afscheid nemen maar niets; je laadde altijd de verdenking op je dat je verwachtte nooit meer levend thuis te komen.

Dat wist ze. Ze begreep het. Hij was niet de enige politieman die allerlei vormen van bijgeloof koesterde. Sommigen van zijn collega's weigerden onder een ladder door te lopen, terwijl weer anderen hun eigen equivalent van dat goeie ouwe konijnenpootje bij zich hadden. McLaughlan droeg het crucifix, en weigerde zijn vrouw te kussen of anderszins afscheid van haar te nemen. 'Tot straks,' had hij gezegd, en was toen naar het bureau Tower Bridge vertrokken, waar hij gebrieft zou worden.

De briefing was begonnen om zes uur 's ochtends en werd gehouden in het soort vertrek dat McLaughlan altijd deed denken aan een lokaal in een school die over een veel te krap budget beschikte, een school met chronisch geldgebrek. De vloer was niet zo schoon als eigenlijk het geval had moeten zijn en de wanden konden wel een likje verf gebruiken, al was het alleen maar om het roomgeel waarin ze geschilderd waren wat op te fleuren.

Tafels die gewoonlijk als bureaus werden gebruikt waren tegen de wanden geschoven, en het oppervlak van die tafels werd aan het oog onttrokken door wapens, terwijl er verder enkele rijen plastic stoelen waren neergezet, zodat McLaughlan en de rest van het team Leonard Orme konden aankijken. Hij had met zijn enorme rug naar een nóg breder tekenbord gestaan waarop een plattegrond van de wegen rond de bank was bevestigd, terwijl daarop in rood de posities waren aangegeven van waaruit zijn mannen de omgeving in de gaten zouden houden.

Vlak voor het tekenbord trok hij een scherm naar beneden waarop even later foto's van de overvallers werden geprojecteerd. Iedereen in het vertrek – niemand uitgezonderd – kende Calvin, en een redelijk percentage van de aanwezigen waren reeds bekend met Stuart. Desalniettemin wees Orme naar een van de foto's en zei: 'Dat is de zoon van Calvin Swift, Stuart. Tweeëntwintig jaar oud. Verslaafd aan drugs. Vier veroordelingen – drie voor diefstal en eentje voor in het bezit hebben van harddrugs.'

Wat McLaughlan betrof zag de uitgemergelde Stuart er op de foto uit alsof hij hard aan een shot toe was. Geen wonder dat pa zich zorgen over hem maakte. Stuart was er slecht aan toe.

Er verscheen een tweede foto op het scherm. 'De chauffeur. Leach. Tegen de vijftig. Getrouwd, heeft volgens zeggen nog enkele jonge kinderen thuis rondlopen.'

'Hoe ziet zijn strafblad eruit?' vroeg Doheny.

'Diefstal, autodiefstal en heling,' zei Orme, die nu naar de derde en laatste foto wees: 'Carl Fischer. Tien jaar ouder dan Stuart. Talloze veroordelingen, waarvan de ernstigste voor gewapende overvallen. Ook nog twee keer veroordeeld voor het mishandelen van een voormalig vriendinnetje.'

McLaughlan nam de details in zich op, niet alleen die wat het strafblad van de mannen betrof, maar ook die over hun bouw, want zodra die lui bivakmutsen op hadden zou hij ze alleen nog maar kunnen onderscheiden aan de hand van hun lichaamsbouw.

Het bleek vaak handig om te weten wie wie was, niet in het minst omdat het je een idee gaf hoe een bepaald iemand zou reageren wanneer die merkte dat hij omringd was door gewapende politieagenten. Eén blik op Leach' opgezwollen ogen en dikke gelaat maakte McLaughlan duidelijk dat hij te gedrongen was en geen conditie had. De meeste lieden die gewapende overvallen pleegden zorgden ervoor dat ze in conditie bleven. Hun vrijheid kon wel eens afhangen van een korte sprint, maar Leach zag er niet naar uit dat hij daartoe in staat was. McLaughlan betwijfelde daarom of hij veel verzet zou bieden, maar Fischer – als je op zijn staat van dienst mocht afgaan – zou wel eens een heel ander verhaal kunnen zijn. Van Stuart daarentegen was niet bekend of hij gewelddadig was, maar als hij high was zou hij best wel eens iets stoms kunnen doen. Het zou nuttig zijn om dat te weten te komen.

Orme was met de informatie gekomen dat Stuart momenteel op een adres in Islington woonde, niet ver uit de buurt van de bank. Fischer woonde met de een of andere vrouw samen in Romford, en Vincent Leach woonde met zijn vrouw in Elstree.

Ze woonden nogal ver uit elkaar, bedacht McLaughlan. Niet dat dat veel verschil maakte. Nu de politie wist waar ze momenteel woonden, was het mogelijk om ze vanaf het moment dat ze hun huis verlieten tot aan het tijdstip dat ze zouden proberen de overval uit te voeren onder observatie te houden.

Vervolgens had Orme gevraagd of er nog vragen waren, en nadat hij zich ervan had overtuigd dat iedereen precies wist waar hij aan toe was, wees hij elke aanwezige nog ergens nadrukkelijk op, namelijk op het feit dat Calvin Swift een levende legende was, dat zijn carrière er eentje vol geweld was geweest: hij had twee generaties bankdirecteuren, bewakers en leden van het publiek neergeschoten, neergestoken, afgeranseld en met ploertendoders behandeld, terwijl het gerucht de ronde deed dat hij nog steeds mensen chanteerde door ze zijn 'bescherming' op te dringen. Ooit waren zijn slachtoffers eigenaars van kleine bedrijfjes in en rond het East End geweest. Tegenwoordig waren het eigenaars van aanzienlijk grotere bedrijven, bedrijven die op ruim opgezette industrieterreinen in en rond Sussex waren gevestigd. Toch had de combinatie van de best mogelijke advocaten plus een politiek om iedereen te terroriseren die zich dapper genoeg achtte om tegen hem te getuigen, ervoor gezorgd dat hij alles bij elkaar slechts twaalf jaar achter de tralies had vertoefd. Zijn broer Ray had van Calvins reputatie weliswaar gebruikgemaakt, maar hij was duidelijk de minste van de twee kwaden.

Hij wees erop dat families als de Swifts wel vaker voorkwamen. De leden van deze familie waren gewelddadig en disfunctioneel, maar probeerden dat vaak te verbergen onder een dun laagje voornaamheid en verfijning. Hun kinderen zaten op particuliere kostscholen. Ze woonden in chique wijken. Maar dat maakte allemaal geen enkel verschil. Als je drie minuten met een van hen in gesprek was, wist je precies waar ze vandaan kwamen en wist je precies wat voor vlees je in de kuip had.

Barbaren.

'Vergeet nóóit met wat voor soort mensen je te maken hebt,' zei Orme. 'Maar besef zeer wel dat Stuart, los van het feit hoe Calvin zichzelf beziet, zeer zeker níet de zoon van God is. Hij is niet meer dan de zoon van weer zo'n trieste klootzak die denkt dat hij boven de wet staat – dus laten we hem eens met de neus op de feiten drukken.'

We zullen hem met de neus op de feiten drukken, bedacht McLaughlan, vooropgesteld dat hij zou komen opdagen, en op dat moment, terwijl hij nadacht over datgene wat Orme had gezegd, zag hij een bestelwagen van Securicor de straat in komen rijden. Maar hij zag ook nog iets anders, een zilverkleurige flits hoog boven de hoofden van de mensen die zich moeizaam een weg over straat zochten. Ze liepen met gebogen bovenlichamen tegen de regen, hun kleding even kleurloos en vochtig als de muren van de gebouwen die ze passeerden. Veel mensen bleven gewoon doorlopen, maar sommigen zochten beschutting in plaatsen zoals de winkel onder de flat, waar ze wachtten tot het wat minder hard zou gaan regenen, zich niet bewust van het feit dat overal om hen heen, achter ramen, in gangen en in auto's, gewapende mannen de glimmende lopen van hun vuurwapens aanraakten, waarbij er een dun olielaagje op hun vingers achterbleef. Ze hielden hun blik op de gepantserde geldauto gericht, en op het moment dat de wagen voor het bankkantoor stopte, glipte McLaughlan samen met Doheny de kamer uit.

Enkele seconden later waren ze de trap afgedaald die naar de achterkant van de winkel leidde en renden vervolgens door een steegje dat uitkwam op het trottoir tegenover de Midland Bank.

Ze stonden met hun rug tegen het metselwerk, wachtend tot de vluchtauto straks voor de geldwagen zou worden gezet. Zodra de overvallers de bewakers onder schot hadden, zou vanuit elke denkbare richting gewapende politie op hen neerdalen, en als dat gebeurde, wist McLaughlan uit ervaring, kon er van het publiek dat zich het dichtst bij de actie bevond van alles worden verwacht. Sommigen van hen zouden in elkaar duiken en zich plat op de stoep laten vallen. Anderen zouden zich snel omdraaien en het op een lopen zetten. Maar tenzij de politie de pech had om met een 'held' geconfronteerd te worden, zouden de meesten niets anders doen dan bewegingloos blijven staan, stijf van de schrik, en dat kwam McLaughlan eigenlijk nog het beste uit. Het laatste waarop hij zat te wachten waren helden; hij had er absoluut geen behoefte aan dat iemand uit het publiek door het lint zou gaan, maar als er iets dergelijks zou gebeuren, zaten er mensen in het team die er speciaal voor getraind waren om aan dat soort situaties het hoofd te bieden. De rest zou zich uitsluitend bemoeien met de overvallers.

De deuren aan de achterkant van de geldwagen gingen open. Twee geldlopers stapten uit, waarvan de voorste een metalen geldcassette droeg, terwijl de tweede de deuren weer dichtdeed, en omdat het politiebeleid was om nooit iemand op de hoogte te brengen – geen particulieren, geen bewakingsfirma en ook de bank niet – dat ze wel eens het doelwit van een overval zouden kunnen zijn, waren de geldlopers zich niet bewust van wat er om hen heen allemaal afspeelde. Als ze gewaarschuwd waren, zou de mogelijkheid bestaan dat ze zich gespannen of anderszins opvallend zouden gedragen, waardoor het risico dat ze hun leven in gevaar zouden brengen alleen maar groter werd.

De geldlopers begonnen in de richting van de bank te lopen, maar er was nog steeds geen spoor van een eventuele vluchtauto te zien, en McLaughlan begon zich zorgen te maken. Als de overvallers niet kwamen

opdagen, zou na zoveel voorbereidingen en wachten de anticlimax ontzettend groot zijn. Zo'n soort scenario was slecht voor de zenuwen en
nog slechter voor het moreel. Maar net op het moment dat hij ervan overtuigd was dat de overvallers gewaarschuwd waren, stopte er een donkerblauwe BMW voor de geldwagen. De auto was nog niet eens goed en wel
tot stilstand gekomen toen de portieren al openvlogen en de uitgemergelde Stuart en de iets langere Fischer, hun gezichten aan het oog onttrokken door bivakmutsen, uit de auto sprongen.

Binnen enkele seconden hadden ze de geldlopers onder schot en
klonk uit de aan Doheny's riem bevestigde radio de stem van Orme, die
opdracht gaf in actie te komen.

McLaughlan en Doheny staken sprintend de weg over, in de richting
van de bestelwagen, en het was op dat moment dat McLaughlan opnieuw
een glimp opving van die zilverkleurige flits. Enkele ogenblikken eerder
had hij de indruk gekregen dat het iets was dat nog het meest leek op een
maan die door de straat stuiterde. Hij had er op dat moment geen aandacht aan geschonken, maar nu drong het tot hem door en zag hij in hoe
verkeerd hij het had ingeschat.

Hij zag nog iets anders, iets waarvan hij ijskoud werd: de mannen die
in de buurt stonden opgesteld hadden hun waarnemingsposten verlaten
en renden in de richting van de overvallers. Maar zij, net als hij zelf, hielden in omdat ze hadden gezien wat hij een fractie van een seconde eerder
ook had gezien.

De zilverkleurige flits was afkomstig van een ronde ballon. Die dob-
berde boven het hoofd van een jongetje van drie, misschien vier jaar oud,
en zat door middel van een doorzichtig draadje vast aan zijn roze, be-
sproete hand. Terwijl de bewapende politie ten tonele verscheen, was het
jongetje naar Stuart Swift gehold, wees naar zijn vuurwapen en vroeg zo
te zien of hij het een keertje vast mocht houden.

Een vrouw, naar McLaughlan aannam de moeder van het kereltje,
werd zichtbaar. Ze doorzag de situatie onmiddellijk en verstijfde. *Goeie
meid*, dacht McLaughlan. *Goeie meid*. Maar terwijl hij dat nog dacht nam
Swift het gewicht van het geweer met afgezaagde loop met één hand over
en greep met zijn andere hand het mannetje bij de schouder.

Doe dit niet, dacht McLaughlan – het laatste waarmee hij geconfronteerd wenste te worden was een kind dat in gijzeling werd genomen – en

hoorde toen een geluid dat hij aanvankelijk niet herkende. Het was afkomstig van de moeder van het kind, een smekende, jammerende klaagzang die niets menselijks had. Ze liet zich op haar knieën vallen en in eerste instantie dacht McLaughlan dat ze flauw was gevallen, maar toen begon ze over het trottoir naar haar zoon te kruipen.

Op dat moment verscheen Orme vanuit het niets en riep: 'Blijf waar u bent!' maar desondanks ging ze gewoon door met kruipen en McLaughlan was bang dat als ze zou proberen haar kind te pakken te krijgen, dat wel eens voldoende zou kunnen zijn om de situatie te laten escaleren. Plotseling zag hij beelden voor zich van de nasleep van dit alles, nadat Swift met het geweer met afgezaagde loop om zich heen was gaan vuren, en omdat hij snel moest handelen deed McLaughlan het enige waaraan hij kon denken: hij riep naar Swift, terwijl hij tegelijkertijd zijn wapen liet zakken. 'Je krijgt een vrije aftocht – zolang je dat kind maar met rust laat,' maar het enige dat hij zag was de angstige blik in Swifts ogen. Dat verontrustte McLaughlan aanzienlijk, want hij wist net als iedereen dat een angstige overvaller met een wapen in handen veel gevaarlijker voor hemzelf en zijn omgeving is dan welke koelbloedige moordenaar ook. Het gevolg daarvan was dat McLaughlan geen idee had hoe zijn reactie zou zijn.

Maar hoe die reactie ook geweest mocht zijn, niemand zou het ooit te weten komen, want wat daar op dat moment gebeurde was erger dan wat zich ooit in McLaughlans ergste nachtmerrie had afgespeeld.

Het kind probeerde het vuurwapen te pakken.

En Swift haalde de trekker over.

3

Het regende, en het feit dat het regende was eigenlijk wel passend, vond Jarvis, die tussen een groepje mensen stond dat naar de begrafenisstoet keek die op dat moment stilhield voor een pub in het East End. Het merendeel van de auto's zat vol al wat oudere leden van de criminele gemeenschap, stuk voor stuk lieden met wie Jarvis in de jaren zestig te maken had gehad.

Bij sommigen van de mannen begonnen de jaren nu duidelijk zichtbaar te worden, een combinatie van lange gevangenisstraffen plus de gevolgen van overmatig tabaks- en alcoholgebruik, terwijl de vrouwen die deze mannen trouw waren gebleven – althans, voor zover Jarvis dat kon beoordelen – weinig beter waren gevaren, en hij zou deze dames van middelbare leeftijd het liefst willen omschrijven als 'slonzig'.

Deze vrouwen waren nauwelijks te vergelijken met de aantrekkelijke meisjes die in de talrijke nachtclubs hadden gezongen en gestript, de clubs waar ze hun echtgenoten hadden ontmoet. Hun mannen waren maar al te vaak eigenaar van die etablissementen geweest, en nadat die zaken waren aangekocht uit de opbrengst van overvallen, afpersing, prostitutie en porno, werden ze uiteindelijk gebruikt als dekmantel voor allerlei witwaspraktijken.

Sommigen van hen liepen dertig jaar later nog steeds met het hoofd fier rechtop, zonder last te hebben van factoren als rentetarieven, regeringswisselingen en aanslagen van overijverige belastingambtenaren – factoren die een ongunstige invloed hadden op gelijksoortige kleine bedrijven die zich wél aan de regels moesten houden, en al die zaken hadden zich mogen verheugen in de klandizie van lieden als wijlen Tommy

Carter, de man die momenteel naar zijn laatste rustplaats werd begeleid.

Geheel in overeenstemming met de traditie in het East End werd de lijkkoets getrokken door twee zwarte paarden, waarvan de pluimen die tussen de oren waren aangebracht het geheel iets van een pantomime-voorstelling gaven, terwijl de kist door talloze kransen geheel aan het oog was onttrokken. Rode anjers vormden de woorden *Pap* en *Tommy*.

Jarvis had Tommy Carter redelijk goed gekend, maar ondanks het feit dat hij een keer het plezier had gehad mee te mogen helpen hem achter de tralies te krijgen, was hij hier eigenlijk om hem de laatste eer te bewijzen, samen met enkelen van zijn colega's die Tommy ook nog van vroeger kenden.

Het nieuws dat hij vredig tijdens zijn slaap was overleden had zowel voor een glimlach als voor irritatie gezorgd, maar Jarvis kon het niet over zijn hart verkrijgen Tommy iets slechts toe te wensen. Waar de man momenteel ook mocht zijn, vooropgesteld dat er een leven na de dood was, zou hij waarschijnlijk druk bezig zijn met de voorbereidingen voor het kraken van een brandkast, terwijl hij zich geen moment af zou vragen wie de eigenaar van die brandkast was – God of de duivel, voor hem was het allemaal één pot nat. Jarvis hoopte alleen maar dat in het vagevuur betere veiligheidsmaatregelen waren getroffen dan in de Parkhurst-gevangenis.

Tommy was voornamelijk actief geweest in een tijd dat er nog een sfeer van romantiek rond het kraken van kluizen hing, en al helemaal rond zijn specialiteit, het via het dak binnendringen van een gebouw om vervolgens de kluis te forceren. En hoewel hij samen met sommigen van de meest violente misdadigers uit de jaren zestig was opgegroeid, had Tommy, die niet één gewelddadige vezel in zijn lijf had, zich beperkt tot datgene waarin hij het best was. Hij had het kraken van een kluis tot een ware kunst verheven – de gaten die hij in de kluizen aanbracht waren volkomen rond en precies goed.

Kortom, Jarvis had hem gemogen, en daarom bevond hij zich tussen het groepje mensen dat zich voor Tommy's stamkroeg had verzameld toen de lijkkoets daar even stopte op haar weg naar het crematorium.

Over het algemeen droeg hij nooit een hoed, maar hij had er vandaag wél een op, en toen de paarden halt hielden lichtte hij hem heel even op. De meeste mensen die om hem heen stonden kende hij nog. Sommigen van de toeschouwers waren de zoons en dochters van dieven als Tommy Carter. De anderen waren buren, kennissen en zakenrelaties, maar de meeste schurken onder dit groepje droegen het soort importkostuum dat er op slag voor zorgde dat ze slecht gekleed gingen. Er waren enkele Pearly Kings en Queens aanwezig, en Tommy zou daar vast wel van genoten hebben, bedacht Jarvis. Het was allemaal een beetje show, een verwijzing naar het oude East End, naar iets wat een man met Tommy's achtergrond waarschijnlijk zou hebben omschreven als een 'verdomd goed afscheid'. Een beter afscheid dan ik waarschijnlijk ooit zal krijgen, bedacht Jarvis terwijl de aanwezigen hun glazen hieven. 'Op Tommy Carter,' klonk de toast, en ook Jarvis bracht zijn glas omhoog.

'Op Tommy Carter,' zei hij hen na.

Terwijl hij op Tommy's nagedachtenis dronk, dacht Jarvis terug aan de tijd waarin hij naar deze zelfde pub was gekomen om eens rustig met hem te praten. Het was een paar weken na de verdwijning van Tam geweest, en aangezien algemeen bekend was dat Tommy en George regelmatig samen het glas hieven, dacht Jarvis dat het misschien zinvol was om eens aan Tommy te vragen of hij iets van belang had gehoord.

'De zoon van George is verdwenen,' zei hij.

Tommy, wiens haar naar de stijl van die dagen strak naar achteren was gekamd, had hem op een biertje getrakteerd. 'Ik heb iets in die richting gehoord,' gaf hij toe.

'Wat heb je gehoord?'

'Dat hij naar George op zoek was. En dat hij nooit meer teruggekomen is.' Tommy liet het daarbij, en maakte een ietwat zenuwachtige indruk toen hij er nog aan toevoegde: 'Misschien heeft hij hem gevonden.'

De manier waarop hij dat vertelde, zei Jarvis alles wat hij moest weten over de manier waarop Tommy over George dacht. Hij was meedogenloos, gewelddadig en als het nodig was niet te beroerd om zich tegen zijn eigen vlees en bloed te keren. 'Bedankt, Tommy,' zei hij, en die middag had hij een gesprekje gehad met zijn chef, Don Hunter.

Hoewel Hunter zes jaar jonger was dan Jarvis, bekleedde hij bij de recherche de rang van hoofdinspecteur, maar had desalniettemin respect voor Jarvis, die, net als hijzelf, nog van het ouderwetse soort was, een diender die het East End op zijn duimpje kende.

Het was 1968 en in de straten van Londen riepen mensen die niet veel jonger waren dan Hunter elkaar op om, als ze op weg mochten zijn naar San Francisco, toch vooral een bloem in hun haar te steken, maar Hunter had Jarvis meegenomen naar een kantoortje waar zowel de in-bakjes als de uit-bakjes, de stoelen, het tapijt en de muren een deprimerende kleur grijs hadden, een kleur die waarschijnlijk met opzet was uitgekozen. Geen bloemen. En ook nauwelijks haar, althans, niet op het hoofd van Hunter, die het feit dat hij voortijdig kaal was volledig weet aan het soort werkzaamheden dat hij verrichtte.

'Herinner je je nog dat ik je vertelde dat de oudste zoon van George zijn jongere broertje mee naar Glasgow heeft genomen en toen van de aardbodem is verdwenen?'

'Wat is daarmee?' vroeg Hunter

'Hij is nog steeds niet boven water.'

Als iemand anders dit feit onder zijn aandacht had gebracht, zou Hunter wellicht de vraag hebben gesteld of het, gezien de leeftijd en de achtergrond van de jongen, niet een beetje te vroeg was om zich al overmatig ongerust te gaan maken. In plaats daarvan dacht hij er even over na, terwijl Jarvis eraan toevoegde: 'Die knaap is niet zomaar van huis weggelopen. Hem is iets overkomen.'

'Was hij niet in Glasgow ten tijde van de storm?'

'Hij is in elk geval niet getroffen door de storm,' zei Jarvis, die ervan overtuigd was dat Hunter precies zou weten waarop hij doelde. Zes weken voor Kerstmis hadden twee mannen geprobeerd een wedkantoor van Ladbroke te overvallen. De bookmaker die de zaak runde was zelf ook half en half een crimineel, en hij had een verklaring afgelegd waarin hij meldde dat hij een van de overvallers had herkend als George McLaughlan. Daarom kon vrij veilig worden aangenomen dat zijn partner een inwoner van Glasgow was, een kerel die naar de naam Crackerjack luisterde, aangezien hij en George een team vormden. Eric en Ernie, Laurel en Hardy. Pinky en die verdomde Perky!

Zeggen dat die overval verkeerd had uitgepakt, zou nog zwak zijn uitgedrukt: de bookmaker was van achteren de zaak in gestapt met in zijn handen een Thompson-pistoolmitrailleur die hij na de Tweede Wereldoorlog als souvenir had bewaard, en had daarmee het vuur geopend. Hij bezwoer dat hij alleen maar zichzelf en zijn personeel had willen verdedigen – per slot van rekening waren de overvallers met geweren met afgezaagde loop bewapend geweest. Daarom was hij van plan om het op zelf-verdediging te gooien als de zaak zou voorkomen, en deze zaak zou zéker voorkomen, bedacht Jarvis, want in de daaropvolgende chaos was een van de overvallers neergeschoten.

Toen de politie arriveerde had het wedkantoor meer weg van een sla-gerij dan van een zaak waar je op de paarden kon gokken, en niemand, dacht Jarvis – absoluut níemand – ging na zo'n geval van grootschalig bloedverlies vrijuit.

Hij had alle ziekenhuizen gewaarschuwd, maar tot nu toe had nog geen daarvan hem laten weten dat ze recentelijk een patiënt met schot-wonden hadden opgenomen. Crackerjack moest toch érgens liggen. Of hij lag ergens in een ziekenhuisbed, of Crackerjack was dood.

'Ik vraag me af,' ze Jarvis, 'of Tam misschien iets van die overval af heeft geweten.'

'En als dat nou eens het geval is?' reageerde Hunter.

'Als hij zijn vader nu eens probeerde te chanteren, zodat hij geld aan zijn moeder zou geven?'

'Het is niet waarschijnlijk dat zijn vader hem daarom koud zou ma-ken,' zei Hunter. 'Zelfs een man als George zou zijn eigen kind niet do-den.'

Jarvis gaf daar maar geen commentaar op. Volgens hem was George tot álles in staat. Hij was geboren en getogen in de Gorbals en had in de jaren zestig zijn leertijd doorgebracht bij een van de beruchtste bendes die er in Glasgow te vinden was, waarna pure hebzucht en naakte ambi-tie hem ertoe hadden gebracht naar het zuiden te verkassen. Eenmaal in Londen had hij al snel naam gemaakt als het type van een Glasgow-zwaargewicht die best nuttig kon zijn voor firma's die strijd leverden om territoria die ooit beheerst waren door families als de Richardsons en de Kray's. En zelfs als Jarvis hem het voordeel van de twijfel gaf, dan was het nog altijd mogelijk dat een van zijn partners iets gedaan had om Tam het zwijgen op te leggen zodra het er maar naar uitzag dat de jongen wel eens voor problemen zou kunnen zorgen.

'Wat wil je er aan gaan doen?' vroeg Hunter.

'Ik denk dat ik naar Glasgow terug moet om nog eens met Iris te pra-ten. Als daar blijkt dat ze zich over Tam geen zorgen maakt, dan denk ik dat we kunnen aannemen dat ze hem, nadat hij Robbie op de trein heeft gezet, nog heeft gezien.'

'En als ze hem niet meer heeft teruggezien?'

'Dan denk ik dat we zijn verdwijning wat serieuzer moeten onderzoeken.'

Hunter dacht daar een ogenblik over na en zei toen: 'Dan kun je maar beter op korte termijn naar de Gorbals afreizen, denk ik zo.'

Het was de opmerking waarop Jarvis had gehoopt. Hunter voegde eraan toe: 'Ik neem aan dat je rugdekking wilt hebben – ik zal ervoor zorgen dat je die krijgt.'

'Doe geen moeite,' zei Jarvis. 'Ik voel me een stuk veiliger zónder.'

Als iemand anders dan Jarvis dat had gezegd, zou Hunter net zo lang op hem ingesproken hebben tot hij hem op andere ideeën had gebracht, maar als Jarvis geen rugdekking wilde, dan was daar een reden voor, dus liet Hunter het erbij. 'Je moet het helemaal zelf weten.'

Toen Jarvis de wijk Gorbals in Glasgow voor het eerst had aanschouwd, geloofde hij niet dat het ooit een aantrekkelijke voorstad was geweest, waar de uit rode zandsteen opgetrokken rijtjeshuizen onderdak hadden geboden aan rijke industriëlen, aan de literaire intelligentsia, de kletsende klasse. Sinds de eeuwwisseling was de status van de wijk in hoog tempo afgegleden en was het gebied het domein geworden van arme emigranten, onder wie heel wat Ieren, en hoewel er aan het eind van de jaren zestig een renovatieprogramma was opgestart, waren er nog voldoende huurkazernes blijven staan om politici te horen beweren dat de Gorbals een van de ergste en misschien wel dé beruchtste achterbuurt van Europa genoemd mocht worden.

Hij stapte de flat binnen waar de moeder van George woonde, liep de trap op naar de galerij waar ze, voor zover hij wist, haar gehele getrouwde leven had doorgebracht, en klopte een paar keer hard op de deur.

Iris deed de deur open en wederom was Jarvis onder de indruk van de afmetingen van de vrouw. De meeste bewoners van de Gorbals waren ondervoed en nietig, waardoor de McLaughlan-clan nóg meer opviel door de enorme lichaamskracht waarover de leden beschikten.

Het drong tot Jarvis door dat iedereen die Iris kende, en die vervolgens oog in oog met George kwam te staan, onmiddellijk moest beseffen dat het zijn moeder was. Van wie zou George anders die massieve schouders en die enorme onderarmen moeten hebben? Ze was geenszins een dikke vrouw, maar ze was *groot*, en zoals wel vaker het geval was als Jarvis een vrouw van hetzelfde type zag, kon hij zich onmogelijk voorstellen dat ze ooit kind geweest moest zijn. Hij had het gevoel dat ze op geen enkele manier iets zachts had gehad, en dat ze zelfs in haar wiegje liggend nooit had geglimlacht, dat ze op de een of andere manier altijd al geweten moest hebben wat de toekomst voor haar in petto had, en dat ze haar gedachten, samen met haar glimlach, voor zichzelf had gehouden.

De deur kwam vanaf de galerij direct uit op een kamer waar de bank en de stoelen met de rugleuning naar een inloopkeuken gekeerd stonden. Sinds Jarvis er voor het eerst was geweest was er maar weinig veranderd, behalve dan dat het er een paar maanden geleden min of meer eender had geroken als alle andere kamers in een dergelijk type woning – een mengsel van vochtige wanden, smerige toiletten en gaargekookt voedsel. Het geheel leek afgedekt met de sterke geur van petroleum, hoewel die er niet in slaagde het ongedierte uit de keukenkastjes, de wanden en de plinten weg te houden. Nu ging die geur verloren in de intense stank van verschaald menselijk zweet. Dat had als waarschuwing moeten dienen, maar dat deed het niet omdat Jarvis niet besefte wat het betekende.

Hij liet zijn blik opnieuw door het interieur glijden, nam de details in zich op die hem de vorige keer waren ontgaan en liet zijn blik uiteindelijk rusten op een serie slecht ingelijste foto's. Ze hingen aan de verst verwijderde muur, en op sommige stond een wat jongere George, maar het overgrote deel waren foto's van zijn broer, Jimmy 'Nau' hans'.

Beide mannen waren boksamateurs geweest, maar alleen Jimmy was voldoende getalenteerd om de overwinningsgordels te verdienen die hij op de foto's droeg. Toch had de manier waarop Jimmy op al die foto's zijn handschoenen naar voren stootte iets uitermate afstotelijks, alsof hij vast voor de toekomst wilde illustreren dat er ooit handen hadden gezeten op de plaats waar nu alleen maar stompjes zaten.

Er waren nergens foto's van Iris' echtgenoot te zien. Het weinige dat Jarvis van hem afwist was afkomstig van Elsa, die hem had verteld dat de vader van George in de jaren dertig naar een van die arbeiderskampen was gestuurd. Daar was hij overleden, zodat Iris met haar beide zoons was achtergebleven en had geprobeerd hen zo goed mogelijk op te voeden.

Door Elsa wist hij ook dat Iris enkele keren wegens prostitutie bekeurd was geweest, maar dat was al twintig jaar geleden, en hij kon zich moeilijk voorstellen dat de vrouw die nu voor hem stond ooit voldoende aantrekkelijk was geweest om een bijziende waterrat zover te krijgen dat hij bereid was te betalen om met haar naar bed te mogen. Ze droeg haar voormalige professie als een brandmerk, alsof elke met smerigheid omringde seksuele confrontatie op haar gezicht een soort merkteken had achtergelaten, een rimpel die haar steeds zou herinneren aan de daden die ze genoodzaakt was uit te voeren teneinde haar beide jongens te kunnen voeden. Ze was een zorgzame moeder geweest, dat wist Jarvis maar al te goed, hoewel sommige mensen misschien een heel andere mening hadden. Ze had ze te eten gegeven, ze had ze verzorgd en ze had voor hen gevochten, en er werd gezegd dat ze de enige levende persoon was voor wie George en Jimmy respect konden opbrengen. Dat zei toch wel iets, vond Jarvis – hoewel zijn mening vaak niet helemaal in overeenstemming was met de denkbeelden van mensen die op de een of andere manier vonden dat ze de wereld net zo keurig, schoon en perfect konden maken als Tommy Carters gaatjes in een kluis.

'Ik dacht dat ik van u af was, meneer Jarvis,' zei ze, en terwijl ze dat zei wierp ze een snelle blik in de richting van de deur die toegang gaf tot een kleine slaapkamer.

Op dat moment werd Jarvis een tikkeltje nerveus, hoewel hij niet helemaal begreep waarom. Misschien was het iets in haar oogopslag, of misschien kwam het door al het lawaai in de flat om hem heen – de bonkende voetstappen van iemand die de betonnen trap afdaalde, het toilet dat een eindje verderop op de galerij werd doorgetrokken, het aanhoudende hoge gehuil van een klein kind. Ergens in het gebouw hadden een man en een vrouw ruzie met elkaar, waarbij hun stemmen goed te horen waren, maar hun duidelijke Glasgow-accent zorgde ervoor dat hij niet kon horen waar het nu precies om ging. Hun stemmen zweefden zijn kant uit en bereikten het vertrek, waar uit een van de vensters een groot stuk glas ontbrak en dat met tape provisorisch was dichtgemaakt. En ondanks het feit dat de tocht door het gapende gat het vertrek binnenkwam, stonk het nog steeds in de kamer.

'Ik zei dat ik dacht dat ik van u af was.'

Ze wierp nog een terloopse blik in de richting van het slaapkamertje, en dat, plus het feit dat ze volkomen onnodig haar stem een octaaf hoger liet klinken, maakte Jarvis duidelijk dat dit misschien wel eens als een soort waarschuwing bedoeld kon zijn. Toen pas drong het tot hem door dat George wel eens in dat kamertje zou kunnen zitten, en toen die mogelijkheid tot hem doordrong, besefte hij ook dat het uiteindelijk misschien tóch niet zo verstandig was geweest om hier in z'n eentje naartoe te gaan.

Hij had moeten beseffen dat er altijd een kans bestond dat George in de buurt was, hoewel hij dat weinig waarschijnlijk had geacht op grond van het feit dat George er waarschijnlijk van uitging dat de politie deze woning vierentwintig uur per etmaal in de gaten hield – enkel en alleen vanwege de mogelijkheid dat altijd de kans bestond dat hij nog eens terug zou kunnen keren. Maar áls hij daar in dat kamertje zat, redeneerde Jarvis, dan deed hij er het beste aan hem niet in het harnas te jagen. George was heel iemand anders dan Tommy Carter. Van een rustige entree zou geen sprake zijn. Hij was waarschijnlijk niet eens van plan naar buiten te komen. Jarvis wist dat als hij zou proberen hem te arresteren, George hem in zijn gezicht uit zou lachen en hem zou vertellen dat hij moest oprotten. Als Jarvis ook maar een beetje verstandig was, zou hij dat nog doen ook. Maar toch was hij niet bereid met gezichtsverlies genoegen te nemen. 'George,' zei hij, 'als je daar in die kamer mocht zitten, ik ben alleen en ik heb geen wapen bij me.'

Er klonk geen enkel geluid uit het slaapkamertje, maar Jarvis was er nu zó zeker van dat George daar zat, dat hij in de richting van de deur liep, erop klopte en zei: 'Je kent me, George, en ik heb nog nooit tegen je gelogen. Ik heb je verteld dat ik alleen ben en ongewapend, en dat is de waarheid, dus kom ik naar binnen.'

Op dat moment sprak Iris zacht en oprecht een waarschuwing uit. 'Als ik u was, meneer Jarvis, zou ik daar niet naar binnen gaan.'

Jarvis tilde een hendel op die nog het meest leek op zo'n ding waarmee je een toiletdeur afsloot en stapte de duisternis is, want het vertrek was weinig groter dan een inloopkast en had geen venster. Hij stootte zijn onderbenen tegen een bed dat een eindje van de muur getrokken was, maar er was verder niets anders te zien dan het bed zelf met zijn metalen frame, en de muren eromheen. En toen maakte zich een vorm van de vloer los, een vorm die een gierend geluid voortbracht, naar hem uithaalde en ervoor zorgde dat Jarvis ruggelings door de deuropening achteruit tuimelde, zodat hij zich weer in de kamer bevond waar Iris stond.

Het duurde een paar seconden voor Jarvis besefte wie hem had aangevallen, en de wetenschap dat Jimmy hem met die twee grillig gevormde, naakte stompjes tegen de muur gepind hield was veel erger dan recht in de loop van een pistool te moeten kijken.

Hij had horen vertellen dat Jimmy niets te maken wilde hebben met welke vorm van prothese ook, en dat hij geen enkele moeite deed die afzichtelijke stompjes aan het oog te onttrekken. Maar niets dat hij in het verleden had gehoord had hem kunnen voorbereiden op de aanblik van die gemutileerde ledematen, want de gewelddadigheid waarmee de handen waren afgerukt was van dien aard geweest, dat er eigenlijk nog steeds verdere plastische chirurgie nodig was om datgene wat ervan over was nog enigszins toonbaar te maken.

Of hem die verdere behandeling ooit was aangeboden, wist Jarvis niet; hij wist alleen dat die stompjes in werkelijkheid nóg afzichtelijker waren dan alles wat hij zich zou kunnen voorstellen: de huid was gevlekt en paars, de littekens dik en donkerrood. En het waren niet alleen die stompjes, het was ook nog eens de geur die om deze man hing, want de stank die Jimmy omringde was erger dan het smerigste wat je in de vuilnisemmers op de binnenplaats beneden zou kunnen aantreffen. Maar ondanks het feit dat hij op slag misselijk werd, onderging Jarvis toch een steek van medelijden met de man. Hoe kon deze man zich wassen als hij geen handen had? Wat deed hij in een flat zonder bad en zonder douche? Waste zijn moeder hem af en toe, ondanks het feit dat hij een volwassen man was?

Jarvis had geen antwoord op die vragen; hij had alleen de stank om hem te doen vermoeden dat Jimmy niet alleen zijn handen was kwijtgeraakt, maar ook zijn waardigheid als mens. Hij stonk niet alleen, maar het haar in zijn nek was zo lang dat het leek of dat de afgelopen tien jaar nooit meer was geknipt. En misschien was dat ook wel zo, bedacht Jarvis. Misschien dat Jimmy na het verlies van zijn handen genoeg had gekregen van scherpe voorwerpen, van welke oorsprong of constructie ook.

Door zijn gele, stinkende tanden door siste hij: 'Ze is een oude vrouw, klootzak – waarvoor kom je haar lastigvallen, hm?' En Jarvis probeerde uit te leggen dat hij was gekomen vanwege Tam.

Jimmy was niet overtuigd. Hij bracht de langste van zijn twee verfomfaaide stompjes omhoog, zodat zijn arm een lange dunne stok leek, en Jarvis besefte dat, te zien aan de foto's die aan de muur hingen, het pure gewicht van de spieren die ooit aan dat bot vast hadden gezeten, toen Jimmy nog intact was, voldoende moest zijn geweest om de schedel van een paard te klieven. Nu waren die spieren nutteloos geworden, en alsof hij zich plotseling bewust was van het feit dat hij niet langer meer over de kracht beschikte hem te doden, gaf Jimmy het op, duwde hij hem van zich af, zwaar ademhalend, alsof de inspanning te veel voor hem was geweest. Hij keek Iris aan, alsof hij van haar wilde horen wat hij moest doen, maar Iris stak alleen maar een Senior Service op, de sigaret vasthoudend met handen die zo groot waren, die zo *mannelijk* waren, dat het moeilijk voor te stellen was dat op zeker moment in haar leven een man een ring om een van die vingers had laten glijden. Ze hield de sigaret voor Jimmy's mond, die een diepe trek nam, waarna ze de sigaret weer wat terugtrok, er klaar voor hem opnieuw een trekje te laten nemen. 'Je zei iets over Tam,' zei ze tegen Jarvis, die antwoordde: 'Hij is nu bijna twee maanden weg. Elsa begint zich zorgen te maken.'

Jimmy kwam tussenbeide met een nietszeggend: 'Het is een volwassen knul,' maar Jarvis vervolgde onverstoorbaar: 'Ik ben hier naartoe gekomen om te kijken of er nog andere familieleden waren die zich zorgen over hem maakten.'

'En als dat nou eens zo is,' zei Iris, 'wat dan nog?'

'Dan zou ik jullie vragen hem als vermist op te geven, dan zorg ik er wel voor dat de politie van Strathclyde, én die van Londen, een serieus onderzoek opent en gaat kijken waar hij zou kunnen uithangen.'

Hij was nog niet eens goed en wel uitgesproken, toen Jarvis besefte dat mensen als moeder en zoon McLaughlan zo'n ingesleten wantrouwen tegen elke vorm van gezag koesterden, dat het als antwoord weinig om het lijf had. Om te beginnen zouden ze nooit geloven dat de politie de moeite zou nemen naar een vermist lid van hun familie op zoek te gaan, en ten tweede zouden ze van mening zijn dat, als de politie tóch een onderzoek zou openen, dat alleen maar gebeurde omdat dat de politie goed uit kwam. De ellende was, bedacht Jarvis, dat hun wantrouwen niet helemaal ongegrond was. Als de politie inderdaad stappen ondernam om Tam te vinden, gebeurde dat ook omdat zich dan de kans zou voordoen om hem, als ze hem eenmaal hadden opgespoord, aan de tand te voelen over de rol die zijn vader had gespeeld bij de overval op het wedkantoor.

En Jarvis kon zijn collega's dat geenszins kwalijk nemen; hij had Tam en Robbie ook heel wat keren aan de tand gevoeld. *Heeft Tam je vader gevonden, Robbie? Hoe komt het dat hij niet samen met jou de trein naar huis heeft genomen?*

Jimmy nam een nieuwe trek aan de Senior Service en rookte hem enkel op de kracht van zijn inhalatie op tot een peuk van nauwelijks langer dan een centimeter, waarna Iris het restant tussen haar vingers uitdrukte en een bekentenis losliet, iets dat haar zelden overkwam: 'Ik maak me zorgen,' zei ze.

Dat wist Jarvis al. Dat had hij al opgepikt toen Iris hem eraan had herinnerd dat hij iets over Tam had gezegd. Hij ving nu een flikkering van angst bij haar op toen hij vroeg: 'Wat had hij aan op de dag dat hij en Robbie hier vertrokken en naar het station zijn gegaan?'

Hij had de vraag nog niet gesteld of hij had er al spijt van, want het leek allemaal veel te veel op het soort vragen dat de politie stelt als wordt vermoed dat iemand die vermist wordt niet meer in leven is.

'Dat kan ik me niet precies meer herinneren.'

'Probeer het eens,' zei Jarvis zacht, en Jimmy kwam onmiddellijk tussenbeide met: 'Ze zegt toch dat ze het zich niet meer kan herinneren!'

Iris weerde Jimmy af met: 'Bemoei je d'r even niet mee, oké, Jimmy?' en bevestigde toen, aarzelend, in grote lijnen, datgene wat Elsa hem al had verteld.

'Heeft hij ook maar íets losgelaten over waar hij naartoe wilde nadat hij Robbie op de trein had gezet?'

'Geen woord,' zei Iris.

'Denk jij dat hij op zoek naar zijn vader is gegaan?'

Iris overwoog die mogelijkheid alsof ze daar nog nooit eerder aan gedacht had, wat alleen maar kon betekenen dat Elsa niets gezegd had, en dat Tam haar niet had verteld waarvoor hij naar Glasgow was gekomen. 'Ach,' liet ze zich uiteindelijk ontvallen. 'Ik neem aan dat dat altijd mogelijk is geweest.'

'Zou hij weten waar hij had moeten zoeken?' vroeg Jarvis.

Iris was nu duidelijk op haar hoede. 'Misschien,' bekende ze.

Jarvis, die heel goed wist dat Iris in staat was contact met George op te nemen als dat noodzakelijk mocht zijn, had verder niet aangedrongen. 'Elsa overweegt Tam als vermist op te geven.'

'Het is een volwassen knul,' herhaalde Jimmy, en Jarvis had geantwoord dat het feit dat het een volwassen knul was geenszins een garantie vormde dat er niets met hem gebeurd kon zijn.

Hij was met die opmerking bij hen vertrokken en was daarna naar Glasgow Central gegaan om daar aan het spoorwegpersoneel te vragen of iemand zich nog kon herinneren een jongen van zestien op het perron gezien te hebben, samen met een jongetje van een jaar of negen.

Wat dat betreft had hij geen enkele hoop gekoesterd; het was niet waarschijnlijk dat iemand uit de duizenden mensen die de afgelopen twee maanden van het station gebruik hadden gemaakt zich nog een van de jongens zou herinneren, maar hij had zich vergist: een vrouw die het deprimerende stationsbuffet runde had zich een jongen herinnerd die aan Robbies signalement voldeed, een jongen die de relatieve warmte van de bar binnen was komen lopen, waar bleke, melkachtige koffie en amberkleurige whisky in even grote hoeveelheden werden verkocht, een bar waar de tafeltjes laag waren en vol krassen zaten, en de vensters hoog en smerig waren.

'Hoe komt het dat u zich die jongen nog herinnert?' had Jarvis gevraagd, en had te horen gekregen dat Robbie haar had gevraagd of er nog sandwiches van de vorige dag waren, want als dat zo was, en ze waren oudbakken, zou hij er dan eentje kunnen krijgen zonder er de volle prijs voor te betalen?

De vrouw had een sandwich voor hem gemaakt en had hem er ook een Coke bij gegeven, en had hem vervolgens in de warme bar laten zitten totdat de trein naar Londen binnenliep.

'Waarom?'

'Hij had alleen maar een dunne trui aan. En het was verdomde koud; en hij maakte een angstige indruk – ik ging ervan uit dat hij bang was vanwege de storm.'

Hij zou best wel eens bang geweest kunnen zijn, bedacht Jarvis. Maar dat kwam dan niet door de storm. 'Was er nog iemand bij hem?' vroeg hij. 'Een iets oudere jongen misschien?'

Ze wees naar een raam dat al in geen weken was gewassen. Het bood uitzicht op het perron, waardoor de buitenwereld er nog smeriger uitzag dan die in werkelijkheid was. 'Ik heb hem aan boord van de trein zien stappen,' zei ze. 'En hij was beslist alleen.'

Geen grote broer die hem op de trein had gezet, dacht Jarvis – omdat er na hun vertrek bij Iris iets met Tam was gebeurd. De vraag was alleen waarom Robbie weigerde te vertellen wat dat 'iets' was.

Het voor de hand liggende antwoord, het énige antwoord, was dat hij iemand in bescherming nam, en een kind zou niet snel bereid zijn de moordenaar van zijn broer in bescherming te nemen, tenzij – uiteraard – zijn vader de moordenaar was.

Hij legde dit aan Hunter voor, die hem zei dat hij moest zien te voorkomen dat zijn verbeelding met hem op de loop ging. Hij benadrukte opnieuw dat zelfs een man als George McLaughlan zijn eigen kinderen niet om het leven zou brengen.

Maar dat, bedacht Jarvis, was geweest vóór er in de buurt van de haven de stoffelijke resten van een knaap waren gevonden.

Een geluid dat in de jaren zestig nog nauwelijks gehoord werd maar tegenwoordig een normaal onderdeel van het dagelijks leven in de stad vormde, zorgde ervoor dat Jarvis het verleden even losliet, en hij keek omhoog, waar een politiehelikopter met een gierende turbinemotor vlak onder de laaghangende bewolking kwam aangevlogen. Sommigen van de mensen die naast hem stonden zouden er ongetwijfeld van uitgaan dat Tommy Carters begrafenis voor het nageslacht werd vastgelegd. Of dat de politie toeschouwers filmde in de hoop dat er iemand werd ontdekt die nog voor het een of andere misdrijf werd gezocht.

Maar Jarvis wist wel beter. Er was iets aan de hand, dacht hij, en uit de route die de heli volgde kon hij opmaken dat het toestel op weg was naar Noord-Londen. Hij keek de heli na, zag hem verdwijnen, waarbij het motorgeluid werd overstemd door het geratel van de lijkkoets en het geklepper van de paardenhoeven toen de stoet aan de tocht langs Mile End Road begon.

4

Op het moment dat Swifts wapen afging werden er twee schoten afgevuurd, en de spijkerstof van zijn jack werd op slag donker toen het bloed er doorheen begon te sijpelen. Maar Swift bewoog niet, en hij hield het kind nog steeds stevig vast. Hij moet high zijn, dacht McLaughlan. Hij beseft niet eens dat hij geraakt is.

Net als iedereen dook McLaughlan in elkaar en zocht hij dekking, en nadat hij achter de dichtstbijzijnde auto beschutting had gezocht zag hij een tienermeisje, wier dunne benen als zeeslangen in een rood en geel gestreepte maillot staken. Enkele ogenblikken eerder was ze de straat overgestoken, alsof ze op weg was naar de bank, maar zodra het schieten was begonnen was ze stokstijf blijven staan, op die manier een doelwit vormend voor elke langsfluitende kogel.

Ze begon te lachen en Doheny verliet zijn dekking om haar beet te pakken en met zich mee te trekken, tegen de wielen van een auto die eigenlijk net iets te dicht in de buurt van de geldauto stond geparkeerd om echt veiligheid te kunnen bieden. Ze klampte zich aan hem vast, trillend van angst, en hij zorgde ervoor dat hij een soort barrière vormde tussen haar en eventueel nog volgende schoten.

Maar het bleef bij die twee schoten, en in de stilte die volgde tuurde McLaughlan over de motorkap van de auto en zag van grote afstand een helikopter aan komen vliegen. Die zou binnen de kortste keren boven de bank hangen, zodat de inzittenden in staat waren om alle eenheden op de hoogte te brengen van datgene wat er op de grond allemaal gebeurde. Hij zag ook nog iets anders: Swift hield de loop van zijn wapen nu hardhandig tegen de nek van het jongetje gedrukt.

De moeder van het knaapje was op enkele meters afstand van hen tot stilstand gekomen. Nog steeds op handen en knieën steunend zat ze op het trottoir geknield, verstijfd van schrik, terwijl ze naar het kind staarde alsof ze niet begreep dat het nog steeds leefde.

McLaughlan kon dat ook nog steeds niet geloven. De moeder was gestopt met haar geweeklaag, maar nu was het jongetje gaan huilen. Hij zat onder het bloed en een ogenblik lang dacht McLaughlan dat ze misschien wel op het punt stonden hem voor hun ogen te zien sterven, maar het bloed was afkomstig van Swifts beenwond.

Swift leek het nog steeds nauwelijks te merken. Hij keek naar Fischer, die met zijn rug naar McLaughlan stond en zijn wapen laag vasthield, en Fischer deed nu iets dat McLaughlan nogal bizar vond: hij liet zijn wapen op de grond vallen en bracht toen een hand omhoog alsof hij om stilte vroeg. Alsof hij ervan overtuigd was dat hij nu ieders aandacht had, liet hij zijn hand weer zakken en begon uiterst langzaam in de richting van de bank te lopen.

Toen hij die eenmaal had bereikt, leunde hij tegen de muur, zijn handpalmen plat tegen het metselwerk gedrukt houdend. Het zag er naar uit alsof hij verwachtte elk moment gefouilleerd te zullen worden. Maar toen begon hij over zijn hele lichaam te trillen.

Hij was duidelijk aan het vechten; hij vocht om overeind te blijven. Het was net alsof hij zichzelf probeerde te overtuigen van het feit dat hij niet geraakt was, of, als hij wél geraakt was, zijn verwondingen wel meevielen. En toen ging hij neer. Niet plotseling. Niet met een klap, maar langzaam. Hij zonk op de grond neer alsof het leven via een rietje uit hem werd weggezogen.

Hij rolde op zijn rug, en toen de omvang van zijn verwondingen zichtbaar werd, besefte McLaughlan dat hij niet door de politie was gedood. Fischer had de volle laag gehad uit het geweer met afgezaagde loop.

Zijn ribbenkast hing wijd open, terwijl het shirt en de trui alleen nog maar een bloederige massa vervormd weefsel bedekten. Hij droeg een leren jasje, en onder de bloedklonters glom het leer als de beschermdeken van een racepaard, mahoniebruin en glanzend geboend.

Hij zag er ongelooflijk dood uit, en dat kwam echt niet alleen door het feit dat zijn darmen uit zijn lichaam waren komen glibberen. De geest was uit hem geweken, en geen enkele hoeveelheid hightech zou hem ooit nog terug in het land der levenden kunnen brengen, zou zijn hart weer aan de gang kunnen krijgen, of nog enige persoonlijkheid in dit levenloze gezicht kunnen blazen.

De jongen was nu hysterisch aan het krijsen, en Orme riep Swift toe: 'Stuart, je bent gewond.'

Swift bleef Orme onafgebroken aankijken, was duidelijk niet van plan om te kijken of dat wel zo was, laat staan om de schade in ogenschouw te nemen. Ook hield hij zijn wapen tegen de nek van het jongetje gedrukt, en Orme probeerde het opnieuw: 'Stuart – kijk eens naar al dat bloed!'

Swift keek nu naar de poel met bloed die zich rond zijn voeten vormde. Hij scheen er zich niet overmatig zorgen over te maken, maar het jongetje maakte zich er wel degelijk zorgen over. Hij tilde zijn voeten op, eerst de ene, toen de andere, om ze vervolgens weer behoedzaam neer te zetten, terwijl zijn huilen iets minder hartverscheurend klonk.

'Je bloedt dood,' zei Orme. 'Verdomme – geef ons de kans je te helpen!'

Plotseling zakte Swift op zijn knieën, alsof zijn benen het onder hem hadden begeven. De manier waarop dat gebeurde wekte bij McLaughlan de indruk dat hij nu al in shock raakte, maar tenzij hij op korte termijn ter plekke zou sterven, maakte het voor hen allen nauwelijks verschil: hij hield zijn wapen nog steeds tegen de nek van het jongetje gedrukt.

Hij keek naar de vluchtauto, die niet stond waar hij had moeten staan omdat Leach in paniek was geraakt, de auto in z'n achteruit had gezet om vervolgens in volle vaart achteruitrijdend de stoep op te rijden en tegen een gebouw aan de overkant te knallen.

Nu zat Leach achter het stuur, zijn armen over elkaar geslagen en met zijn hoofd op zijn armen rustend, schokkend, alsof hij zat te snikken. Hij was van een heel andere kaliber dan zijn kompanen – hij was slechts een autodief, en was hier absoluut niet op zijn plaats. Hij was de chauffeur, en hij kon zichzelf dan ook niet oppompen met datgene wat Stuart zich had toegediend om meer moed te verzamelen, dus stond er niets tussen hem en de realiteit van de situatie, en hij zou zeer zeker beseffen, bedacht McLaughlan, dat hij hier niet zonder kleerscheuren van afkwam, dat hij dit misschien wel met zijn leven zou moeten bekopen, net als Fischer. Hij was zo volkomen de kluts kwijt, dat McLaughlan op een bepaalde manier nog medelijden met hem had. Eén ding was zeker, bedacht

McLaughlan, zelfs als Swift erin zou slagen de auto te bereiken, dan kon er met die auto niet alleen niet meer gereden worden, maar was Leach ook niet meer in staat iemand ergens heen te brengen.

Omdat Swift zijn wapen op het kind gericht bleef houden, gebaarde Orme naar zijn mannen dat ze hun pistolen moesten laten zakken en dat ze afstand moesten houden. Zelf had hij zijn wapen ook al laten zakken en kwam nu achter de gepantserde geldwagen vandaan. 'Kom op, Stuart – dit slaat nergens op.'

Verder kwam Orme niet, want op dat moment draaide Swift, misschien uit angst, misschien omdat hij zag dat het allemaal afgelopen was, zich met een ruk naar Orme om. De politie loste een schot –

– en Swift tuimelde achterover.

Ik had geen keus, dacht McLaughlan. Ik had absoluut geen keus.

In tegenstelling met Fischer kreeg Swift de kans niet om weg te lopen. Hij zou niet het genoegen smaken zijn handen tegen een muur te mogen plaatsen om zichzelf ervan te overtuigen dat hij niet op het punt stond dood te gaan, want de kogel trof hem precies op de plek waar McLaughlan wílde dat die zou binnendringen – zo ver mogelijk bij het kind vandaan.

Recht tussen de ogen.

5

Er beginnen auto's van ondersteunende eenheden te arriveren, die langs de stoeprand worden geparkeerd en elke keer weer brede baaierds regenwater op het trottoir deponeren, terwijl het ondertussen keihard door blijft regenen en Doheny de achterbak van een terreinwagen opent. Hij haalt een paar stukken zeil te voorschijn en dekt de lichamen ermee af, terwijl andere politiemensen getuigenverklaringen opnemen en de weg hermetisch afsluiten.

Je leunt met je rug tegen de geldauto en biedt niet aan te helpen. Ze laten je met rust en je kijkt hoe ze hun werk doen. Straks zullen de ambulances arriveren, samen met teams van de technische recherche. De pers zal ten tonele verschijnen en er zal zich publiek gaan verzamelen nadat het nieuws zich heeft verspreid dat er een schietpartij heeft plaatsgevonden.

Niemand vraagt je iets te doen, en je biedt je ook niet aan. Ze laten je met rust omdat iedereen weet dat mensen op verschillende manieren reageren wanneer ze iemand hebben neergeschoten: de een raakt min of meer in paniek, gaat op zoek naar de verzekering dat ze er geen puinhoop van hebben gemaakt, dat ze straks niet in staat van beschuldiging worden gesteld vanwege doodslag. Anderen zwijgen alleen maar. Het is het beste om ze met rust te laten.

Orme leidt de moeder van het kind naar een wachtende ambulance, met in haar armen haar onder het bloed zittende zoontje. Als een slaapwandelaar loopt ze naar de auto, en het jongetje klemt zich aan haar vast, waarbij zijn handen in haar haar verward zitten. Hij kijkt omhoog naar iets, misschien naar de helikopter – maar als jij je gezicht ook naar omhoog richt, zie je dat de heli verdwenen is, dat datgene waar het kind naar kijkt de ronde, zilverkleurige ballon is. De draad van de ballon is vast komen te zitten aan het logo van de bank. Hij hangt daar als een soort banier – een grillig gevormde oorlogsvlag.

Swifts lichaam wordt in de bestelwagen geladen. Het verschil met de auto die hij had willen overvallen is niet zo gek groot. Orme ziet waar je naar kijkt. 'Laten we je hier maar eens snel weghalen.'

'Nu niet,' zeg je tegen hem. 'Nog niet. Ik heb nog een paar minuten de tijd nodig. Een stukje lopen, de straat op en neer – enkel en alleen om de boel op een rijtje te zetten.'

Je denkt dat hij op het punt staat je dat te weigeren, maar het enige dat hij doet is naar Doheny knikken. 'Loop met hem mee,' zegt hij. 'En breng hem daarna terug naar het bureau.'

Je zou liever alleen zijn, maar bent blij dat, als er dan toch iemand bij je moet zijn, dat Doheny is. De man is sowieso iemand van weinig woorden en hij zal de laatste zijn die je stomme vragen zal stellen.

Hij loopt met je de straat door, en blijft naast je staan als je voor het huis halt houdt. Hij weet niet waar je naar kijkt, maar God alleen weet wat er op een moment als dit door je heen gaat, dus stelt hij geen vragen. En plotseling sta je oog in oog met het huis waar je vroeger hebt gewoond. De gordijnen zien er duur uit – niet te vergelijken met de gordijnen uit je jeugd, zeker weten.

Je bent niet van plan hier te blijven staan – je wilt het zien, meer niet. Je wilt alleen maar zien hoezeer het veranderd is.

Er komt een vrouw het huis uit. Haar kleding is eenvoudig en chic. Ze moet over geld beschikken, en geld is niet bepaald iets dat je in dit deel van Londen zou verwachten. Maar het is er wel degelijk, geld, alsof het verleden uit de herinnering van dit gebied is gewist – alsof de dingen die hier zijn gebeurd eigenlijk nooit plaatsgevonden kunnen hebben.

Maar ze hebben wel degelijk plaatsgevonden. Dertig jaar geleden heeft jouw vader een stervende man door die glimmende voordeur naar binnen gedragen. Het hout had zodanig onder het bloed gezeten dat de enige manier om het weg te krijgen het grondig afschuren van de voordeur was geweest. Hij had de met bloed doorweekte vloerbedekking in het halletje weggehaald en gedumpt in een achterafsteegje in de buurt van de markt. En toen de politie kwam, sloot je de rijen, zoals dat bij families gebeurt, en ontkende je dat hij hier ooit was geweest.

Je reikt naar je crucifix, vindt het stevig en warm tegen je nek, een voortdurende herinnering dat Jarvis geloofde dat er iets mee was, dat het misschien wel geluk bracht, en dat het daarom de persoon die het droeg wel eens zou kunnen beschermen.

Je hebt nooit geloofd dat het geluk bracht. En wat het bescherming bieden betreft – jij, uitgerekend jij, beschikt over bewijs dat juist het tegenovergestelde het geval is: vertrouwen op het geluk dat het kruis zou brengen was het laatste dat Tam ooit had gedaan, en het kruis had hem volledig in de steek gelaten.

'Misschien kunnen we beter teruglopen,' zei Doheny, en je draait je om met de bedoeling om aan zijn opmerking gehoor te geven. Maar je zakt door je knieën, slaat je handen voor je gezicht, want je hebt het gevoel dat je elk moment flauw kunt vallen –

Doheny roept een passerende politieauto aan alsof het een taxi is, duwt je erin en gaat snel naast je zitten. 'Tower Bridge,' zegt hij. Hij vraagt niet wat er in je hoofd omgaat. Je bent hem zo godsgruwelijk dankbaar dat je hem zou kunnen zoenen. Je wilt hem niet vertellen dat je bang bent.

Dat van alle boeven van wie je de zoon had kunnen neerschieten, het nou uitgerekend Swift moet zijn.

Als hij ontdekt wie je bent, ben je al zo goed als dood.

6

Tegen de tijd dat Orme naar het bureau terugkeerde bevond Leach zich al in hechtenis, en hij ging dan ook naar het cellenblok om eens naar hem te kijken. Leach ging nog steeds als een gek tekeer en had zijn handen plat tegen een muur gedrukt in een parodie van de houding die de stervende Fischer had aangenomen.

De eerste persoon die echt blij was met het vooruitzicht dat hij in staat van beschuldiging zou worden gesteld vanwege een poging tot een gewapende overval, moest Orme nog tegenkomen, hoewel hij moest toegeven dat Leach de indruk wekte aardig zijn best te doen. Zijn riem en schoenveters waren hem al afgenomen, samen met zijn van een fleecevoering voorziene jack dat hij tijdens de overval had gedragen, en hij beefde, van de kou of vanwege een shock, dat kon Orme niet zeggen. 'Geef hem een deken,' zei hij, en de brigadier die de leiding had over het cellenblok deed wat hem gezegd werd.

Leach leek op een pathetische manier dankbaar voor de deken. Hij sloeg hem om zich heen, ging op de brits liggen en deed zijn ogen dicht. Maar ondanks de uitputting weigerde de slaap te komen. En dat was geen verrassing, want al wekenlang had Leach niet fatsoenlijk kunnen slapen. Zodra hij ook maar even indommelde zag hij zichzelf door een beerput waden. Het was er een van het ouderwetse soort, voorzien van gemetselde wanden en helemaal in de grond ingegraven, en Leach had geen flauw idee wanneer hij voor het laatst was geleegd. Hij wist alleen maar dat hij drie bij drie meter groot was, dat hij op maaiveldniveau met een metalen plaat was afgedekt en dat daar vervolgens aarde overheen was gegooid om hem geheel aan het zicht te onttrekken, en dat, zodra de metalen afdekplaat werd weggetrokken, de stank van menselijke uitwerpselen met geen pen te beschrijven was.

Hij stond niet vol. En dat was het enige goede wat erover te zeggen viel. Kort nadat Calvin het huis had gekocht had hij het van nieuwe afvoeren laten voorzien, waardoor de toiletten tegenwoordig op een modern rioleringssysteem uitkwamen. De beerput was daarom hoogstens voor een derde gevuld, en het was mogelijk om er in te staan, waarbij de smurrie tot de dijen reikte.

'Verder zoeken,' zei Calvin.

'Alstublieft, meneer Swift, laat me dit niet hoeven doen.'

'Ik zou me niet graag genoodzaakt zien je met Budgie kennis te laten maken,' zei Calvin, en hoewel Leach niet zeker wist wie of wat Budgie precies was, deed hij wat hem was opgedragen. Hij tastte met zijn handen de inhoud van de beerput af totdat hij een voorwerp vond ter grootte van een voetbal.

De blik op Leachs gezicht maakte Calvin onmiddellijk duidelijk dat het verlangde voorwerp was gevonden, en hij zei: 'Goed. Breng nu maar naar boven.'

Het ding naar boven brengen was het meest afgrijselijke dat Leach ooit had gedaan. O God. Lieve God. Hij móest het ding weer loslaten. En hij had als een verdwaasde muilezel met zijn hoofd staan schudden, totdat Calvin hem opnieuw opdracht had gegeven het ding naar boven te halen.

Op dat moment had Fischer te horen gekregen dat hij hem een handje moest helpen, en samen hadden ze het ding dat jarenlang in de beerput had gelegen naar de oppervlakte gehaald.

Calvin had hen gedwongen het voorwerp naar een plaats over te brengen die al door de politie was onderzocht. Nadat de klus geklaard was, had hij hen niet alleen opdracht gegeven de beerput helemaal leeg te halen (daar moet toch een leuke verzonken tuin van te maken zijn), maar hadden hij en Ray ook nog eens een pistool tegen hun beider hoofd gehouden, en hadden ze te horen gekregen dat als ze ooit ook maar íets zouden loslaten over wat ze gevonden hadden, er héél vervelende dingen zouden gebeuren.

Leach lag in elkaar gerold op de brits, de deken strak om hem heen getrokken. Wat Calvin had gezworen te zullen doen als hij zou gaan kletsen, was erger dan datgene waarmee Orme ooit zou kunnen dreigen: 'Ik zou niet graag zien dat ik je nóg eens moet vragen zo'n klus voor me te doen, Vinny, maar als ik ooit ook maar vermóed dat je je mond voorbij hebt gepraat, dan zorg ik er persoonlijk voor dat je op deze manier naar je vrouw en kinderen kunt gaan zoeken.'

Orme, die momenteel geen tijd had om zich zorgen over Leach te maken, besloot hem snikkend in zijn deken achter te laten. Het meest dringende wat hem te doen stond was snel even met McLaughlan praten en dan naar Berkshire af te reizen, om daar Calvin Swift te gaan vertellen dat zijn zoon was doodgeschoten. Het was niet bepaald een klus waarop hij zat te wachten, maar dat moest nu eenmaal gebeuren vóór Calvin via andere bronnen te horen zou krijgen wat er was gebeurd.

Hij trof McLaughlan in de ruimte aan waar de briefing had plaatsgevonden. Hij nam hem mee naar een leeg kantoortje waar ze in alle rust even met elkaar konden praten, en hij vroeg hoe hij zich voelde.

'Prima,' zei McLaughlan.

Plotseling besefte Orme dat hij onder de huidige omstandigheden nauwelijks iets anders kon zeggen. Elke bekentenis dat hij zich toch wel een tikkeltje aangeslagen voelde zou wel eens als een teken van zwakte kunnen worden uitgelegd. 'Je hoeft je voor mij niet groot te houden,' zei Orme.

'Ik voel me prima,' herhaalde McLaughlan, die terugdacht aan de ontvangst die hij had gehad toen hij samen met Doheny in de briefingruimte was teruggekeerd. Elke daar aanwezige man was naar voren gedrongen, was om hem heen komen staan en had hem verteld wat voor mazzelaar hij wel was – dat ze graag hadden gezien dat ze Swift zélf naar de andere wereld hadden geholpen. Ze stonden als één man achter hem. 'Maak je maar geen zorgen over de pers. Maak je maar geen zorgen over het officiële onderzoek. Maak je maar nergens zorgen over, jongen – je bent verdomme een héld.'

Ze deden exact datgene wat hij ook zou hebben gedaan als de man achter het pistool een van hén was geweest. Ze steunden hem. Stuk voor stuk.

Dat wil zeggen, allemaal – op één na.

Hij stond bij de rij tafels waarop die ochtend de wapens uitgestald hadden gelegen, en hij had gezegd: 'Trek eens een stoel bij voor dit wandelende lijk.'

Of hij zich dat nu bewust was of niet, maar hij bewees in feite hulde aan Calvin Swifts reputatie als iemand die uitstekend wist wraak te nemen. Hij had evengoed kunnen zeggen: 'Als iemand een twintig centimeter lange spijker in het hoofd van een voormalige vriendin kan hameren, dan is absoluut niet te voorspellen wat zo iemand gaat doen met de man die zijn zoon heeft doodgeschoten.'

Doheny had de maker van die opmerking bij de keel gegrepen en McLaughlan had de situatie moeten sussen, had verkondigd dat hij niet koud of warm werd van zo'n verwijzing naar Calvins voorliefde naar wraak, noch van zijn vermogen om uit de gevangenis te blijven.

Zijn voormalige vriendin had het overleefd. McLaughlan had gezien hoe de rolstoel waarin ze zat door haar moeder over de Old Kent Road werd voortgeduwd. Haar ogen stonden een beetje afwezig, maar voor de rest was niet te zien dat ze volkomen kierewiet was. Ze had op McLaughlan een uiterst gelukkige indruk gemaakt: ze zwaaide naar passerende auto's en groette uitgelaten naar iedereen die zich binnen schreeuwafstand bevond.

'Maak je je zorgen over Swift?' vroeg Orme.

'Nee,' zei McLaughlan, en Ormes gebrek aan reactie maakte duidelijk dat hij loog.

'Laat me je iets vertellen...'

McLaughlan wist precies wat Orme zou gaan zeggen: dat Londen een bovenmatig aantal boeven had voortgebracht die in hun eigen tijd al stuk voor stuk legendarisch waren geweest, en dat veel wat aan hen werd toegeschreven weinig aannemelijk genoemd mocht worden.

Maar er was weinig ongeloofwaardigs aan Calvins reputatie, bedacht McLaughlan. Inbraak. Gewapende roofovervallen. Moord. Maar, afgezien van één lange gevangenisstraf voor een overval, wanneer was de man verder ooit ter verantwoording geroepen voor zijn daden? Wanneer waren er echt duidelijk harde bewijzen tegen hem aangevoerd? En welke hoop daarop bestond er eigenlijk als er getuigen en verklikkers óf spoorloos verdwenen, óf hun eigen bewijzen de vernieling in hielpen, óf op een gegeven moment beweerden dat ze wat betreft datgene wat ze meenden gezien of gehoord hadden volkomen verkeerd begrepen waren?

'Wil je dat ik een tijdje wat gewapende mannen rond je huis posteer?'

'Als je dat doet, kun je maar beter gelijk een schietschijf op mijn voorhoofd schilderen.'

Orme wist niets anders te zeggen dan McLaughlan eraan te herinneren dat het zeer onwaarschijnlijk was dat Swift ooit achter de identiteit zou komen van de man die zijn zoon had neergeschoten. Hij zei: 'Ik ga straks op pad om Calvin van het nieuws op de hoogte te brengen. Misschien dat het erop uitdraait dat we hem mee naar het bureau moeten nemen – het hangt ervan af hoe het zal gaan.'

McLaughlan begreep waarop hij doelde. Hij diende op het bureau te blijven voor het geval er politiemensen die hoger in rang waren dan Orme, met hem wensten te praten. Maar misschien was het verstandig als hij zich op de achtergrond hield als het ernaar uitzag dat Calvin binnen zou worden gebracht. De man was een mysterieuze engerd. Het leek wel of hij, alleen al door je aan te kijken, wist dat jij hem schade had berokkend.

Hij dwong zichzelf te stoppen met op die manier te denken en concentreerde zich in plaats daarvan op het zichzelf overtuigen van Ormes gelijk: dat veel van wat er over Swift werd gezegd uiterst ongeloofwaardig was. Hij kon toch onmogelijk verantwoordelijk zijn voor, zeg maar, de helft van wat de mensen aan hem toeschreven, en tegelijkertijd steeds weer kans zien uit de gevangenis te blijven?

Aan de andere kant, bedacht McLaughlan, als je wist hoe je mensen op de juiste manier angst moest inboezemen, was het verbazingwekkend hoe vaak je daarmee weg kon komen.

Hij dacht aan het meisje dat in haar rolstoel werd voortgeduwd over het trottoir van de Old Kent Road.

Ongeloofwaardig of niet, hij was toch van plan om wat vaker achterom te kijken.

Het was anderhalf jaar geleden dat Orme Calvin het laatst gezien had. Ze hadden elkaar toen gesproken, waarbij Orme naar hem toe was gelopen in een club die beter had moeten weten dan een stel boeven als de gebroeders Swift als lid te accepteren.

Calvin, had Orme gezegd.

Leonardo! zei Calvin, die al jaren de gewoonte had om bij wijze van belediging Ormes voornaam te verfraaien. Hij had verwacht dat Orme weg zou gaan, maar die had zich bij Calvins gezelschap gevoegd, zij het uiterst kort, en had een drankje besteld voor zowel Calvin, zijn broer Ray, als voor nog een stelletje vrouwen die nadrukkelijk níet aan hem werden voorgesteld.

Door een gesprek met Calvin aan te knopen, was Orme er alleen maar achtergekomen dat de man blijkbaar spraakles had genomen. Hij zou nooit helemaal van zijn East End-accent afkomen, maar het was wel een heel stuk minder geworden, en met name zijn grammatica had hij een heel stuk verbeterd. Het kostte Orme grote moeite zijn plezier te onderdrukken: 'Kom nou, Calvin. Wat zei je nou?'

Een moment lang had het ernaar uitgezien dat Ray voldoende beledigd was om over te gaan tot fysiek geweld. Hij was uiterst langzaam uit zijn stoel gekomen en Calvin had een hand op zijn schouder moeten leggen om hem te kalmeren. 'Oké, Ray, rustig maar. Meneer Orme probeert alleen maar op onze kosten grappig te zijn. En we hóuden op z'n tijd wel van een grapje, is het niet, meneer Orme?'

'Ik moet toegeven dat ik je lange tijd als een grappenmaker heb beschouwd,' gaf Orme met een ernstig gezicht toe, en Ray, die er niet helemaal op vertrouwde dat hij zich zou kunnen beheersen, was naar buiten gegaan om een luchtje te scheppen.

Calvin droeg – net als Ray overigens – een kostuum dat duidelijk door een kleermaker was vervaardigd. Het was donkergrijs, zag er onberispelijk uit en was van uitstekende snit, en het maakte hem dan ook tot iemand, en alleen al om die reden zou Calvin ongetwijfeld elke cent die het pak hem had gekost dubbel en dwars waard vinden. Orme zou zo'n soort pak nimmer ambiëren, maar hij zou dan ook nooit behoefte hebben om zijn haar zo lang te dragen als Calvin nu deed, en hij zou het al helemáál niet door middel van een rubberband tot een staart samenbinden. Dat zijdeachtige, grijze haar glom van de dure behandeling die het recentelijk had ondergaan, en tóch, vond Orme, zorgde een paardenstaart bij een man van zesenvijftig er steeds weer voor dat de persoon in kwestie zich als een mogelijke boef afficheerde, en Calvin vormde daar geen uitzondering op: recht van voren bezien zag hij eruit als een zakenman van formaat, maar als je hem en profil bekeek zag hij eruit als de killer die hij volgens heel wat mensen was.

De toevallige ontmoeting had plaatsgevonden kort nadat Calvin en Ray een groot landgoed in Berkshire hadden gekocht. Een groter contrast met hun East End-komaf was niet mogelijk en het buiten was ideaal voor het soort familie waartoe ze behoorden, een familie die nog het best omschreven kon worden als 'uitgebreid'.

Orme wist dat de broers altijd onder hetzelfde dak hadden gewoond, en in de loop der jaren waren er nog een stuk of wat familieleden bij hen in getrokken. Sommigen daarvan, zoals Stuart en Ray's dochter Sherryl, vormden een permanent onderdeel van de inboedel, maar de moeders van Stuart en Sherryl, samen met de grootouders, wat neven en nichten, en verder iedereen die ook maar in de verte familie was, trokken slechts af en toe in, om het huis op een gegeven moment ook weer te verlaten, of te overlijden, of de gevangenis in te draaien. Als Ormes informatie klopte, mocht de huidige periode op het landgoed als een rustige worden gekenschetst, aangezien Calvin, Ray en Sherryl momenteel de enige bewoners waren.

Hoe Calvin zou reageren op het nieuws dat Stuart dood was viel met geen mogelijkheid te voorspellen, dus had Orme uit voorzorg drie van zijn mannen meegenomen, waarvan er twee in een andere auto zaten. Het was de eerste keer dat iemand van hen het landgoed in Berkshire aanschouwde, een buiten dat vrij groot bleek te zijn, volkomen symmetrisch en naar alle waarschijnlijkheid vroeg-Georgian. Het lag ook erg geïsoleerd en Orme was blij dat hij er niet alleen naartoe was gegaan.

Hij stopte voor het zware smeedijzeren hek. Net als de muur die het één komma twee hectare grote terrein omringde, mocht dat hek qua vormgeving modern worden genoemd en misstond dan ook volkomen bij het huis. Het uit twee delen bestaande hek hing aan pilaren die deel uit maakten van een drieëneenhalve meter hoge muur waar vlijmscherpe uitsteeksels op waren gemonteerd, terwijl er ook nog eens camera's en een uiterst modern inbraakalarm zichtbaar waren. Eigenlijk was het om te brullen, bedacht Orme.

Hoeveel zou dit alles waard zijn? vroeg hij zich af. Een miljoen? Meer? De hoge, smalle vensters boden uitzicht op het soort gazon dat volgens Orme alleen maar bestond in BBC-drama's die in de achttiende eeuw speelden. Het bijna felgroene gazon leek wel kunstgras, terwijl de Regency-strepen het resultaat waren van nauwgezet rollen. Calvin had zich blijkbaar weten te verzekeren van de medewerking van een niet ongetalenteerde tuinman, bedacht Orme. Misschien had die wel bij de prijs van het huis inbegrepen gezeten.

Op een betonnen platform, iets verder naar links, stond een helikopter. Het was een duidelijke indicatie dat Ray ergens in de buurt moest zijn, aangezien dit zijn favoriete wijze van vervoer was, en het vooruitzicht dat hij ook met deze man te maken zou krijgen, vond Orme niet bepaald aantrekkelijk. Het zou zijn taak er niet gemakkelijker op maken, dat was zeker. Ray zou er borg voor staan dat Calvin moeilijk kon worden gekalmeerd, tot rust zou kunnen worden gebracht, eerder het tegenovergestelde – alle onvermijdelijke problemen konden in zijn bijzijn alleen maar escaleren.

Orme stapte uit de auto, liep naar het hek en drukte op de knop van de intercom. Vrijwel onmiddellijk kwamen er twee grote dobermannpinchers op het hek afgestormd, honden met massieve stierenschouders, waarvan het geblaf het gezoem van de intercom nagenoeg overstemde. 'Calvin, ik ben het, Leonard Orme,' zei Orme, en een zacht snorrend geluid maakte dat hij omhoog blikte, waar hij een camera zag die op een bijna menselijke manier keek wat voor vlees hij in de kuip had.

Enkele ogenblikken later hielden de honden op met blaffen, alsof ze een bevel hadden opgevangen dat voor het menselijk oor niet te horen was. Terwijl het hek openzwaaide holden ze naar de zijkant van het huis, en Orme stapte weer in de wagen om even later over een onberispelijk aangeharkte oprijlaan van grind richting huis te rijden. Toen hij zijn auto voor het huis tot stilstand bracht, zwaaide de fraaie Georgian-voordeur open en zag hij hoe Calvin in de deuropening verscheen. Hij glimlachte, alsof het feit dat hij Orme zag een onverwacht genoegen was. 'Leonardo!' zei hij. 'Wat is dit allemaal?'

'Zullen we even naar binnen gaan, Calvin?'

'Naar binnen, Leonard? Waarom zou jij mijn huis binnen willen gaan?'

'We moeten praten,' zei Orme. 'Ik denk dat het beter is als we binnen met elkaar praten.'

'Waarover zouden we het dan moeten hebben?'

'Binnen,' zei Orme.

En Calvin liet hem binnen.

Het vertrek waar hij naartoe werd gebracht veroorzaakte bij Orme toch een soort schok. Hij had niet precies geweten wat hij kon verwachten, maar hij was niet voorbereid op een kamer die groot, licht en helder was, een vertrek waarvan de vloer van glimmend geboend esdoornhout was.

Abstracte kunstwerken hingen aan wanden van gebroken wit, en Orme vroeg zich af wie die had uitgezocht. Calvin in elk geval niet. Absoluut niet, dacht hij, hoewel hij niet wist waarom hij daar zo overtuigd van was. Hij nam aan dat het niet ondenkbaar was dat Calvin tijdens het uitzitten van zijn straf het een en ander over kunst had geleerd in de gevangenis, maar daar stond tegenover, als Orme zich zijn staat van dienst achter de tralies goed herinnerde, dat hij in die periode nooit ook maar énige belangstelling voor kunst had gehad. Integendeel, hij had daar een diepe en duurzame interesse voor wetskennis aan de dag gelegd, en was rechten gaan studeren, zodat hij passages uit het wetboek woordelijk zou kunnen citeren – met welke rechter hij in de toekomst ook geconfronteerd zou worden.

Calvin vroeg zich duidelijk af waarom Orme met drie van zijn mannen bij hem op de stoep was verschenen, maar nog steeds ontspannen klinkend zei hij: 'Verwacht je soms moeilijkheden, Leonard?'

'Calvin,' zei Orme, 'Stuart heeft vanochtend geprobeerd een bank te beroven.'

Calvin keek hem aan alsof hij vermoedde dat Orme probeerde hem voor het lapje te houden. 'Stuart?' zei hij, en hij verviel weer in zijn oude grammatica, en zijn accent was plotseling weer duidelijk te horen toen hij zei: 'Ik weet helemaal niks niet van een bank.' Hij keek naar de mannen bij hem, alsof hij probeerde vast te stellen of dit een soort aanzet tot iets was. 'Wat is er gebeurd?'

'Hij is neergeschoten,' zei Orme, en een ogenblik lang zag Calvin eruit als elke andere ouder die op het punt stond met slecht nieuws te worden geconfronteerd – alsof hij weigerde te geloven wat hem zojuist was verteld.

'Hij is daarbij overleden,' zei Orme. 'Net als Carl.'

Het licht stroomde naar binnen door een raam waarvoor een ivoorkleurig zijden gordijn hing. Er zat geen patroon in de zijde, geen waarneembaar ontwerp, enkel en alleen de zachtst denkbare beweging in een niet-bestaand briesje. Calvin hield de zachte beweging van de stof tegen door er zijn hand tegenaan te leggen.

'Hoor je me, Calvin – heb je gehoord wat ik zojuist heb gezegd?'

Calvin speelde met het gordijn. Vreemd, dacht Orme. Hij had gewelddadigheid verwacht, op z'n minst een woede-uitbarsting. Maar Calvin liefkoosde het weefsel alsof het om een hond ging, een zacht-vegende neerwaartse beweging van de handpalm, een troostend gebaar. Beheerst.

'Calvin?'

'Ik wil hem zien,' zei hij.

Op dit moment, bedacht Orme, lag Stuart languit op een snijtafel, met de restanten van zijn hersenen in een glazen kom. 'Dat zou ik je niet willen aanbevelen,' zei Orme, die liever niet verder wilde uitweiden, voor het geval hij Calvin onbedoeld duidelijk zou maken dat Stuart op z'n minst een uiterst bekwame gelaatsrestaurateur nodig zou hebben voor hij zijn familie weer onder ogen kon komen. Pathologen-anatomen stonden nu eenmaal niet bekend vanwege hun esthetische vaardigheden met was. Iemand zou het door de kogel veroorzaakte gat moeten dichten, terwijl het weefsel rond de intredewond door een ware kunstenaar behandeld zou moeten worden, wilde men de indruk wekken dat de overledene geen verwondingen had opgelopen.

Het geluid van iemand die aan kwam lopen maakte dat Orme naar de deur keek, waar Ray net verscheen, met in zijn hand een balpen. Zodra hij Orme zag was duidelijk dat hij niet van plan was om ook maar een poging tot beleefdheid te ondernemen. Hij drukte op het uiteinde van de balpen, waarbij het klik van het samengedrukte knopje voorafging aan het onvermijdelijke: 'Wat heeft dít verdomme allemaal te betekenen?'

'Stuart is doodgeschoten,' zei Calvin, en hij zei dat uiterst kalm, terwijl hij zijn handpalm nog steeds tegen het lichte gordijn hield.

Het kwam niet vaak voor, bedacht Orme, dat je iemand zag die op zo'n duidelijke manier was beroofd van zijn vermogen om te reageren op datgene wat hij zojuist te horen had gekregen. Ray, die berucht was om de manier waarop hij na ook maar de geringste provocatie kon reageren, stond als aan de vloer genageld. Maar het was slechts een kortstondige verlamming die zich van hem meester had gemaakt: enkele seconden later stormde hij op Orme af en ramde met de balpen in de richting van de ogen van de politieman.

Ormes mannen hadden de grootste moeite hem in bedwang te houden, en terwijl Ray tegen de grond werd gedrukt, schreeuwde hij iets dierlijks – iets dat Orme niet kon verstaan.

Het lawaai had tot gevolg dat Sherryl, Ray's dochter, het vertrek binnenholde. Een minuut lang zag ze eruit alsof ze haar ogen niet kon geloven, en toen schreeuwde haar vader: 'Stuart is dood!'

Net als Ray was Sherryl heel even niet in staat om op dat nieuws te reageren, en toen lanceerde ze zichzelf in de richting van de mannen die druk bezig waren haar vader in de handboeien te slaan. Het was een broodmager meisje, maar ze wist uitstekend hoe ze haar geringe gewicht achter een uithaal moest plaatsen. Orme kon het niet over zijn hart krijgen haar een klap terug te geven, maar een van zijn mannen kende die aarzeling niet. Hij plaatste een keiharde rechtse vol op haar mond, waardoor ze een halve slag in de rondte maakte, waarna hij haar vastgreep en een van haar armen op haar rug draaide.

Ze begon te krijsen. Geen tranen. Enkel een woedend gekrijs. Toen Calvin haar vertelde dat Carl ook dood was stopte ze met het luidruchtig gejammer en begon ze echt te huilen.

Met haar kapotte lip, en met het bloed dat op een lichtblauwe kasjmieren trui druppelde, zag ze er nog het meest uit als papa's kleine meid. God mocht verhoeden dat er een foto van haar in deze toestand in haar dossier terecht zou komen, want dan zouden ze waarschijnlijk allemaal geschorst worden.

Orme kende haar al van jongs af aan, en hij wist dat ze sprak met het soort accent dat je alleen maar kreeg na jarenlang op een speciaal soort kostschool voor meisjes gezeten te hebben. Ze had haar hele leven altijd het beste van het beste gekregen. Pony's, sportwagens, designerkleding – noem maar op. Niet dat het veel verschil maakte: Sherryl was een dochter van haar vader, daar liet ze geen enkele onduidelijkheid over bestaan.

Hij gaf zijn mannen opdracht Ray naar de auto te brengen en vertelde ze daarna dat ze via de radio om versterking moesten vragen. Zodra die was gearriveerd kon Sherryl haar vader achterna naar het bureau Tower Bridge, waar ze beiden in staat van beschuldiging zouden worden gesteld wegens poging tot geweldpleging. Ze zouden beiden een nachtje in de cel doorbrengen, waardoor ze wellicht in staat zouden zijn enigszins af te koelen, en dat kon helemaal geen kwaad: Orme zag Ray er zeer wel voor aan – als hij in zijn huidige gemoedstoestand aan zijn lot werd overgelaten – om elk beschikbaar familielid op te trommelen en vervolgens het politiebureau met molotovcocktails te gaan bestoken.

Ray en Sherryl waren nog niet goed en wel naar buiten afgevoerd of Calvin had zijn advocaat, Edward Bryce, al aan de lijn. Orme stond erbij terwijl hij een mobieltje uit zijn zak haalde, één enkele toets indrukte en onmiddellijk met de man werd doorverbonden.

Er zijn niet veel mensen die het nummer van hun advocaat zó onder handbereik hebben, bedacht Orme, maar Calvin had nu eenmaal een levenswijze die maakte dat hij hem vaak nodig had. En dit was dan ook geen uitzondering.

'Edward,' zei Calvin, en het accent was opnieuw authentiek. 'We hebben bezoek – Leonard Orme.'

Niks Leonardo meer, bedacht Orme, die op enig ander tijdstip het plotselinge vertoon van respect, het besef dat dit geen spelletje was, zeer verwelkomd zou hebben. Calvin luisterde kort naar iets dat Bryce als reactie opmerkte, en onderbrak hem toen: 'Stuart is dood.'

Hij slaagde erin de woorden uit te spreken zonder dat zijn woorden verrieden welke moeite hem dat kostte, maar de uitdrukking op zijn gezicht zei iets heel anders. Edward Bryce, die momenteel uiterst comfortabel in een gemakkelijke stoel in zijn advocatenkantoor zat genesteld, bevond zich niet in hetzelfde vertrek als Calvin. Hij kon daarom ook niet weten dat tijdens het vormen van de woorden Calvins gelaat heel even vertrokken was geweest van verdriet. 'Ray en Sherryl worden momenteel overgebracht naar – ' Hij draaide zich naar Orme om voor een bevestiging.

'Tower Bridge,' zei Orme.

'Tower Bridge,' zei Calvin. 'Kun je daar naartoe komen?'

Orme besefte dat lang voordat hij met Ray en Sherryl op het bureau Tower Bridge zou arriveren, Bryce daar al aanwezig zou zijn. Zij moesten helemaal vanuit Berkshire komen, terwijl de advocaat er alleen maar een kort ritje door de stad voor hoefde te maken. En zodra hij daar zou arriveren, bedacht Orme, zou hij er geen gras over laten groeien. Hij zou informatie verzamelen over wat er was gebeurd en hij zou waarschijnlijk al druk bezig zijn met het indienen van een verzoek om Ray en Sherryl op borgtocht vrij te laten. Het was een klus die elke advocaat zou kunnen klaren, maar Calvin wenste niet meer met zomaar advocaten in zee te gaan: Bryce was een topjurist, en deze klus lag ver beneden zijn waardigheid. Maar zolang Calvin zijn gepeperde rekeningen bleef betalen, betwijfelde Orme of Bryce hem ooit af zou wijzen.

Calvin had het telefoongesprek beëindigd en was nu in zijn broek-
zakken op zoek naar zijn autosleuteltjes. Nadat hij die had opgediept
keek hij ernaar alsof hij niet precies meer wist waarvoor ze dienden.

'Waar was je van plan naartoe te gaan?' vroeg Orme. Hij had Calvin
nog nooit eerder zo gezien, maar het gebeurde dan ook niet elke dag dat
een man te horen kreeg dat zijn zoon door gewapende politiemensen was
doodgeschoten.

'Ik denk dat ik maar het beste naar het bureau kan gaan – Ray zou me
wel eens nodig kunnen hebben.'

Orme had eigenlijk de indruk dat het net andersom was, dat Calvin
Ráy wel eens nodig zou kunnen hebben, en hij wilde niet dat hij onder
deze omstandigheden achter het stuur zou gaan zitten. 'Je kunt met me
meerijden,' zei hij.

7

Toen Orme op het bureau arriveerde kreeg hij te horen dat Bryce daar al een uur eerder was aangekomen. Hij was begonnen met het op tafel leggen van de eis dat hij op de hoogte gebracht wenste te worden van alle details omtrent de schietpartij, en toen die eis werd afgewezen, had hij op een gesprek met Ormes superieuren gestaan. En toen die eis ook werd afgewezen, had hij gedreigd met een verklaring naar de pers, maar Doheny had hem aan het lijntje gehouden met de mededeling dat Orme onderweg was, en dat zodra hij zou arriveren Bryce de eerste zou zijn die met hem zou mogen praten.

Orme was niet verrast toen hij hoorde dat Bryce had gedreigd zijn invloed bij de pers aan te wenden. En helaas moest worden gezegd, besefte Orme, dat hij wel degelijk invloed hád. Het leek wel of de man geen twee woorden kon spreken zonder de voorpagina's te halen, en dat kwam voornamelijk vanwege zijn neiging om als verdediger op te treden voor boeven van het kaliber van de gebroeders Swift, iets dat er enkele jaren geleden voor had gezorgd dat hij in het centrum van de publieke belangstelling was komen te staan.

De pers had hem vanaf het begin onmiddellijk aan de collectieve boezem gedrukt en hield met name van hem vanwege het feit dat hij weliswaar tot het *establishment* behoorde, maar tegelijkertijd gespeend leek van elk respect voor de waarden van dat establishment, en Orme zag de inhoud van het communiqué dat hij mogelijk zou uitgeven al voor zich: 'Mijn cliënt, een gewaardeerd lid van de gemeenschap, iemand die talloze goede doelen financieel ondersteunt, heeft eerder deze dag het verpletterende nieuws moeten vernemen dat zijn neef, Stuart, een onschuldige passant die per ongeluk midden in een bankoverval terechtkwam, als gevolg van het door elkaar halen van personen door een gewapende politieman is doodgeschoten.'

'Waar is hij nu?' vroeg Orme.

'Ik heb hem in een van onze verhoorkamers geparkeerd, samen met enkelen van onze mensen – ik heb ze gezegd dat ze ervoor moesten zorgen dat hij daar blééf.'

'Goed,' zei Orme, en vervolgde: 'Waar is McLaughlan?'

'Daar wordt momenteel voor gezorgd,' zei Doheny, en Orme wist dat McLaughlan in goede handen was. De rest van de eenheid zou zich om hem heen scharen, hem beschermen, hem kalmeren, ervoor zorgen dat nieuwsgierige lieden, kwaadaardige lieden en de echt stomme hufters uit zijn buurt werden gehouden. Doheny vervolgde met: 'Waar hangt Calvin ergens uit?'

'Hij wilde hierheen om Ray bij te kunnen staan, dus daarom heb ik hem maar meegenomen. Ik wist niet wat ik anders met hem aan zou moeten.'

Hij volgde Doheny naar de verhoorkamer waar hij iets eerder Bryce in de capabele handen van enkele rechercheurs van het Flying Squad had achtergelaten. Hij had ze opdracht gegeven hem geen poot buiten dat vertrek te laten zetten – al zouden ze hem daarvoor beide benen moeten breken, want Doheny wist dat Bryce, zodra hij daartoe ook maar een flinterdunne kans kreeg, binnen de kortste keren het hele bureau binnenstebuiten zou keren. Op de een of andere manier zou hij erin slagen om de hand te leggen op dossiers met gevoelige informatie, of hij richtte zich met name op de jongere agenten, op de meer plooibare medewerkers of op de onvervalste naïevelingen, om hen vervolgens materiaal te ontfutselen dat er steeds weer voor zorgde dat hij de beste op zijn vakgebied bleef.

Doheny opende de deur en zag Bryce bij het venster staan. Dat bood uitzicht op een blinde muur, en de kamer zelf was ook niet bepaald uitnodigend: de wanden hadden dezelfde geelachtige crèmekleur als die van de briefingruimte.

Bryce draaide zich niet naar de deur om toen die werd geopend, en toch leek hij te weten dat Orme daar stond. 'Je hebt er wel alle tijd voor genomen,' merkte hij op.

Hij had de gewoonte, zoals Orme maar al te goed wist, om zowel ín de rechtszaal als daarbuiten geheel in het zwart gekleed te gaan: het pak, de schoenen, de overjas die hij over de rug van een stoel had gehangen – alles was zwart. Maar de manchetknopen waren van puur goud, een familiewapen dat net iets te ingewikkeld in elkaar zat en te klein was om Orme in staat te stellen te lezen hoe het familiemotto luidde dat in het kostbare metaal was gegraveerd.

Maar dat maakte niet uit, dacht Orme. Hoe dat motto er ook uit mocht zien, de kans was groot dat de begrippen 'eerlijkheid' en 'waarheid' erin voorkwamen, terwijl beide begrippen voor Bryce geen enkele betekenis hadden.

Zijn geprivilegieerde achtergrond was van dien aard dat Orme zich niet voor kon stellen dat de man ooit ergens om verlegen had gezeten. Maar nu had hij wel degelijk iets nodig: 'Als je ook maar een beetje bij je hoofd bent, trek je de tegen hen ingebrachte beschuldigingen in.'

'Ze hebben mij en mijn mensen aangevlogen.'

'In het licht van wat ze zojuist te horen hebben gekregen, denk ik dat een rechtbank hun gedrag waarschijnlijk met de nodige sympathie zal bezien.'

'Ik ben niet van plan ze met een waarschuwing te laten gaan,' zei Orme, en omdat hij er bij Bryce geen enkele twijfel over liet bestaan dat hij hier niet over wenste te onderhandelen, ging Bryce daar niet verder op in en zei hij: 'Ik denk dat je je bewust moet zijn van het volgende feit – mij is gevraagd ook Leach' belangen te verdedigen. Ik heb al met hem gesproken.'

Orme keek eens naar Doheny, die nauwelijks merkbaar met zijn hoofd schudde, alsof hij wilde zeggen dat dat voor hem ook nieuws was.

'Wie betaalt de kosten?' vroeg Orme.

'Dat is iets dat alleen mij en mijn cliënt aangaat.'

Het kon niet anders of dat moest Calvin zijn, dacht Orme, die daar niets van begreep: lieden als de gebroeders Swift zouden Bryce nooit vragen iemand anders te vertegenwoordigen als ze daar niet iets bij dachten te kunnen winnen. Stuart was dood, dus kon het niet zo zijn dat ze Leach op deze manier onder druk zetten om de schuld op zich te nemen, zodat er voor Stuart een minder zware straf uit zou rollen. En ze zouden het zeker niet doen omdat ze Leach zo'n aardige jongen vonden – wat betekende die knaap voor hen? Hij zei: 'Ik sta net op het punt hem te gaan verhoren,' en Bryce antwoordde: 'Goed. Laten we dat dan maar eens gaan doen, ja?'

Orme had Leach uit het cellenblok laten halen en naar een verhoorkamer laten overbrengen, waar hij zijn jack terugkreeg en hem een sigaret werd aangeboden. Hij nam het verhoor op de band op in aanwezigheid van dezelfde mensen van het arrestatieteam die Bryce hadden bewaakt terwijl Orme vanuit Berkshire terug naar Londen reed, maar hij kwam er al snel achter dat Leach niet van plan was om zich problemen op de hals te halen: er kwam dan ook geen kwaad woord betreffende Stuart en Carl over zijn lippen, en in plaats daarvan gaf hij er de voorkeur aan – om redenen die Orme volkomen ontgingen – te beweren dat hij de plannen voor de overval zelf had ontwikkeld en dat hij Stuart en Carl had overgehaald mee te doen.

Waarschijnlijk was angst voor de gebroeders Swift de motivatie achter dit standpunt, bedacht Orme, maar hij was nog steeds niet in staat de zin van dit alles te doorzien. Hij hield Leach voor dat Stuart met de plannen voor de overval was gekomen, dat Fischer hem had georganiseerd en dat ze hém als chauffeur hadden uitgekozen omdat ze hem kenden; hij was een voor de hand liggende keuze.

Leach ontkende dat.

'Waar heb je Stuart eigenlijk voor het eerst ontmoet?'

'Calvin had iemand nodig voor wat klusjes rond een huis dat hij vroeger heeft gehad. Ik werkte bij het bouwbedrijf dat hij had ingehuurd om die klusjes uit te voeren.'

'Wat voor soort werk was dat?'

Leach herinnerde zich weer hoe het was geweest om in de prut die in de beerput zat te moeten wroeten, om vervolgens iets naar boven te moeten halen dat al jaren in die sceptic tank had liggen rotten, en hij hoorde opnieuw de waarschuwing in zijn oren: *Als je ook maar éven je mond voorbijpraat...* Hij zei: 'Het gewone kleine werk.'

'En hoe ben je Carl tegen het lijf gelopen?'

'Hij werkte voor dezelfde firma als ik.'

Orme vermoedde dat hij geacht werd onder de indruk te zijn van het feit dat Leach en Fischer in elk geval nog een baantje hadden gehad, hoewel het hem niet zou verbazen als beide lieden, zoals zoveel boeven die na hun gevangenisstraf bij bouwbedrijven gingen werken, dat alleen maar deden om rustig te kunnen bekijken welke huizen rijp waren om over een paar weken leeggehaald te worden. 'Wat voor een soort werk was dat?'

'Voornamelijk onderhoud.'

Dat klonk aannemelijk. 'Oké,' zei Orme. 'Dus daar heb je jullie twee-en, werkend voor "El Pondarosa", en op een gegeven moment komt Stuart ten tonele, en die zegt: "Hebben jullie écht zin om je de rest van je leven tegen een minimumloontje kapot te moeten werken? Neem een baan bij mij aan, en ik zorg ervoor dat alles in orde komt".'

'Dat heb ik u al gezegd,' zei Leach. 'Het was Stuarts idee niet. Ik heb die klus zelf georganiseerd en ik heb net zo lang tegen die andere twee geluld tot ze meededen.'

'Doe me een lol, Vinny. Jij bent niet eens in staat om zo'n stomme Tupperware-party te organiseren.'

'Echt, meneer Orme, ik heb die overval écht zelf op poten gezet.'

'En ik neem aan dat je Calvin hebt weten over te halen het geld voor de te maken kosten ter beschikking te stellen.'

'Welke kosten?'

Orme schudde zijn hoofd, alsof Leach' gebrek aan basiskennis over hoe deze zaken werden aangepakt hem oprecht verdrietig maakte. 'Gewapende roofovervallen kosten geld, Vinny. Denk eens aan alle kosten die gemaakt moeten worden. Kleding. Ploertendoders. Auto's. En af en toe een Wimpyburger. Iemand moet dat geld toch schuiven. Volgens mij moet dat Calvin zijn geweest.'

De suggestie dat Calvin betrokken zou zijn bij de organisatie van de overval begon Leach te irriteren: 'U zorgt er zo alleen maar voor dat ik straks koud wordt gemaakt!'

'Rustig, Vinny, niemand maakt jou koud.'

'Calvin had er helemaal niets mee te maken.'

'Ik blijf zeggen dat hij –'

'Bovendien, hij zou niets met Carl te maken willen hebben. Ray had duidelijk gezegd dat hij niet meer welkom was.'

'Waarom?'

'Hij naaide Sherryl – en dat vond Ray maar niks.'

Orme hoefde alleen maar terug te denken aan Sherryls reactie op het nieuws dat Fischer was doodgeschoten om te weten dat dat waar moest zijn. Leach voegde eraan toe: 'Ray had hem duidelijk gemaakt dat hij uit de buurt moest blijven.'

'En wat had Carl daarop te zeggen?'

'Niet zo gek veel,' gaf Leach toe.

Dat zal vast wel, bedacht Orme, die wist dat Fischer – onder normale omstandigheden althans – niet het soort man was dat zich gemakkelijk bang liet maken. Maar één woord van Ray was blijkbaar voldoende geweest om hem de deur te wijzen. 'Heeft hij daarna nog geprobeerd contact met Sherryl op te nemen?'

'Voor zover ik weet niet.'

Een heel verstandig mens, bedacht Orme. Niet dat het uiteindelijk veel verschil had gemaakt. Fischer had kans gezien niet te sterven door de hand van een vertoornde Ray Swift, om uiteindelijk te sneven door de hand van zijn neef. Hij zei: 'Ik denk dat ik begrijp hoe je bij dit alles betrokken bent geraakt, Vinny.'

'Hoe bedoelt u?'

Orme, die verlegen zat om een verklaring van Leach met de strekking dat Stuart de overval had georganiseerd, alleen al omdat zoiets een goede indruk zou maken tijdens het onderzoek naar zijn dood, antwoordde: 'Stuart was verslaafd aan drugs. Hij had geld nodig. Hij overreedde jou en Carl om aan die overval mee te doen, een overval die híj had georganiseerd.'

Opnieuw ontkende Leach.

'Waarom doe je dit, Vinny? Wat denk je hierbij te winnen?'

'Ik vertel alleen maar precies zoals het gegaan is.'

Orme begreep het nog steeds niet, maar hij probeerde vervolgens tot Leach door te laten dringen dat als hij dit voor een rechtbank vol zou houden, hij waarschijnlijk met een nog langere gevangenisstraf zou worden opgezadeld dan die hij in elk geval zou krijgen, en pas op dat moment kwam Bryce tussenbeide: 'Het intimideren van mijn cliënt zal uw zaak tijdens de rechtszitting niet bepaald ten goede komen.'

Orme realiseerde zich dat de bandopname weleens ten gehore gebracht zou kunnen worden tijdens de zitting, en dat datgene wat hij had gezegd als onacceptabel uitgelegd zou kunnen worden. Maar hij wilde niet dat Leach een nog dieper gat voor zichzelf zou graven dan strikt noodzakelijk was, enkel en alleen om de familie Swift het een of ander voordeel te bezorgen, dus probeerde hij de boodschap op een andere manier over te brengen. 'Ben je getrouwd?' vroeg hij, in de wetenschap dat dat inderdaad het geval was.

'Ja.'

'Hoe heet je vrouw?'

'Moira.'

'Wist Moira wat je vanochtend zou gaan doen?'

Leach gaf geen antwoord, maar Bryce zag eruit alsof hij elk moment weer tussenbeide kon komen.

'Weet ze waar je momenteel zit?'

Leach' gelaatsuitdrukking maakte duidelijk dat Moira nog een hele schok te wachten stond, en, alsof hij het tegen een kind had, met een ondertoon van milde ergernis, vervolgde Orme: 'Wat moeten we met je aan, Vinny?'

'Hoe bedoelt u?'

'Eigenlijk ben je niet meer dan een eenvoudige autodief – dat wil zeggen, dat wás je. Maar nu heb je iets ontzettend stoms uitgehaald, en je staat op het punt om je vrouw en kinderen kwijt te raken, besef je dat? Tegen de tijd dat je uit de gevangenis komt kénnen ze je niet eens meer.'

Dat was voldoende om hem opnieuw in een hartverscheurend gehuil te doen uitbarsten en Orme schakelde snel de bandrecorder uit om te voorkomen dat Bryces bezwaren voor de eeuwigheid zouden worden vastgelegd. Hij was van plan geweest te wachten tot Leach voldoende gekalmeerd was om het verhoor voort te kunnen zetten, maar hij besefte al snel dat dat er niet meer in zat: Leach had zichzelf absoluut niet meer in de hand, en huilend en snikkend smeekte hij Bryce hem te beschermen.

Orme begreep niet helemaal wat zijn probleem was: 'Waar ben je nou bang voor, Vinny? Carl is dood. En Stuart ook. Wat je ons over die twee ook vertelt, ze kunnen je toch geen kwaad meer doen.' Maar Leach hoorde hem niet eens, en toen hij uit zijn stoel sprong en een wanhopige poging deed bij de deur te komen, gaf Orme – die er gewoonlijk een sterk voorstander van was om boeven in alle rust over de ernst van hun zonden na te laten denken – een opdracht die volkomen in strijd met zijn karakter was: 'Breng hem terug naar het cellenblok,' zei hij. 'En zorg ervoor dat er een arts bij wordt gehaald. En zeg tegen die dokter dat hij hem een kalmerend spuitje geeft.'

8

Claire McLaughlan had op Capital Radio naar het nieuws van een uur geluisterd. De poging tot een bankoverval was naar buiten gebracht, maar de namen van de twee doden die daarbij waren gevallen waren nog níet vrijgegeven. Er was nog niet eens bij verteld of de mensen die waren gedood tot de politie behoorden of tot de overvallers.

De rituelen die Robbie had uitgevoerd voor hij die ochtend het huis had verlaten waren Claire niet ontgaan en ze vermoedde dat hij bij een van de betrokken teams ingedeeld was geweest. Ze had daarom die middag op een telefoontje van hem zitten wachten, want op momenten als deze liet hij haar gewoonlijk wel weten dat alles met hem in orde was. Maar ze was niet gebeld, en Claire, die precies wist hoe de politie te werk ging bij het doorgeven van slecht nieuws, begon zich steeds ongeruster te maken.

Ze leefde al een hele tijd met de wetenschap dat er op een dag wel eens een onopvallende auto van de politie voor het huis zou kunnen stoppen, dat een van de collega's van haar man op de voordeur zou kloppen, en dat, nadat ze had opengedaan, ze hem samen met een vrouwelijke agente op de stoep zou zien staan. Hij zou *Claire* zeggen, en ze zou door de manier waarop hij haar naam uitsprak weten dat er iets gebeurd was. Hij zou vragen of hij binnen mocht komen, en ze zou hem zwijgend binnenlaten.

Ze stelde zich voor dat, als die dag ooit zou komen, Ocky op de vloer zou zitten spelen. De vrouwelijke agente zou hem optillen en hem mee de kamer uit nemen, en daarna zou ze te horen krijgen dat haar man gewond was, of dood.

Ze wist deze dingen omdat ze gehoord had dat dit de manier was waarop het gebeurde. En de eerste onheilspellende tekenen waren een telefoontje of een auto die voorreed.

Soms kwam dat telefoontje of die auto al enkele minuten nadat de echtgenoot van de vrouw was neergeschoten en met grote spoed naar het ziekenhuis was overgebracht, en welk ziekenhuis dat ook mocht zijn, het was er steevast een waar een chirurg werkzaam was die veel ervaring had in oorlogsgebieden, of veelvuldig slachtoffers van bendeoorlogen had behandeld. Deze chirurg wist precies hoe hij afschuwelijke schotwonden moest behandelen. En de wonden die werden veroorzaakt door de wapens die vandaag de dag door boeven werden gebruikt, wáren maar al te vaak afschuwelijk. Het maakte niets uit of die wonden waren toegebracht in een straat in Londen of in een of ander steegje in Beiroet; de slachtoffers werden op dezelfde manier aan flarden geschoten.

Haar manier om hiermee om te gaan bestond uit het zichzelf overtuigen dat, wat voor een soort operatie het ook mocht zijn, die altijd volgens plan zou verlopen, en dat Robbie er daarom ongeschonden uit te voorschijn zou komen, ondanks het feit dat ze wist dat dat statistisch gezien onmogelijk was. Er moesten zich bij tijd en wijle gebeurtenissen voordoen waarbij een en ander volkomen fout liep.

Ocky zat op de bank en was met een stuk speelgoed in de weer, terwijl op dat moment een onbekende auto de oprit indraaide. Claire zag hem niet, maar ze hoorde hem wel stoppen en uit het motorgeluid kon ze opmaken dat het niet hun eigen auto was.

Het naar de andere kant van de kamer lopen om naar buiten te kunnen kijken, leek nog het meest op het waden door een dikke laag stroop. Ze wist niet hoe lang ze erover deed om van de bank bij het raam te komen, of waarom, maar toen ze bij het venster aankwam weigerde ze naar de auto te kijken. Maar die stond daar wel degelijk, donker en gestroomlijnd, een krachtige motor onder de motorkap en zonder enige belettering erop. Ze zag hem staan op het moment dat ze de jaloezieën opende, maar ze wendde haar blik ogenblikkelijk af en richtte die op het huis aan de overkant.

Het verkeer dat tijdens de spits soms van deze sluipweg gebruikmaakte was nagenoeg verdwenen. De straat maakte nu een aanzienlijk rustiger indruk, waardoor dit gedeelte van Londen de schijn van normaliteit weer kon aannemen. Dít was waarvoor ze gevochten, gespaard en gepland hadden – geen politiewoning maar een echt huis, een eigen woning in een fatsoenlijke straat in een fatsoenlijke Londense buurt. Vier maanden geleden waren ze erin geslaagd die droom werkelijkheid te laten worden, en ook al was het een oud huis, was er nog niets gemoderniseerd en had het niet eens een fatsoenlijke verwarming, wat maakte het uit? Dit was het huis dat ze altijd hadden gewild, het huis met een tuin, een huis dat volgens hen uitermate geschikt was voor een klein, maar eventueel nog verder uitgroeiend gezin.

En wat nu? dacht Claire. Wat doe ik met dit alles als hij dood is? Wat zeg ik tegen Ocky als we straks ergens in een flat zitten, en als hij geen vader meer heeft, en we nauwelijks geld hebben? Hoe zal ik het feit dat ik hem kwijt ben ooit te boven kunnen komen?

Met de grootste moeite maakte ze haar blik van de huizen aan de overkant los en keek naar de auto. Doheny stapte net uit en leek zich van de andere inzittenden nauwelijks bewust te zijn. En plotseling hield Claire het niet meer uit. Ze was niet van plan om een of andere politievrouw Ocky naar boven te laten brengen, zodat hij uit de buurt zou zijn. Ze wist niet wat ze moest doen, en ze frunnikte wat aan de jaloezieën, terwijl ze zich afvroeg of Doheny weg zou gaan als ze niet opendeed.

Nee, hij zou niet uit zichzelf weggaan. Dat wist ze maar al te goed. Ze moest echt naar de voordeur.

De kamers beneden klonken hol vanwege het feit dat er nog geen vloerbedekking lag, en toen Claire de televisie uitdeed liet Ocky een luid protest horen. Ze tilde hem in een snelle beweging van de bank en droeg hem op haar arm mee naar de voordeur, waarbij Ocky zich aan haar vastklemde en zijn ogen dichtkneep tegen de felle lamp die het portiek verlichtte.

'Claire,' zei Doheny, en het was precies zoals ze zich had voorgesteld dat het zou zijn, alleen stond Robbie op de oprit alsof hij er niet echt zeker van was dat dit zijn huis was.

De opluchting was overweldigend, en toch kon ze geen vin verroeren. Een deel van haar wilde naar hem toe hollen, maar een nog groter deel, het deel dat onderdak bood aan een maar al te bekende woede, maakte dat ze op de deurmat bleef staan. *Als hij eens wist wat ik elke keer dat ik het nieuws aanzet, of als ik een politieauto langzaam langs het huis zie rijden, moet doorstaan –*

Ocky strekte zijn armpjes naar zijn vader uit, waarna Claire het kind aan hem overgaf toen hij en Doheny het huis binnenstapten en naar de woonkamer liepen.

Doheny stond voor de plek waar op een later tijdstip nog een kachel of een haard geplaatst moest worden. Achter een gipsplaat bevond zich een groot gat in de muur. Op een dag zou zich daar ooit een sierrand, een haardrooster of een allesbrander bevinden. Momenteel stond er nog helemaal niets, en het vertrek maakte een kale en kille indruk. Maar desondanks zei Doheny: 'Sinds Marie en ik deze kamer voor het laatst hebben gezien hebben jullie er erg veel aan gedaan.'

Als hij met 'erg veel' de muur bedoelde die de vorige bewoners hadden weggehaald en die zij hadden laten terugplaatsen, waardoor het huis zijn oorspronkelijke proporties had teruggekeken en elke kamer op de benedenetage weer een soort middelpunt had, dan vermoedde Claire dat hij gelijk had. Maar er moest nog steeds een boel gebeuren. De houten vloer moest nog worden geschuurd en gelakt, terwijl ook het behang nodig gestript moest worden.

Het meubilair was goed. Er stonden maar een paar stukken, maar die waren met zorg uitgekozen. 'We hebben geen geld meer,' zei ze simpelweg. 'Het zal zo moeten blijven tot we weer wat gespaard hebben.'

'Bij ons heeft het jaren geduurd,' zei Doheny vriendelijk, maar Claire kon zich niet voorstellen dat Doheny's huis ooit níet warm en comfortabel was geweest. Dit huis was momenteel niet veel meer dan een lege schaal, een oord waarvan ze hoopte dat het ooit een thuis zou worden, maar het enige afgewerkte vertrek was dat van Ocky.

'Deze knaap had allang op bed moeten liggen,' zei McLaughlan, en voegde eraan toe: 'Ik zal hem naar boven brengen.'

Direct nadat hij was verdwenen liep Doheny achter Claire aan naar een keuken waar het bestek en het serviesgoed in kartonnen dozen op de vloer was opgeslagen. Er was nergens een kastje te zien, alleen een oud gasfornuis, een nieuw uitziende tweedehandse koelkast, en een wasmachine, en ze hoorde zichzelf brabbelen dat ze de hele keuken eruit hadden gesloopt, dat die niet meer te gebruiken was, en dat ze zich een beetje schaamde voor hoe het er nu uitzag. 'Ik verwachtte geen bezoek,' legde ze uit. Maar wanneer verwacht je zo'n klop op de deur nou wél? En hoe kon je nou weten, hoe je zou reageren als het zover was? Als Doheny naar haar toe was gekomen om te vertellen dat Robbie was omgekomen, zou ze dan problemen hebben gehad met het feit dat haar keuken een puinhoop was? 'Wil je iets drinken?' bood ze aan.

'Ik niet,' zei Doheny. 'Maar jij kunt er best eentje nemen.'

Hij wist heel goed, bedacht ze, dat ze – toen ze de auto zag – het het ergste had gevreesd.

Ze schonk een borrel voor zichzelf in en hij vertelde haar wat er was gebeurd. Hij gaf geen details, en daar was Claire blij om. Ze wilde helemaal geen details. Ze wilde niet weten hoe weinig het had gescheeld dat haar man door een overvaller was neergeschoten.

'Waar is onze auto?' vroeg ze, en haar stem had een nauwelijks hoorbare hysterische ondertoon, alsof ze op het punt stond om hem een uitbrander te geven in de trant van: 'Waarom breng je hem steeds weer in gevaarlijke situaties? Hij is tegenwoordig getrouwd. We hebben een zoon. Waarom bezorg je hem niet een rustige kantoorbaan?'

'Claire,' zei Doheny zacht, die zich evenzeer door haar tranen voelde overvallen als zijzelf. Hij scheurde een stuk van een keukenrol af, reikte haar dat aan en wachtte tot ze zichzelf weer helemaal in de hand had.

'Wat voor invloed heeft het op hem – iemand doodschieten, bedoel ik?'

'Dat is moeilijk te zeggen,' zei Doheny. 'Maar voor zover ik hem ken, geloof ik niet dat dit hem bovenmatig zal aangrijpen.'

Claire, die het gevoel had dat ze Robbie aanzienlijk beter kende dan Doheny, gaf geen commentaar. Soms verdween hij dagenlang naar plekjes in zijn hoofd waar zijzelf nog nooit naartoe uitgenodigd was. Dat waren de plekjes met deuren die niet alleen dichtzaten, maar ook nog eens van stevige grendels waren voorzien, en vragen als 'Hoe bedoel je, had je vroeger dan nog een broer? Waar is hij dan? Wat bedoel je met "hij is verdwenen"? Waar denk je dan dat hij ergens zit?' werden niet beantwoord.

Ze vergezelde hem naar de voordeur, en voor hij vertrok noteerde Doheny op een stukje papier zijn telefoonnummer thuis, gaf dat aan haar en zei: 'Mochten er zich problemen voordoen, bel me dan ogenblikkelijk op.'

Ocky lag in bed en draaide met zijn vingers traag een kleine speelgoedtractor in het rond. McLaughlan trok het dekbed waaronder hij lag iets omhoog. Claire kwam het slaapkamertje binnen. 'Alles goed met jou?'

Hij knikte, maar keek haar niet aan, en die reactie had ze eigenlijk wel verwacht. Wat hij momenteel ook mocht voelen, ze wist dat hij dat niet zou laten blijken. Hij hield zijn gedachten, zijn gevoelens – samen met zijn verleden – helemaal voor zich.

De tinten blauw en groen waarmee de muren waren beschilderd werden verlicht door een nachtlampje, waarvan het kapje werd gevormd door een draaimolen die op het donkerblauwe plafond een hele sterrenhemel projecteerde. Ze keek toe hoe Robbie de stand van de jaloezieën een fractie veranderde om zich vervolgens over Ocky's bed te buigen om de gevallen tractor weg te halen. Hij gaf hem terug aan zijn zoon met handen die zó krachtig waren dat hij die tractor zonder moeite had kunnen fijnknijpen. Maar hij keek daarbij Claire niet aan, en hij zei geen woord, en omdat ze hem goed genoeg kende om te weten dat het zinloos was om te proberen hem uit zijn schulp te trekken, kuste ze haar zoon goedenacht en liet ze haar man bij hem achter.

Hij was nog steeds bang om alleen in de kamer met de sterrenhemel te slapen, want ondanks de rustgevende tinten blauw en groen, waren er nog plaatsen genoeg in het huis waar de boeman zich misschien zou kunnen schuilhouden – *Boogey* de boeman – die hem uit bed de duisternis van de nacht in zou kunnen sleuren. Mammie en pappie zouden naar hem op zoek gaan, maar ze zouden hem nooit meer terugvinden, want de boeman had hem dan allang vermoord en opgegeten, en vervolgens zijn botten begraven in een kuil met slijm!

McLaughlan dekte hem opnieuw nog eens in en bleef nog een tijdje bij hem, zittend op de rand van het bed en zijn hand vasthoudend totdat Ocky eindelijk in alle rust in slaap viel. Hij had nog nooit bang hoeven zijn voor een denkbeeldige boeman – zijn boeman was maar al te echt gebleken toen Jimmy naar Londen was gekomen, gestuurd door Iris, die beweerde dat ze het niet langer meer volhield en dat ze een tijdje rust nodig had.

Toentertijd had McLaughlan haar dat zeer kwalijk genomen, maar toen hij eenmaal volwassen was, had hij een stuk beter begrepen waarom Iris wel eens wat rust wilde. Ze was genoodzaakt geweest alles voor Jimmy te doen, en als het haar eens te veel werd en ze hem hun op het dak stuurde, had George het overgenomen vanaf het punt waarop Iris de handdoek in de ring had gegooid, had hij hem gekleed, gevoed, zijn sigaretten aangestoken, zijn rug gewassen, rustig gehouden met whisky en met die vreemde, trieste vrouw die hij meenam naar huis 'om in Jimmy's behoeftes te voorzien'.

Elsa had regelmatig gedreigd weg te gaan als Jimmy zou komen, maar George had begrepen dat ze noch het geld noch de moed bezat om zich tegen hem te verzetten, met als gevolg dat de stank en het getier en het gejammer uit Glasgow op hen was neergedaald, om soms wel wekenlang achter elkaar in het gezin aanwezig te zijn.

Niet alleen zag McLaughlan erg tegen Jimmy's bezoekjes op, het noemen van zijn naam alleen al was voldoende om hem te doen walgen. Die armstompjes waren erger dan de ergste nachtmerrie die Ocky ooit kon hebben. En het kwam niet alleen door die stompjes: Jimmy had gevoeld dat hij bang voor hem was, had het hem kwalijk genomen, was hem om die reden achternagekomen. En dan de maníer waarop hij achter hem aan was gekomen: zelfs nu gingen McLaughlans nekharen er recht van overeind staan. Volgens Jimmy was het een spelletje geweest – een onschuldig spelletje, meer niet – een spelletje waarin hij net deed of hij een zombie was, zijn armen naar hem uitstrekkend alsof hij dood was en naar hem *tastte*. En als hij hem dan had gevonden, als McLaughlan zich onder de trap of onder zijn bed had proberen te verbergen, nam hij hem in een knellende omhelzing, wat dan ook de reden was dat zodra hij hoorde dat Jimmy op weg was, McLaughlan zijn ouders smeekte om hem niet met Jimmy alleen te laten.

Hij kreeg dan te horen dat het niet goed was om weg te lopen voor mensen, enkel en alleen omdat ze op de een of andere manier misvormd waren, en zijn moeder had hem verhalen verteld waarin ze had geprobeerd duidelijk te maken hoezeer sommige van deze monsters daaronder te lijden hadden. Maar in die verhalen kwamen de monsters nooit midden in de nacht dronken de slaapkamer van een kind binnenwankelen, om zich vervolgens op het bed te laten vallen en de stompjes om het kind te slaan, zoekend met vingers die niet meer bestonden naar een gezicht dat plat tegen de matras lag gedrukt. McLaughlan had Jimmy gehaat. Hij had gewenst dat hij zou sterven, terwijl hij op een perverse wijze tegelijkertijd had gehoopt dat Jimmy eeuwig in leven zou blijven, want dan zou hij nooit in de demon kunnen veranderen die zoveel erger was dan de levende, ademhalende verschrikking van een man.

Alstublieft, God, zorg ervoor dat hij mij niet vindt. Ik zal me de rest van mijn leven goed gedragen, maar zorg er dan wel voor dat hij me nooit zal vinden.

9

Hij bleef nog een hele tijd nadat zijn zoon in slaap was gevallen op de rand van het bed zitten, de metalen tractor steeds weer in zijn handen omdraaiend en denkend aan datgene wat er die middag had plaatsgevonden.

Tegen de tijd dat Doheny hem mee terug naar het bureau had genomen was al bekend dat er een schietpartij had plaatsgevonden en een hoop mensen wilden met hem praten. Voor sommigen was het pure noodzaak dat ze met hem spraken, maar er waren ook lieden die uit pure nieuwsgierigheid aan hem hadden gevraagd: *Hoe voelt het nou om iemand dood te schieten, McLaughlan?*

Hij was daar al achter gekomen op het moment dat hij voor zijn oude huis op zijn hurken was gaan zitten, maar hij wist dat het niet verstandig was om te vertellen wat er door hem heen ging. Sommige mensen zouden het uitleggen als een shock. De meesten zouden het beschouwen als zwakheid, een waarschuwing dat ook hij misschien behoorde tot het soort mensen dat de gevolgen van hun daden niet aankon. 'Wie zou ooit hebben kunnen vermoeden dat McLaughlan tot het type politieman behoorde dat er uiteindelijk aan onderdoorging?' Hij stond helemaal niet op het punt om er aan onderdoor te gaan, dat zou, als hij er ook maar énige invloed op had, nooit gebeuren, maar tegen de tijd dat hij met Doheny op het bureau terugkeerde, had hij het gevoel dat hij niet meer van zichzelf was, alsof de commando's die van zijn hersenen naar zijn lichaam gingen, vóór ze de kans kregen zijn zenuwen en spieren te bereiken, de toestemming van een of andere derde partij moesten krijgen.

Doheny, die wat betreft het scenario dat zich ontvouwde wanneer een politieman iemand had doodgeschoten over praktijkervaring beschikte, had hem verzekerd dat zijn superieuren zijn werkwijze zouden steunen, maar had hem er ook aan herinnerd dat er automatisch een officieel onderzoek zou worden opgestart om te zien of zijn acties terecht waren. Het was een onderzoek dat zou worden uitgevoerd door óf de Complaints Investigation Branch, óf door leden van een ander politiekorps. Tot zou blijken dat hij volkomen terecht had geschoten, zou hij niet meer betrokken worden bij acties waarbij van vuurwapens gebruik zou worden gemaakt, maar zou hij zeer zeker niet worden geschorst, want als iemand in zijn positie geschorst zou worden, zou hem dat in de ogen van de media en het publiek tot een potentiële schuldige maken. Begreep hij dat?

McLaughlan had dat begrepen. Hij had andere mannen dezelfde procedure zien ondergaan, dus hij vermoedde dat hij zich over datgene wat op de weg vóór hem lag niet al te veel zorgen moest maken. Waar hij zich wél zorgen over maakte was het gevoel dat alles om hem heen vaart leek te minderen, leek te vertragen. Dat was heel normaal, dat wist hij. De voorbereidingen voor dit soort politieoptredens hadden altijd nogal wat voeten in de aarde, en de klus zelf werd gewoonlijk in een hoog tempo uitgevoerd. Daarom vormden de nauwgezette procedures die er steevast op volgden altijd een anticlimax, waardoor zelfs de simpelste taken een eeuwigheid leken te duren.

Het was min of meer algemeen bekend dat mannen in zijn positie de neiging hadden om nadat ze iemand hadden doodgeschoten onverklaarbare dingen te doen. Sommigen liepen rechtstreeks naar hun superieuren en namen onmiddellijk ontslag. Anderen haalden uit naar hun collega's en beschuldigden die van het feit dat ze niets hadden gedaan om de schietpartij te voorkomen. Het ergst waren de gevallen waarin de politiemannen hun frustratie afreageerden op hun vrouw en kinderen, en Doheny had gezegd dat hij hoopte dat McLaughlan die fout niet zou maken. Hij had verder nog gezegd dat als hij iemand nodig had om mee te praten, hij altijd naar hem toe kon komen, want ondanks het feit dat er voor mensen in zijn situatie professionele hulpprogramma's bestonden, bestond er tevens de diepgewortelde achterdocht dat mensen die daarvan gebruikmaakten wel eens tot de zwakkere broeders zouden kunnen behoren. Soms was het enige dat iemand nodig had de wetenschap dat ze zich altijd tot 'een van hun eigen mensen' konden richten en dat daarbij totale vertrouwelijkheid in acht zou worden genomen. Er zou in dat geval nooit een schriftelijk rapport belanden op het bureau van een superieur die waarschijnlijk nooit iets traumatischer had meegemaakt dan het moeten laten inslapen van zijn hond. Niemand zou in dat geval een studie gaan maken van jouw strijd om in het reine te komen met datgene wat je had gedaan.

Hij had voorgesteld dat McLaughlan zijn auto op de parkeerplaats van het bureau zou laten staan en dat hij hem later een lift naar huis zou geven – zelfs als dat betekende dat hij nog een tijdje rond moest blijven hangen, tot de procedurele naweeën van de operatie van die ochtend achter de rug waren. 'Het is niet bepaald zinvol om, nadat je een geweer met afgezaagde loop hebt overleefd dat je in je gezicht wordt geduwd, alsnog de pijp uit te gaan nadat je je wagen rond een straatlantaarn hebt gewikkeld omdat je met je gedachten heel ergens anders was.'

McLaughlan was in staat geweest de zin van datgene wat hij zei in te zien, maar nadat Doheny was verdwenen, wilde hij zo snel mogelijk met Claire spreken, al was het alleen maar om tegenover haar toe te geven wat hij niet tegenover Doheny kon toegeven: dat hij, terwijl hij voor het huis op zijn hurken was gaan zitten, overweldigd was geweest door een gevoel van totale isolatie. Het was bijna alsof er zich een plastic luchtbel om hem heen had gevormd. Hij kon naar buiten kijken. Mensen konden naar binnen kijken. Hij begreep wat ze zeiden door naar de bewegingen te kijken die ze met hun lippen maakten terwijl ze hun woorden vormden. Maar de woorden betekenden helemaal niets. En het was niet de eerste keer dat McLaughlan dit gevoel had gehad: nog maanden na Tams verdwijning hadden mensen als Jarvis hun monden vertrokken in vormen die bij elkaar de woorden 'Wat is er met Tam gebeurd?' hadden uitgebeeld.

Hij had die vraag begrepen. Hij had zelfs het antwoord geweten. Maar hij was niet tot spreken in staat geweest. En nu, terwijl hij zich uitstrekte naar Ocky en zijn slapende gezicht aanraakte, was hij niet eens in staat de oppervlakte van zijn huid te voelen. Het leek wel alsof alle zenuwen uit zijn vingers waren weggehaald, alsof hij het gezicht van zijn kind voelde door hetzelfde plastic laagje van die luchtbel.

Claire kwam naar binnen en zei iets tegen hem. 'Kom je naar beneden?'

Hij zag hoe de woorden werden gevormd. En hoorde ze zelfs. Maar ze drongen niet tot hem door.

'Wat is er met je aan de hand?'

Hij schudde zijn hoofd en volgde haar de trap af.

10

Bryce had de hele ochtend op de rechtbank doorgebracht. In dat tijdsbestek had hij zeer tot zijn leedwezen tegenover een rechter moeten toegeven dat het – zelfs onder deze verzachtende omstandigheden – bepaald niet aanvaardbaar was dat iemand probeerde een politieman aan te vallen door met een balpen in de richting van diens gelaat uit te halen. Maar hij sprak zijn vertrouwen uit dat de rechter bij het bepalen van een passend vonnis mededogen zou tonen, aangezien zijn cliënten hun gedrag zeer betreurden en graag kond wensten te doen van het feit ze aan de betrokken politiefunctionarissen hun verontschuldigingen hadden aangeboden.

Sherryls lip was gezwollen en paars. Ze droeg nog steeds dezelfde kasjmieren trui en de rok die tot haar knieën reikte die ze de dag tevoren ook aan had gehad, en net als Ray in zijn perfect zittende maatpak zag ze er niet alleen decent en kleinburgerlijk uit, maar ook nog eens als iemand die vreselijk onrecht was aangedaan.

Nadat hij hen eens taxerend had bekeken en de omstandigheden had afgewogen waaronder ze de politiemensen hadden aangevlogen, besloot de rechter zich mild op te stellen. Sherryl werd veroordeeld tot veertig uur dienstverlening en Ray tot zestig uur.

Ze kwamen er uiterst gemakkelijk vanaf.

Niet dat ze daar erg dankbaar voor waren. Er waren momenten dat Bryce ervan overtuigd was dat Ray geen flauw idee had waar de wet voor stond, laat staan dat hij begreep hoe het werkte. In elk geval had hij er geen idee van wat Bryce wel en niet voor elkaar kon krijgen: hij was jurist, geen tovenaar. Vader en dochter mochten blij zijn dat ze niet achter de tralies verdwenen.

Een halfuur later was Vincent Leach voor een heel andere rechtbank verschenen, voor een heel andere rechter. Hij had 'ja' geantwoord toen hem werd gevraagd of zijn naam inderdaad Vincent Leach luidde, en 'schuldig' of hij zich wel of niet schuldig achtte aan de tenlastelegging van poging tot gewapende overval. Vervolgens werd zijn voorlopige hechtenis verlengd.

Nadat hij naar zijn cel was overgebracht was Bryce hem daar gaan opzoeken, en had de advocaat geconstateerd dat hij hersteld was van het kalmerende middel dat hem de vorige avond was toegediend, maar dat hij verder uiterst onderworpen en gedeprimeerd was. Net als Ray had hij de neiging Bryce te zien als een soort tovenaar, en Bryce wist niet of hij geïrriteerd of ontroerd moest zijn door het vertrouwen van deze man in zijn vermogen om hem op de een of andere manier te behoeden voor een hem ongetwijfeld boven het hoofd hangende lange gevangenisstraf. Maar in tegenstelling met Ray en Sherryl was Leach Bryce buitengewoon dankbaar voor het feit dat hij hem sowieso wilde vertegenwoordigen. Hij was ook behoorlijk in de war, want net als Orme was hij niet in staat om te doorzien wat de Swifts erbij te winnen hadden door zijn advocatenkosten te betalen.

In eerste instantie was Bryce ook verbaasd geweest door het verzoek om ook Leach te verdedigen. Pas na een uitgebreid gesprek met Ray had hij begrepen wat de Swifts in ruil voor dit alles van Leach verlangden.

Hij stapte het cellenblok onder de rechtszaal binnen en stelde Leach een uiterst simpele vraag: 'Hoe zag de man eruit die Stuart heeft neergeschoten?'

Leach schudde alleen zijn hoofd maar. 'Hoe moet ík dat verdomme weten?'

Bryce keek hem aan op een manier die duidelijk maakte dat het héél verstandig was als hij zijn hersenen eens stevig pijnigde.

Leach begon hardop na te denken, en maakte weer dingen mee die vanwege zijn medicatie voor hetzelfde geld al jaren geleden hadden kunnen plaatsvinden. 'Stuart hield zijn wapen op dat jongetje gericht,' zei hij. 'Toen kwam Orme achter die geldwagen vandaan. Die probeerde hem te overreden. Stuart draaide zich met een ruk naar hem om en bracht zijn wapen omhoog alsof hij op het punt stond op hem te schieten. Ik hoorde een schot. Stuart zakte in elkaar, en – '

Uiterst langzaam sprekend, alsof hij het tegen een imbeciel had, zei Bryce: 'Wie vuurde het schot af waardoor Stuart gedood werd?'

'Ik wéét het niet, verdómme!'

Geïrriteerd reageerde Bryce: 'Ik verwacht niet van je dat je zijn naam en adres weet op te hoesten, vertel me nou alleen maar hoe hij eruitzag.'

Leach sloot zijn ogen, alsof dat hem misschien zou kunnen helpen de gebeurtenissen weer voor zich te zien. 'Ik zat in de auto,' zei hij. 'Carl en Stuart lagen dood op –'

Bryce begon zijn geduld te verliezen. 'Je zit mijn tijd te verdoen, Vinny.'

'Geef me even de tijd om na te denken,' zei hij.

Bryce gaf hem een minuut de tijd en uiteindelijk begon Leach traag te spreken: 'Het enige dat ik me herinner...'

'Het enige dat je je herinnert – wát herinner je je?' drong Bryce aan.

'Het was een lange vent. Erg lang. Nadat hij had geschoten ging hij naast de geldauto staan. Orme sprak met hem, maar de meeste mensen lieten hem met rust. Meer heb ik niet gezien. Toen kwamen ze me uit de auto halen en voor ik het goed en wel wist wat er aan de hand was, sloegen ze me in de boeien. Ik heb toen niets meer kunnen zien.'

'Wat bedoel je precies met "lang"?' wilde Bryce weten.

'Nog langer dan Orme.'

Orme was, wist Bryce maar al te goed, één meter vijfentachtig, en er zaten waarschijnlijk maar weinig mensen bij het arrestatieteam die langer waren. 'Kun je je nog bepaalde details herinneren?' vroeg hij.

'Dat is het wel zo'n beetje. Meer kan ik me niet herinneren.'

Veel was het niet, maar in elk geval werd het groepje lieden dat ervoor in aanmerking kwam een stuk kleiner, bedacht Bryce, die wist dat er vroeg of laat een rapport over deze gebeurtenissen zou worden opgesteld. En in dat rapport zouden de namen komen te staan van de mannen die deel hadden uitgemaakt van de teams die Orme had ingezet, en het enige dat Bryce dan nog hoefde te doen was kijken of een van die namen paste bij een man die langer was dan zijn collega's.

Hij had officieel helemaal geen toegang tot dat rapport, maar tussen de politie en het geboefte was nu eenmaal sprake van een informatiestroom die twee kanten uit werkte. Vooropgesteld dat er goed voor werd betaald, zou Bryce er ongetwijfeld in slagen de hand op dat rapport te leggen, en als dat eenmaal was gebeurd, was het alleen nog maar een zaak van goed observeren voor hij de naam van de man die Stuart had doodgeschoten kon koppelen aan de beschrijving die Leach hem had gegeven.

'Je bent bijzonder behulpzaam geweest,' zei hij. 'Laten we hopen dat je het goed gezien hebt, anders zou je wel eens een groot probleem kunnen hebben.'

11

Jarvis was nooit getrouwd geweest. De enige die daaraan schuldig was, was hijzelf, dat wist hij maar al te goed: op een beslissend tijdstip in zijn leven had hij een verkeerde beslissing genomen, en daar betaalde hij nu de prijs voor. Niemand om samen mee van zijn pensionering te genieten. Geen dochter die af en toe eens langskwam om hem te vertellen dat hij, nu hij deze leeftijd had bereikt, er toch eens zijn gemak van moest nemen – of op z'n minst zich eindelijk eens moest gedragen, op tijd naar bed moest gaan, eens goed moest uitkijken waar hij 's avonds naartoe ging en met wie hij omging, om het nog maar niet te hebben over het gevaar dat was verbonden aan de omgang met de een of andere roofzuchtige vrouw van middelbare leeftijd, die waarschijnlijk alleen maar bij hem in wilde trekken om hem van zijn bezittingen – voor zover die bestonden – af te helpen.

Hij keek om zich heen en nam de flat waarin hij woonde in zich op; hij kon zich niet voorstellen dat een vrouw met een sociale status die hoger lag dan die van een zwerfster ooit de moeite zou nemen daartoe ook maar énige moeite te doen. Niet dat hij veel te klagen had. Het kwam hem allemaal goed uit. De flat was eind jaren zestig gebouwd, mocht uiterst doelmatig worden genoemd en was gesitueerd in een drie verdiepingen hoog blok bij een kruising in Crouch End. Zijn slaapkamer grensde aan een van de twee doorgaande wegen, maar dat gaf niet – als hij in bed lag kon hij tenminste luisteren naar passerende auto's, naar het geluid van schreeuwende mensen wanneer die 's avonds uit de pub kwamen, en soms ook het gehuil van sirenes dat hem soms tot diep in de nacht uit zijn slaap hield.

Nadat hij bij de politie met pensioen was gegaan had hij heel even overwogen uit de stad weg te trekken, maar hij was geboren en getogen in Londen, had daar op twaalf jaar na zijn hele leven doorgebracht, maar hij was al snel tot de conclusie gekomen dat het niets voor hem zou zijn om op een gegeven moment vanuit zijn raam naar de village green te moeten staren. Het platteland was allemaal prima, maar het leven – het échte leven – vond hier plaats. Hij kon zich niet voorstellen hoe het zou zijn om in een plaatsje te wonen waar het jaarlijkse dorpsfeest wekenlang voorpaginanieuws was. Als je ouder werd vond je het heerlijk om je ochtendkrant door te bladeren, en je vond het prettig om daarin iets lezenswaardigs te vinden.

De krant van die ochtend had de poging tot een bankoverval en het feit dat daarbij twee van de overvallers waren gedood uitvoerig gemeld. Dit soort krantenberichten waren niet ongewoon, maar toch raakten ze steeds weer een zenuw bij Jarvis. Die berichten vormden het enige dat hem gegarandeerd bij het verleden deed stilstaan, niet alleen omdat hij een vrij belangrijke politieman was geweest, maar ook omdat hij in de loop der jaren geleidelijk aan steeds duidelijker had beseft dat hij nooit meer iets betreffende overvallen zou kunnen horen of lezen zonder daarbij onmiddellijk aan Elsa te moeten denken.

Gewoonlijk had hij het verleden redelijk onder controle en herinneringen aan Elsa verdampten bij het simpelweg indrukken van een mentale toets, maar artikelen over dit soort zaken maakten dat zijn mentale verdedigingsmechanisme het liet afweten. En dat vervulde hem op zijn beurt weer met alle manieren van spijt, die hij opzij probeerde te schuiven door zich te concentreren op de subtekst van het artikel. Dat was geschreven op een wijze die moest suggereren dat de politie had gehandeld op een manier die alleen maar kon worden omschreven als arrogant, en hij moest het twee keer lezen voor het tot hem doordrong dat Swift een wapen tegen de hals van een wel heel erg jong kind had gedrukt.

Toen dat besef eenmaal tot hem door was gedrongen, betwijfelde Jarvis – die wist dat sommigen van zijn collega's soms tot zeer verachtelijke dingen in staat waren – of de pers verwachtte dat het publiek ook maar enige sympathie zou voelen jegens de mannen die waren doodgeschoten, maar het gaf het verhaal wel een bepaalde insteek. Het gaf het relaas *handen en voeten*. De komende weken zouden er vele kolommen worden gewijd aan de inzichten van zogenaamde vuurwapenexperts, en dan bij voorkeur díe deskundigen die op de een of andere manier de pest aan de politie hadden. Langzaam maar zeker zouden ze de weinige informatie die ze kans hadden gezien boven water te tillen publiekelijk ontleden in een poging vast te stellen wat er precies was gebeurd, en daarna zouden ze bekendmaken dat de politie er een grote puinhoop van had gemaakt. Die had dít moeten doen. Die had dát moeten doen. De politie had het in elk geval níet moeten doen op de manier waarop ze het deze keer had gedaan.

Geen van de hogere politiemensen die bij de operatie betrokken waren geweest zou toestemming krijgen om de zaak fatsoenlijk uit te leggen, laat staan dat ze de gelegenheid kregen hun daden te verdedigen. En de muur van stilzwijgen van de kant van de Metropolitan Police zou worden uitgelegd als schuld, als laakbaar optreden, als wederom een voorbeeld van onaanvaardbaar gedrag van de kant van de politie.

Hij richtte zijn aandacht op de meer sensationele elementen van het verhaal en begon tussen de regels door te lezen: om te beginnen betekende het feit dat het Flying Squad in een hinderlaag had gelegen dat de overvallers waren verraden. Hij vroeg zich af wie de informant was geweest en wat er momenteel door hem heen moest gaan. Maar wie het ook was, als de families en de partners van de gedode mannen zijn identiteit zouden ontdekken, zou Jarvis niet graag in zijn schoenen willen staan – en nu het begrip identiteit toch ter sprake kwam, bedacht Jarvis, zodra die van de overvallers bekend zou zijn, was er voor die lui geen ontkomen meer aan.

Net als de meeste mensen – ongeacht of je het nu over politiemensen of boeven had – voelde Jarvis alleen maar minachting voor informanten, maar je kon niet ontkennen dat ze voor het korps soms een waardevolle aanvulling betekenen. Ze konden een positieve bijdrage leveren, zoals hij had ontdekt toen een informant hem had verteld waar hij de stoffelijke resten van Tam McLaughlan kon vinden. De man had in het geruchtencircuit opgevangen dat Tam vermoord was, en dat zijn lijk in een niet meer gebruikte opslagplaats in Glasgow gedumpt zou zijn.

Om het lichaam op te sporen had Jarvis gebruikgemaakt van speurhonden. Dat was niet bepaald moeilijk geweest. Direct nadat de hondenbegeleiders hun dieren hadden losgelaten, waren die met hoge snelheid naar het duistere inwendige van een rood bakstenen pakhuis geheld waar een eeuw eerder in enorme metalen silo's nog tonnen graan opgeslagen waren geweest.

De silo's waren nagenoeg doorgeroest en vele ervan zagen eruit als reusachtige bierblikken die op het punt stonden in elkaar te zakken, en het lichaam was in een ervan omhooggetrokken via een koker die het graan vroeger naar verschillende kleinere compartimenten transporteerde, zodat het daarna verder gedistribueerd kon worden.

De overledene was gekleed in het soort kleren dat Jarvis' somberste vermoedens dreigde te bevestigen. Ze leken inderdaad overeen te stemmen met de spijkerbroek en de trui die Elsa had omschreven, maar verder was het niet mogelijk geweest de stoffelijke resten te identificeren. De vitale delen van het lichaam waren nagenoeg vloeibaar geworden en de huid was door die vloeistof opgezwollen en gebarsten. Maar het was geen natuurlijk ontbindingsproces geweest dat een kleine explosie in de borstholte had veroorzaakt, bedacht Jarvis. Wie deze knaap ook mocht zijn, zijn borst was aan flarden geschoten door een schot van dichtbij met een vuurwapen.

Jarvis had al vermoed dat Tam dood was, maar dat had de confrontatie met de mogelijkheid dat dit wel eens alles zou kunnen zijn wat er van hem over was, er niet gemakkelijker op gemaakt. Hij had de knaap gemogen. Hij had voor lucifers en lijm gezorgd, en had toegekeken terwijl hij de romp van zijn schip repareerde. Hij wilde er niet aan denken dat hij op deze manier aan zijn einde was gekomen; en hij wilde er ook niet aan denken wat dit met Elsa zou doen.

Omdat er geen gebitsgegevens beschikbaar waren had Hunter voorgesteld aan Elsa te vragen of ze naar de kleding wilde kijken, en nu nog herinnerde Jarvis zich maar al te goed hoe moeilijk het voor hem was geweest dat aan haar te vragen. Ze hadden elkaar al een tijdje niet meer gezien, en toch, toen ze de deur voor hem opendeed, leek het niet tot haar door te dringen dat hij wel eens de brenger van slecht nieuws zou kunnen zijn. Zelfs het feit dat hij een vrouwelijke politieagente bij zich had leek bij haar geen alarmbelletje te doen rinkelen. Ze had hem net als anders in de achterkamer binnengelaten en het eerste dat Jarvis had opgemerkt waren de papieren slingers. Pasen was al een poosje geleden, maar ze had ze niet weggehaald. De kleuren waren nu nagenoeg helemaal verbleekt, en elke plakverbinding was grijs geworden.

Robbie was begonnen naar de slingers te slaan, waarna zijn moeder hem toeschreeuwde dat hij daar onmiddellijk mee op moest houden.

Maar Robbie had geweten waarvoor Jarvis gekomen was, ook al was dat bij Elsa niet het geval, en ze krijste hem dan ook toe 'dat hij die verdomde slingers met rust moest laten!'

Hij was naar haar toe gehold op een manier zoals Jarvis ook graag had willen doen, had zijn armen om haar heen geslagen alsof hij haar zou kunnen beschermen en Elsa was op dat moment in paniek geraakt. 'Vraag me niet of ik hem wil zien, ik zou het niet kunnen. O god – waar is George?'

Jarvis had haar verzekerd dat hij alleen maar graag wilde dat ze naar de kleding keek, dat niemand van haar verlangde dat ze zou proberen het lichaam te identificeren. En toen zei hij iets stoms: 'Ik ben bang dat er trouwens weinig meer te identificeren válz.'

Op dat moment was ze in huilen uitgebarsten, en Jarvis had gedacht: *Stomme klootzak dat je bent, hoe kun je zóiets stoms zeggen.*

Hij had beiden mee naar het bureau genomen, want Robbie weigerde alleen thuis te blijven, ondanks het feit dat de agente bij hem zou blijven. Het was niet zozeer de angst om in de steek te worden gelaten, als wel het feit dat hij voor zijn moeder wilde zorgen.

Híj had degene willen zijn die mocht proberen de kleding te identificeren, maar hij was nog maar een kind – en hoewel Jarvis alles had willen doen om Elsa dit te besparen, kon hij dit niet toestaan. Dus Robbie had op de gang gezeten terwijl in een vertrek op een tafel de kleding lag uitgespreid. En Elsa was met Jarvis aan haar zijde het vertrek binnengestapt.

'Neem alle tijd. We hebben geen haast. En je hoeft niets aan te raken – tenzij je dat toch graag even zou willen doen.'

Hij had in het verleden wel gezien hoe mensen kleding van een geliefd iemand van tafel gristen en dat tegen hun gezicht drukten, zich niets aantrekkend van het feit dat de geur van de dood er nog in zat. Maar Elsa deed niets van dat alles. Ze liep simpelweg de kamer weer uit, pakte Robbie bij een hand en trok hem stevig naar zich toe. 'Het zijn zijn kleren niet.'

Jarvis had ze weer naar huis gebracht en al die tijd was zijn woede alleen maar gegroeid. Waar hing George ergens uit, uitgerekend nu ze hem het hardst nodig had? Hoe durfde hij haar in haar eentje voor dit alles op te laten draaien, zonder geld, zonder ook maar enige steun?

Hij had het huis nooit anders gekend dan kleurloos, en toen ze er naar binnen stapten was het vergeleken met het politiebureau steenkoud. Jarvis had de schakelaar van de elektrische kachel overgehaald, maar niet één van de elementen had opgegloeid, en hij had beseft dat de meter geen muntjes meer bevatte.

'Hoe zit het met je financiën?' had hij gevraagd, en ze had bekend dat er geen geld meer in huis was. Geen eten. Geen geld. Niet eens geld meer voor de meter.

Jarvis had de meter volgestopt met het kleine geld dat hij bij zich had en was toen naar de Spar gelopen om wat eten te kopen. Hij was teruggekeerd met brood en melk, en plakken gerookte ham, en Robbie had dat naar binnen geschrokt alsof hij in geen maand gegeten had. Korte tijd later was hij op de bank in slaap gevallen, waarna Jarvis hem naar zijn bed had gedragen, en vervolgens had uitgekleed en ingestopt.

Tegenwoordig, bedacht Jarvis, zou je als volwassen man een jongen van tien niet eens meer uit dúrven kleden. In die dagen lag dat nog heel anders. De mensen dachten er helemaal geen kwaad van. Hij had toen niet eens beseft dat het misschien prettig was om de handen en het gezicht van de jongen met een handdoek af te vegen en hem in zijn pyjama te helpen. De knaap had er nauwelijks iets van gemerkt, zó moe was hij geweest, hoewel hij op een gegeven moment had gevraagd: 'Waar is mijn vader?' Dat was een verdomd goede vraag, dacht Jarvis, die nu al bijna drie maanden lang naar hem op zoek was geweest en in hoog tempo het mikpunt van Hunters sarcasme was geworden. 'Ik weet dat je een oogje op zijn vrouw hebt, Mike; ik neem aan dat je hem niet eigenhandig uit de weg hebt geruimd, hè?'

Hij was naar beneden gegaan, waar hij Elsa in de keuken had aangetroffen, staande aan het aanrecht terwijl de tranen over haar wangen stroomden, en Jarvis had zijn armen om haar heen geslagen – om haar te troosten, althans, hij had destijds geprobeerd zichzelf daarvan te overtuigen.

En toen had ze hem verteld dat ze de afgelopen weken steeds aan iets had moeten denken. 'Dat crucifix,' zei ze. 'Die Robbie vanuit Glasgow heeft meegebracht.'

'Wat is daarmee?'

'Het drong toen helemaal niet tot me door dat het eigenlijk vreemd was dat Robbie ermee rondliep, maar hoe meer ik erover nadenk...'

Jarvis wist niet precies waar ze naartoe wilde, totdat ze eraan toevoegde: 'Het is niet gestolen. George kreeg het van zijn vader voor zijn eerste communie. George gaf het aan Tam, en het was de bedoeling dat Tam het aan een eigen zoon zou doorgeven. Dus het feit dat Tam dat crucifix aan Robbie heeft gegeven, moet iets te betekenen hebben. Het betekent dat hij moet hebben geweten dat er iets met hem zou gaan gebeuren.'

'Dat weet je niet zeker.'

'Hij is dóód, Mike.'

'Dat moet je niet zeggen. Zoiets moet je niet eens dénken.'

Ze waren zo een hele tijd blijven staan. Elsa's hoofd rustend op zijn schouder en Jarvis met zijn handen rond haar middel geslagen. En toen ze hem had gevraagd niet bij haar weg te gaan, had hij geprobeerd zichzelf te overreden dit niet te laten gebeuren. Als van een politieman bekend werd dat hij zich met de vrouw van een crimineel inliet, werd hij zonder meer ontslagen. En toch hield hij haar nóg dichter tegen zich aan. 'Ik ga helemaal nergens naartoe,' zei Jarvis, en terwijl ze hem naar de slaapkamer leidde, waar de kleren van George vanwege het ontbreken van een fatsoenlijke kleerkast op een ronde bruine rotan poef hadden gelegen, besloot Jarvis dat hij haar helemaal voor zichzelf wilde hebben. Hij besloot voor haar te vechten, al het noodzakelijke te doen om haar bij George weg te krijgen. Hij zou een goede vader voor Robbie zijn. Welke moeite het hem ook zou kosten, welke opofferingen hij zich zou moesten getroosten, hij zou hem als zijn eigen zoon behandelen. En wat Elsa betrof zou Jarvis zichzelf aanleren te vergeten dat Robbie de zoon was van George McLaughlan, en Robbie zou van hem houden. Hij zou zien wat hij voor hem had gedaan en hij zou hem méér als vader beschouwen dan hij George ooit gedaan had.

Hij had het allemaal keurig op een rijtje gezet, en in de uren die volgden had George McLaughlan voor Jarvis niet bestaan. Maar hij had voor Elsa wel degelijk bestaan. Zoals altijd was George nooit lang uit haar gedachten: 'Hij mag ons zo nooit aantreffen.'

'Laat George maar aan mij over,' zei Jarvis. 'Ik weet wel hoe ik George moet aanpakken.'

'Je kent hem niet.'

'Ik weet precies hoe ik George aan moet pakken,' herhaalde Jarvis.

12

Edward Bryce had wat vrouwen betreft een opmerkelijke smaak. De vrouwen tot wie hij zich gewoonlijk aangetrokken voelde waren van het type dat het klassieke Chanel-pakje uitstekend stond – het jasje met de eenvoudige lijnen, en de rok tot vlak boven de knieën.

Margaret Hastie vormde het totale tegenovergestelde van zijn ideaal. Ze zat tegenover hem in een restaurant dat bijna even beroemd was vanwege de verlichting als het voedsel, een restaurant dat, net als Bryce trouwens, ver boven haar klasse uitsteeg. Zoals ze daar zat zag ze er nogal zenuwachtig uit, alsof ze zich niet op haar plaats voelde, en haar verlegenheid leek niet geheel ongefundeerd: haar marineblauwe mantelpak, evenals haar halflange haar, zag er goedkoop en slechtzittend uit.

Met een stem waarvan de ielheid te wijten was aan onvolgroeide jukbeenderen herinnerde ze hem eraan dat ze om drie uur terug op kantoor moest zijn, waarna Bryce de rekening betaalde en haar vervolgens naar een buiten wachtende taxi begeleidde.

Ze stapten in, en Bryce gaf het adres van zijn flat in Kensington, waar hij korte tijd later voor een spiegel stond die een plichtsgetrouwe verslag gaf omtrent Margaret Hasties billen. Het vertelde hem dat die billen ooit hoog hadden gezeten en stevig waren geweest, maar dat ze op een bepaald moment, toen Margaret begin veertig moest zijn geweest, alle hoop om hun positie te handhaven hadden laten varen. Er zat buitengewoon weinig vet aan. Ze hingen als de borsten van een langzaam van de honger stervende vrouw, waarbij de huid in plooien richting buitenkant dijen viel, terwijl de ene bil iets lager hing dan de andere.

Hij liet haar op het bed plaatsnemen, en terwijl ze toekeek hoe hij zich uitkleedde was op haar gezicht het soort uitdrukking te zien dat hij in de loop der tijd was gaan associëren met díe mensen die voor het gerecht moesten verschijnen die niet helemaal zeker waren of de zitting voor hen wel een gunstige afloop zou hebben. 'Hou je van me, Eddie?'

Hij legde een vinger tegen haar lippen. Zijn handen waren elegant en gebruind, en ze kuste ze, om vervolgens te zeggen: 'Ik weet niet wat ik zou moeten beginnen als je me liet vallen.'

'Ik zal je nooit laten vallen, Maggie. Waarom zou ik je ooit laten vallen?'

Ze gaf geen antwoord, maar dat hoefde ze dan ook niet. Ze hadden vaker over haar onzekerheden gesproken dan Bryce zich wenste te herinneren. Het leeftijdsverschil zat haar dwars – met haar zevenenveertig was ze negen jaar ouder dan Bryce – en ze was allesbehalve een schoonheid. Ze had nauwelijks noemenswaardige bezittingen, dus wat zag hij eigenlijk in haar? Hij zou ongetwijfeld kunnen kiezen uit een heel scala aan jonge, aantrekkelijke, uit betere kringen afkomstige en uitstekend opgeleide carrièrevrouwen.

Hij herinnerde haar aan iets dat hij haar al talloze keren had verteld – dat hij de voorkeur gaf aan rijpe, intelligente vrouwen, interessante vrouwen met karakter, vrouwen die iets met hun leven hadden gedáán. Jongere vrouwen waren dan weliswaar vaak mooier, maar tegelijkertijd ook dommer. En hij híeld niet van domme vrouwen. En hij hield ook niet van die machovrouwen, van die dames met een veel te snelle babbel en die alleen maar oog hadden voor hun carrière, of van die typische vadersmeisjes, van die nukkige, verwende meisjes, die op elk gebied volkomen onervaren waren.

Hij herinnerde haar er ook aan dat als mensen van elkaar hielden, ze zich soms niet konden voorstellen wat hun partner in hen zag. Hij vroeg zich vaak af wat zíj in hém zag. Maar wat deed het er nou toe wat ze zich precies afvroegen? Ze hielden van elkaar: er lag een toekomst voor hen open. Dat was het enige dat ertoe deed.

Maar er waren natuurlijk tijden dat ze, hoezeer hij haar ook probeerde te overtuigen, ten prooi viel aan knagende onzekerheid en twijfel; tijden waarin ze het gevoel had dat ze het absolute bewijs van zijn liefde nodig had. En het absolute bewijs was alleen maar te leveren in de vorm van een huwelijk, maar momenteel was ze geneigd genoegen te nemen met zijn toestemming om bij hem in zijn flat te trekken. Bryce had haar daarom een paar weken geleden ten huwelijk gevraagd en had haar een ring geschonken die volgens hem afkomstig zou zijn van zijn overleden moeder. Hij had verwacht dat dit blijk van zijn goede bedoelingen haar angsten enigszins zou wegnemen, maar Maggie was de laatste tijd alleen maar vasthoudender geworden. 'Het is een heerlijke flat, Eddie, maar wat eraan ontbreekt is een vrouwelijke *touch*.'

Hij herinnerde haar eraan dat ze haar baan kwijt zou raken zodra bekend zou worden dat haar aanstaande echtgenoot een bekende jurist was.

'Waarom?'

'Ze zouden kunnen denken dat de mogelijkheid bestaat dat je mij dingen doorvertelt die niet doorverteld mogen worden, dus ik zou het zeer op prijs stellen als je niemand vertelt dat we een relatie hebben.'

'Dan hou ik op met werken. Ik was toch al van plan om er zodra we getrouwd zijn mee op te houden. Het verzorgen van jou en het bezig houden van je vrienden – volgens mij is dat sowieso een fulltime baan.'

'Alles op z'n tijd, Maggie. Voor we die knoop doorhakken moet ik eerst nog van een paar verplichtingen zien af te komen.'

Hij kleedde zich niet helemaal uit. Vaak vond ze het prettig als hij zijn overhemd aanhield. Ze hield van de aanraking van het katoen tegen haar huid, hield van het contrast tussen zijn gebruinde huid en de heldere, scherpe witheid van het materiaal. Soms voelde ze naar hem door de stof heen; de gewaarwording deed Bryce denken aan zijn jeugd, als de al wat oudere labrador van zijn moeder van achteren tegen hem aan stond te duwen.

Zoals altijd hongerde ze naar hem. Maar nu kwam het moeilijke gedeelte: zijn talenten waren talrijk en gevarieerd, maar hij miste de creativiteit om seksuele fantasieën in voldoende mate tot leven te brengen om haar stemgeluid buiten te sluiten, of de gejaagde blik van een vrouw die intelligent genoeg was om diep vanbinnen te weten dat er iets niet klopte.

In het algemeen gesproken mocht van hem gezegd worden dat hij naar behoren presteerde, mits ze haar mond maar hield. Als ze haar mond opendeed om te zeggen: 'Oh, ja, oh, jaaa, wat heeerlijk!' verdampte het beeld van de mondaine dame die hij zich op dat moment verbeeldde te neuken van het ene op het andere moment, en hervond hij zichzelf in de magere armen van Maggie. Dat ontstemde hem zeer, maar wat hem nog bozer maakte was het gevaar dat vrouwen als Maggie vormden voor de nationale veiligheid. Talloze overheidsgebouwen werden bevolkt door ongetrouwde vrouwen van onbestemde leeftijd, en het was niet ongewoon dat vijandelijke agenten soms met een van die dames een pseudo-huwelijk sloten om op die manier aan bepaalde informatie te komen. Deze vrouwen waren ooit niet onaantrekkelijk geweest en hadden toen vrij gemakkelijk voor kortere of langere tijd mannen aan zich weten te binden. Hun laatste intensieve verhouding werd meestal kort na hun veertigste beëindigd, waarna ze gewoonlijk nog maar nauwelijks een seksuele relatie hadden, en al helemaal niet met een man die bereid was om langdurig in zee te gaan met een eenzame vrouw van middelbare leeftijd die er alleen maar op gebrand was in het huwelijk te treden.

Hij handhaafde zijn erectie net lang genoeg om er zeker van te zijn dat Maggie bevredigd zou zijn en gleed toen met een volkomen intacte stijve bij haar vandaan. Hij verdroeg geen condooms en hij was verstandig genoeg om niet in haar te ejaculeren; op de een of andere manier verdroeg hij ook de gedachte niet dat ze een deel van hem mee terug naar kantoor zou nemen. Of naar die afgrijselijke eenkamerflat in Camden Town. Bovendien vertrouwde hij haar niet. Ze was wanhopig genoeg om zwanger van hem te worden, en haar nadrukkelijke verklaring dat ze de menopauze achter zich had, had hem in het geheel niet overtuigd.

'Ik kan maar beter teruggaan. Straks denken ze nog dat ik ben ontvoerd.'

De gedachte kwam op bij Bryce, dat als Maggies collega's ooit zouden vermoeden dat ze was ontvoerd, het gehele personeel die dag als een nationale feestdag zou beschouwen. Niet dat men een hekel aan haar had: ze werd eerder beschouwd als de kantoordraak. Vrouwen gniffelden achter haar rug. Mannen namen haar straffeloos in de maling. Maar Maggie was niet op haar achterhoofd gevallen. Ze wist precies wat de mensen op kantoor van haar dachten. 'Ik doe alleen mijn plicht maar, Eddie. De mensen denken vaak dat ik alleen maar hard voor mijn mensen ben omdat ik dat leuk vind, maar het is nu eenmaal belangrijk om alles volgens het boekje te doen.'

Bryce kon het alleen maar eens zijn met de stelling dat het voor Maggie érg belangrijk was alles volgens het boekje te doen: ze werkte als burgeremployee voor New Scotland Yard, waar ze gevoelige informatie verzamelde en archiveerde.

Hij wierp een heimelijke blik op de bruine canvas schoudertas die op het voeteneinde van het bed lag. De tas was groot genoeg om ruimte te bieden aan de lederen, van een ritssluiting voorziene aktetas die ze uit kantoor had meegenomen toen ze zich naar de lunchafspraak met hem had gehaast.

'Dat zou ik bijna vergeten,' zei Bryce. 'Is het je nog gelukt dat rapport boven water te krijgen?'

Margaret Hastie worstelde zich moeizaam in haar rok. Ze had haar blouse al aan en dichtgeknoopt, en had zojuist haar panty over haar directoire omhooggetrokken. Ze liet haar voeten in een paar schoenen zonder hak glijden, boog zich voorover en pakte de tas van bed. Ze haalde de aktetas eruit en gaf die aan hem. 'Jij zorgt er nog eens voor dat ze me tegen de muur zetten en doodschieten.'

Bryce had bijna zin om haar te vertellen dat de inhoud van het document heel goed aanleiding zou kunnen zijn dat er iemand daadwerkelijk werd doodgeschoten, maar dat, tenzij ze plotseling de neiging kreeg om haar mond voorbij te praten, zij níet degene zou zijn die door die kogel getroffen zou worden. 'Wat zou ik zonder jou moeten?' zei hij, en in een zeldzaam moment van inzicht antwoordde ze: 'Het zou prima met je gaan – je zou er ongetwijfeld weer in slagen iemand te vinden die bereid is het vuile werk voor je te doen.'

Vergelijkbare opmerkingen werden gewoonlijk nadrukkelijk tegengesproken, maar bij deze gelegenheid reageerde Bryce er niet op. Er bestonden nu eenmaal momenten waarop hij zich simpelweg niet liet opnaaien.

Het feit dat hij haar niet probeerde van het tegendeel te overtuigen, voelde ze wel degelijk, en zwijgend kleedde ze zich verder aan, maar voor ze de slaapkamer verlieten draaide ze zich naar hem om en zei ze met ogen die de kleur hadden van donkergrijze kiezelstenen: 'Als iemand ooit de hand op dat rapport weet te leggen, zullen ze onmiddellijk weten van wie je het hebt gekregen.'

'Heeft iemand ooit ontdekt dat je weleens wat aan me hebt doorgegeven?'

'Nee,' moest ze toegeven.

'Nou, ontspan je dan een beetje,' zei Bryce.

Hij leidde haar de woonkamer binnen, belde een taxi en zette vervolgens een kop thee voor haar. Tijdens het drinken daarvan begon ze te praten over de een of andere vrouw op kantoor die de komende zomer in het huwelijk zou treden. Bryce had de kunst van het niet naar haar luisteren al lang geleden geperfectioneerd, maar toen de woorden 'Corfu' en 'voor beiden de tweede keer' door zijn verdediging heendrongen, wandelde hij langzaam naar de voorkamer om aan haar te ontkomen.

Ze kwam achter hem aan en hij voelde hoe zijn zintuigen bestormd werden door zinnen als 'je weet wat een fatsoenlijke catering vandaag de dag kost' en 'ze is momenteel vier maanden heen en ze denkt nog steeds dat er niets van te zien is'.

Zelfdiscipline en jarenlange training stelden hem in staat om zichzelf zodanig te beheersen dat hij het niet uit begon te schreeuwen, en hij knikte glimlachend terwijl ze hem over de trouwjurk vertelde, over de firma die voor de auto's zou zorgen, over het kleine kerkje in Hammersmith, over het grote voordeel van een wit keukenservies boven eentje met een citroengeel streepje, hoewel dat zo goed paste bij de linnen placemats. En toen stopte er een zwarte taxi voor de flat en Maggie bewoog zich aarzelend in de richting van de deur. Ze vond het zó jammer dat ze weg moest. Ze vond het altíjd jammer om hier weg te gaan.

'Wanneer zien we elkaar weer?'

'Wat dacht je van een etentje, komende vrijdag. Ons gewoonlijke stekje?'

Ze ging ermee akkoord. Ze ging altijd akkoord. En hij zou afzeggen. Hij zegde altijd af. Maar hij bleef net voldoende intensief met haar omgaan om haar aan het lijntje te kunnen houden tot hij iemand vond die haar plaats zou kunnen innemen. Maar hij vermoedde dat hij nog wel een tijdje met haar opgezadeld zou zitten, want er waren maar weinig vrouwen op posities als die van Maggie. Hij vroeg zich af of ze wel besefte in welke unieke positie ze zich bevond, of de potentiële macht die ze had. 'Óf je trouwt met me, Eddie, of ik ga het geheim van je lange reeks professionele successen aan de grote klok hangen.'

Als dat ooit gebeurde, zou Bryce zich genoodzaakt zien om aan een van zijn vrienden een gunst te vragen. Het deed er nauwelijks toe wélke vriend. Een jurist van zijn slag neigde ertoe het soort vrienden om zich heen te verzamelen die met de Maggies van deze wereld redelijk definitief konden afrekenen, mócht de noodzaak voor drastische maatregelen zich ooit voordoen.

Hij liet haar uit en keek hoe ze naar de taxi liep, waarbij haar rok door de suasse wind aan haar benen leek te plakken. Ze stapte op haar schoenen zonder hak snel op de auto af, met diep gebogen hoofd, de ene schouder iets lager dan de andere, alsof het gewicht van de canvas tas zwaar op haar drukte.

Ze draaide zich even om, stak glimlachend haar hand op, en stapte toen in de taxi. Hij keek de taxi na tot die uit het oog was verdwenen –

En toen was hij vrij!

Hij nam een douche, trok een trainingspak aan en nam de lederen aktetas mee naar zijn studeerkamer. Hij ging aan zijn bureau zitten, haalde de papieren te voorschijn en begon te lezen.

Elke pagina was voorzien van het logo van de Metropolitan Police – de Londense politie – en van de waarschuwing dat dit rapport uiterst vertrouwelijk was. Het feit dat het op de voorzijde was voorzien van het stempel *Top Secret* had bijna iets vertederends. Het was zo wezenlijk Brits, zo vertrouwenwekkend, dat hij er een brok van in zijn keel kreeg. En terwijl hij de tekst las, besefte hij dat Maggie, die de Official Secrets Act getekend had, de wet die de geheimhouding van officiële stukken regelde, verraad had gepleegd. Als het ontdekt werd, zou ze naar de gevangenis worden gestuurd, en wel voor heel lange tijd, want verraad werd nog steeds bijzonder zwaar gestraft, zelfs als het verraad was gepleegd door iemand die vroeger blijk had gegeven over een goed karakter te beschikken. Maar dat was niet meer dan redelijk, want het potentiële gevaar dat Maggie liep was nog niets vergeleken met het gevaar dat de persoon zou lopen die hij als gevolg van deze door haar aan hem ter hand gestelde informatie zou weten op te sporen.

Hij liet zijn blik over de pagina's glijden en begreep dat Orme twee verschillende teams van het Flying Squad had ingezet. Al deze politiemensen waren gewapend geweest. Hij kwam er ook achter dat tijdens de poging de bank te overvallen door drie mannen van Orme schoten waren gelost, maar dat Fischer was omgekomen tengevolge van meervoudige verwondingen, opgelopen toen hij de volle laag kreeg uit een geweer met afgezaagde loop, afgevuurd door Swift.

Nádat Fischer was doodgeschoten waren er nog twee schoten gelost door twee verschillende politiemensen. Eén kogel had zich in een muur van de bank geboord. De ander had een slagaderlijke bloeding in Swifts been veroorzaakt.

Bryce las verder en ontdekte dat Orme zijn eigen wapen had laten zakken en dat hij had geprobeerd Swift zover te krijgen dat hij (a) het kind vrij zou laten en (b) toe zou staan dat de politie voor medische hulp zou zorgen, hulp die hij duidelijk hard nodig had.

Swift had gereageerd door zijn wapen bij de nek van het kind weg te rukken en dat in één vloeiende beweging op Orme te richten. Een politieman die naar de naam McLaughlan luisterde had direct gereageerd en had Swift doodgeschoten.

De naam McLaughlan deed bij Bryce een belletje rinkelen. Hij keerde terug naar het begin van het rapport en vond een andere naam – die van Gerald Ash, de verklikker die de politie had gewaarschuwd dat er een overval stond te gebeuren.

Volgens het rapport was Ash een bekende informant. In de loop der jaren had hij een grote hoeveelheid informatie aan de politie doorgegeven, en had hij daarbij gebruikgemaakt van een aantal contactpersonen. Bij deze gelegenheid was zijn contactman niemand anders geweest dan voornoemde McLaughlan, dezelfde man die vervolgens Swift had doodgeschoten.

Gerald Ash, dacht Bryce. Hij had nog nooit van hem gehoord, maar hij durfde er bijna om te wedden dat Calvin en Ray heel goed wisten wie hij was. Wat ze met hem zouden doen zodra ze te horen kregen wat hij had gedaan, was hun zaak. Net als McLaughlan, zou Ash goed op zijn tellen moeten passen, bedacht Bryce, maar Calvin kennende, achtte hij hun kans om het er levend van af te brengen uitermate klein.

13

Forensen waren gewend om op de M4 in een file te staan, maar het was wel heel ongewoon om daar al om zes uur 's ochtends tot stilstand gebracht te worden.

Ze waren tegengehouden door de politie nadat een motorrijder met zijn mobieltje 999 had gebeld. De hulpdiensten hadden de informatie doorgegeven aan de Verkeersdienst, die op hun beurt een patrouillewagen hadden opgeroepen: 'Jullie kunnen maar beter even bij een van de bruggen gaan kijken – de beller weet niet precies wat hij heeft gezien, maar hij klonk nogal geschrokken.'

De dichtstbijzijnde patrouillewagen had er niet meer dan zes minuten voor nodig gehad om de brug in kwestie te bereiken, en omdat de lucht in die zes minuten aanzienlijk lichter was geworden, zagen de agenten van die wagen dat wat de motorrijder als eerste had gezien aanzienlijk duidelijker.

Ze zagen ook nog iets anders: auto's die in eerste instantie met hoge snelheid langsreden, remden plotseling op gevaarlijke wijze af, terwijl de chauffeurs van die auto's met hun koplampen seinden en naar elkaar gebaarden dat ze naar de brug moesten kijken. Een van de agenten in de politieauto vermoedde dat het nog maar een kwestie van een paar seconden was voor de eerste auto's op elkaar zouden vliegen.

Hij activeerde de sirene en alle auto's op alle drie de rijstroken minderden vaart, om even later volledig tot stilstand te komen. Binnen twintig seconden stond er een file van een kilometer.

Nu het verkeer tot stilstand was gekomen stapten de mannen van de geüniformeerde dienst uit hun patrouilleauto en liepen naar de brug. Ze waren niet bepaald alleen. Het geluid van deurportieren die werden dichtgegooid en mensen die op weg naar de brug waren was nu dominant. Maar niemand zei iets. Mensen sloegen hun hand voor de mond en keerden toen om, terwijl sommigen van hen zich over de grasstrook langs de verharde berm bogen om daar in de struiken luidruchtig kokhalzend over te geven.

Een vrouw sprong uit haar auto en holde over de parallelweg. Ze probeerde zo ver mogelijk bij de brug vandaan te komen, en omdat hij bang was dat ze uiteindelijk blind van angst tegen het nog rijdende verkeer in zou lopen, ging een van de agenten achter haar aan, maar slaagde er niet in haar te kalmeren. Ze schudde verwoed haar hoofd, alsof ze datgene wat ze zojuist had gezien probeerde kwijt te raken. 'Kalm maar, meisje. Het komt allemaal goed met je...'

Zijn collega liep naar de auto terug om via de radio om versterking te vragen. Er was meer nodig dan één enkele patrouillewagen om de snelweg af te sluiten en de pylonen uit te zetten om het tegemoetkomende verkeer langs de plek des onheils te leiden. Maar hij vroeg niet alleen om versterking: 'Jullie kunnen maar beter Moordzaken waarschuwen,' zei hij.

Een pensioenboekje dat op het slachtoffer werd gevonden zorgde ervoor dat inspecteur Tarpey van de afdeling Moordzaken een naam in handen had: Gerald Ash. In dat boekje stonden tevens de geboortedatum en het adres van Ash.

Via de politiecomputer kwam hij erachter dat Ash een oude crimineel was die als verklikker was gaan werken, en dat zijn contactman een medewerker van het Flying Squad was, een zekere McLaughlan, en dat Orme de directe chef van deze McLaughlan was.

Tarpey had onmiddellijk geprobeerd contact met McLaughlan op te nemen, maar had ontdekt dat hij met verlof was, dus had hij in plaats daarvan contact gezocht met Orme.

Een uur later arriveerde Orme ter plaatse en zag hij dat er rond de brug schermen waren geplaatst. Het verkeer werd omgeleid en beide kanten van de snelweg lagen er verlaten bij.

Hij stond naast Tarpey in de middenberm en staarde omhoog naar de brug, of liever gezegd, naar Ash, en kwam tot de conclusie dat de langsrijdende weggebruikers in eerste instantie gedacht zouden kunnen hebben dat iemand zich had opgehangen. Maar dat was duidelijk niet het geval. Als iemand zich zou willen ophangen, of als iemand anders iemand wenste op te hangen, moest die iemand op z'n minst over een nek beschikken. Ash beschikte daarentegen niet meer over een noemenswaardige nek. Die was hij kwijt, evenals het hoofd dat daar vroeger aan vast had gezeten. En toch hing zijn lichaam aan een touw te bungelen dat aan de brug was bevestigd.

'Waar zit-ie precies aan vast?' vroeg Orme, en alsof het lichaam dat gehoord had, draaide dat langzaam in het rond, zodat even later duidelijk te zien was dat er een vleeshaak in Ash' rug was gedreven. Hij hing daar als een zij rundvlees, waarbij zijn kleding zo onder het bloed zat dat nauwelijks te zien was dat zijn regenjas ooit lichtbruin was geweest. Op zijn jas zat een stuk karton bevestigd waarop met grote blokletters het woord 'Verklikker' was geschreven. 'Wie was erop gebrand die knaap uit de weg te ruimen?' vroeg Tarpey, en Orme besefte dat enkel en alleen omdat Ash de politie had getipt over de aanstaande bankoverval, dat nog niet hoefde te betekenen dat Swift dit op zijn geweten had. Hij zei: 'Dankzij Ash zijn er nogal wat lieden achter de tralies verdwenen, maar als ik jou was zou ik maar eens beginnen met Calvin Swift – Ash heeft Stuart verklikt.'

De naam Swift had op Tarpey een interessante uitwerking. Stuart was twee dagen geleden op Tower Hamlets begraven en gezien de aard van zijn verscheiden en het feit dat zijn familie berucht genoemd mocht worden, hadden de tv en de kranten verslag gedaan van zijn begrafenis. Orme vermoedde dat Tarpey het op het nieuws had gezien.

De aanblik van zes bekende figuren uit de onderwereld die Stuarts doodskist in het graf lieten zakken had alle ingrediënten van een goed stuk drama, en vooral als dat beeld werd gecomplementeerd door de aanblik van Calvin Swift die in een gitzwart kostuum met daaroverheen een overjas van lamawol gedrapeerd naast het graf stond. Het regende, maar desondanks droeg hij een zonnebril.

Ray en Sherryl waren op even theatrale wijze gekleed, en dat wás het eigenlijk ook, bedacht Orme – het leek wel *The Godfather* II. Calvin had geweten dat de pers aanwezig zou zijn en hij wilde overkomen als een topcrimineel wiens zoon door de politie was vermoord.

Het was precies dit soort nieuws dat de kijkcijfers omhoogtilde, en die avond werden er op de tv twee programma's getoond: een dat betrekking had op gangsterfamilies in de jaren zestig, en een dat zich concentreerde op het leven van enkele oude criminelen die Londen ooit onveilig hadden gemaakt.

Er werd gesuggereerd dat de meesten van hen uitstekend hadden geboerd, dat sommigen op het rechte pad waren terechtgekomen, *knipoog knipoog*. Orme wist wel beter. De meerderheid eindigde in de bijstand, jongere criminelen borrels aftroggelend, hen constant vervelend met hun verhalen over 'wat wij in de jaren zestig uitspookten', op dezelfde manier zoals andere mannen over de oorlog verhaalden. Sommigen waren voorbestemd om in de gevangenis te overlijden, waarin ze hun halve leven hadden doorgebracht vanwege een serie misdaden die de moeite nauwelijks waard waren geweest, en een klein gedeelte zou eindigen zoals twee van de beroemdste treinrovers, Edwards en Wilson, waarbij de eerste opgeknoopt werd aangetroffen in een garage en de tweede doodgeschoten werd in zijn huis in Spanje.

De patholoog-anatoom vroeg aan enkelen van Tarpey's mannen om het lichaam omhoog te hijsen, zodat hij het languit op de brug neer kon leggen en een eerste oppervlakkig onderzoek kon instellen. Dat deden ze met de nodige tegenzin, en Orme kon het ze niet kwalijk nemen. Over weinige seconden zou een van hen de weinig benijdenswaardige taak hebben om zijn armen rond Ash' borstkas te slaan en hem over de brugleuning te trekken, wat inhield dat hij de massa bloederig lichaamsweefsel die van 's mans nek was overgebleven pal in zijn gezicht zou krijgen.

Hij zag dat Ash karton in zijn schoenen had gestopt, en Orme bedacht plotseling dat geen van de criminelen die tijdens de dag van de begrafenis op de televisie waren behandeld hun voeten naar de camera's hadden opgetild. Jammer, dacht Orme. Het zou waarschijnlijk een beter afschrikmiddel hebben gevormd dat de *zero tolerance*-politiek die momenteel door de overheid werd overwogen.

Toen Orme Ash zo zag, kon hij nauwelijks geloven dat de man ooit als gevaarlijk was betiteld. Hij zag er nu allerminst gevaarlijk meer uit, vond Orme. Hij had er al jarenlang ongevaarlijk uitgezien. Desalniettemin was Ash precies het soort boef geweest naar wie de televisiemakers voor hun programma's misschien op zoek waren geweest, want oppervlakkig gezien leek er nog steeds een bepaald soort glamour verbonden te zijn aan het feit dat je een categorie A-gevangene was geweest, mannen die ooit als een groot gevaar voor de publieke veiligheid werden beschouwd. Maar Orme wist maar al te goed dat als Ash' lichaam naar het mortuarium werd gebracht om daar ontdaan te worden van de kleding waarin hij was gestorven, de assistent van de patholoog-anatoom al snel tot de ontdekking zou komen dat zijn ondergoed vol vlekken zat en versleten was. Zijn onderbroek vol gaten en misschien zelfs wel met stoppen erin. Net als Ash zelf zou die vuil zijn en nagenoeg uit elkaar vallen. Ash, een man zonder scrupules of vrienden, was onder armoedige omstandigheden door moordenaarshand gestorven. Laat dát maar eens voor de camera's zien, dacht Orme. Laat de mensen maar eens zien hoe het met mannen als Ash, en met de vrouwen met wie ze trouwen, uiteindelijk afloopt.

Hij was tot de conclusie gekomen dat hij de patholoog-anatoom maar het best met rust kon laten totdat hij het voorlopig onderzoek van Ash' lichaam had voltooid, maar zodra Orme en Tarpey de indruk hadden dat dat inderdaad het geval was, liepen ze samen naar hem toe. 'Ik weet dat het nog erg vroeg is,' zei Orme, 'maar zodra je een doodsoorzaak voor me hebt...'

De patholoog-anatoom verraste hem door te antwoorden: 'Dat kan ik je nu al zeggen. De doodsoorzaak was verhanging.'

Orme keek hem onzeker aan, maar zag kans de opmerking dat het slachtoffer geen hoofd meer had in te slikken. De patholoog voegde eraan toe: 'Als een persoon met grof geweld wordt opgehangen, bestaat er altijd een kans dat hij daarbij wordt onthoofd.'

Orme vroeg zich af wat de man precies bedoelde met de uitdrukking 'met grof geweld opgehangen'. Hij kon zich geen manier van ophangen voorstellen die niet met grof geweld gepaard ging. Hij hoopte dat het hoofd van Ash zou worden gevonden vóór het gewikkeld in een vuilniszak door een oud vrouwtje ergens achter in haar tuin zou worden aangetroffen. Met een beetje geluk zou het met wat stenen verzwaard in de Theems wegrotten, of zou het op een andere manier verdwijnen zonder dat een onschuldig iemand er de komende maanden – of misschien wel jaren – nachtmerries aan zou overhouden. Tarpey vroeg: 'Ken je zijn weduwe misschien ook?'

Orme bevestigde dat hij haar inderdaad bij gelegenheid wel eens had ontmoet, dat dat nooit een bijzonder plezierige ervaring was geweest, maar dat als Tarpey dacht dat ze het nieuws omtrent Ash' dood wellicht beter uit zijn mond kon vernemen, hij zonder meer bereid was haar van zijn verscheiden op de hoogte te stellen.

'Dan ga ik híer verder,' zei Tarpey. 'En uiteraard zal ik je van alle ontwikkelingen op de hoogte houden.'

Orme besefte dat de moord op Ash Tarpey's onderzoek was. En eerlijk gezegd was Orme daar blij om. Iedereen die tot taak had te bewijzen dat de Swifts ergens bij betrokken waren, zou daar binnen de kortste keren de handen vol aan hebben.

Op hetzelfde moment dat Hilda Ash de mannen op haar stoep zag staan, wist ze dat die van de politie waren. 'Wat heeft hij gedaan?' vroeg ze, waarbij ze klonk alsof ze, wát hij ook uitgespookt mocht hebben, al in de gebeurtenissen berustte, mét de consequenties die het een en ander mocht hebben.

'Het is niet wat u denkt,' zei Orme, maar ze stond daar maar, hem taxerend opnemend, alsof ze zich afvroeg wat hun het recht gaf om te denken dat ze wisten wat er door haar heen ging.

Ze moest ergens in de zeventig zijn, dacht Orme, die zich soms afvroeg hoe deze oude vrouwen kans zagen om een heel leven met dezelfde crimineel getrouwd te blijven. Ze was van het kleine, taaie, pezige type, haar mond een donkerrode snee in een zodanig gepoederd gelaat dat de huid de aanblik had van geplet fluweel.

Ze liet hem binnen met de opmerking: 'Ik dacht dat hij op deze leeftijd eindelijk zijn verstand eens zou gebruiken,' en Orme verzekerde haar dat het om zoiets niet ging, en of hij haar binnen even kon spreken.

Ze bracht hem naar een kamer waarvan Orme vermoedde dat zij en Gerald Ash er het grootste deel van hun leven in hadden doorgebracht. Van de elektrische haard gloeiden twee staven, en nauwelijks een meter ervan verwijderd stonden twee oorfauteuils die bekleed waren met Dralon, terwijl in een ervan een oude West Highland White terriër lag te slapen.

Ze nodigde hem niet uit te gaan zitten en ze vroeg niet wat hij kwam doen. Ze wachtte rustig af tot een van hen zou gaan vertellen waarom ze gekomen waren.

Gewoonlijk had Orme een vaste manier om slecht nieuws te brengen, maar nu hij dat onder de huidige omstandigheden probeerde te doen, besefte hij dat zijn techniek nogal afhankelijk was van de samenwerking met de persoon die van dit nieuws op de hoogte gesteld moest worden. Onder normale omstandigheden maakten de mensen zich onmiddellijk ongerust als de politie op hun stoep stond. Ze stelden gewoonlijk een serie vragen die meestal begon en eindigde met 'Wat is er aan de hand – is er iets ergs gebeurd?' Dat gaf de politieman in kwestie de gelegenheid om met de mededeling te komen dat er inderdaad iets was gebeurd, om vervolgens verder te gaan met zijn relaas. Maar Hilda Ash was in de loop der jaren zo gehard door het fenomeen politiebezoek, dat ze alle karakteristieken vertoonde van een overwerkte rechter. 'Schiet alsjeblieft een beetje op – ik heb niet de hele dag de tijd.'

'Mevrouw Ash,' zei Orme, 'zegt de naam Calvin Smith u iets?'

Ze bracht een spottend gesnuif ten gehore. 'Jazeker,' zei ze, maar ze liet daar geen verdere informatie op volgen, en ze liet het dan ook aan Orme over om te vragen waarom.

'Kom mee,' zei ze, en ze liepen achter haar aan door een kort gangetje naar de keuken. 'Kijk eens goed om je heen,' zei ze. 'Wat denk je dáárvan?'

Als Orme verwachtte dat Tarpey iets onbetamelijks zou waarnemen – iets dat hém niet was opgevallen – dan was hij in voor een teleurstelling. 'Het is een erg mooie keuken,' zei hij hoopvol.

'Nee, dat is-ie níet.'

Ze stampte met de hak van haar schoen op een van de vloertegels. 'Moet je eens kijken,' zei ze, en Orme keek naar beneden. Het waren volkomen normale vloertegels, die een groen en wit patroon vormden. Hij stond op het punt dat te zeggen toen hij iets zag. Het patroon klopte niet helemaal. Hij zei dat, nog steeds niet zeker of dit datgene was wat hij had móeten zien, en Hilda Ash liet een instemmend gegrom horen, opende toen een kastdeurtje en nodigde hem uit te proberen dat te sluiten.

Orme deed een poging het deurtje dicht te doen en merkte dat de deur enigszins kromgetrokken was, alsof er een laag laminaat was aangebracht op nog niet uitgewerkt hout. Maar hoe dan ook, het deurtje ging niet dicht en ze merkte op: 'Víerduizend pond hebben we voor deze keuken betaald.'

Op elk ander moment zou Orme hebben gevraagd hoe Gerald Ash kans had gezien de hand te leggen op vierduizend pond, maar hij liet het er maar bij. Misschien was het geld wel afkomstig van een klus van jaren geleden, en had hij het al die tijd ergens verstopt gehouden. Hilda vervolgde: 'We hebben hem verteld dat we niet akkoord gingen met de manier waarop hij geplaatst is.'

Plotseling besefte Orme wat ze hem probeerde te vertellen: de gebroeders Swift bezaten legitieme bedrijven die werden gebruikt om gestolen geld wit te wassen. Een van die bedrijven was blijkbaar een zaak die nieuwe keukens plaatste.

'Calvin heeft die keuken niet zelf geplaatst,' zei mevrouw Ash. 'Het was iemand die voor hem werkte. Hoe dan ook, hij is de boel ook zelf een keertje komen bekijken en erkende dat het niet goed gedaan was, waarna hij zei dat hij ons een deel van het geld terug zou geven.'

Plotseling had Orme het gevoel waarom Gerald Ash Stuart Swift erbij had gelapt. De zinsnede 'steel nooit van een dief' schoot door zijn hoofd. 'En is dat gebeurd?'

'Ammehoela,' reageerde ze. 'Het is nu twee jaar geleden en we hebben nog steeds geen penny gezien. De verdomde oplichter.'

Orme moest onwillekeurig glimlachen om die opmerking, maar herinnerde zich toen weer waarom hij hier op bezoek was. 'En wat vond Gerald van dit alles?'

De ogen van Hilda Ash begonnen te schitteren, met daarin sporen van het staal dat ervoor had gezorgd dat ze ondanks haar leven als gevangenisweduwe overeind was gebleven. In elk geval, bedacht Orme, had dat leven gemaakt dat ze tegen nagenoeg alles bestand was. 'Niemand moet denken dat ze met ons de kachel aan kunnen maken,' zei ze. 'Als je zo oud bent als wij weet je heel goed dat je, als je maar lang genoeg wacht, altijd de kans krijgt om je gram te halen.'

En dat gram halen, bedacht Orme, diende zich aan toen Ash had opgevangen dat Calvins zoon van plan was een wagen van Securicor te overvallen. Orme besloot een kansje te wagen. 'Hilda,' zei hij, 'laten we onze kaarten op tafel leggen. Gerald had een paar goede vrienden bij de politie zitten.'

In het besef dat Orme refereerde aan de neiging van haar echtgenoot om informatie door te spelen zodra hij ook maar even in geldnood zat, begon Hilda haar man onmiddellijk te verdedigen. 'Gerald was geen verklikker.'

'Hij is dood,' zei Orme botweg. 'Vanmorgen vroeg; zijn lichaam hing onder een brug over de snelweg, vlak bij Heathrow.'

De wangen van geplet fluweel veranderden van rood in roomwit, en Orme leidde haar terug naar de kamer, waar de hond nog steeds lag te slapen, zich niet bewust van het feit dat zijn bazin voor het eerst van haar leven blij was dat ze op de arm van een politieman mocht steunen. Orme vroeg: 'Heeft Gerald het nog gehad over een poging tot een overval die een weekje geleden heeft plaatsgevonden?'

Hij vertelde haar niet welke overval, omdat hij haar op geen enkele wijze wilde sturen, en Hilda Ash antwoordde: 'Hij heeft me verteld dat Calvins zoon door de politie is doodgeschoten.'

'Denk je dat de mogelijkheid bestaat dat hij daarover nog met anderen heeft gesproken?'

Ze was behoorlijk overstuur en Orme liet haar enkele ogenblikken met rust. 'Dat lijkt me zeer onwaarschijnlijk,' zei ze. 'Hij was altijd heel voorzichtig.'

Orme kon zich niet voorstellen dat hij dat níet was geweest. Als hij zijn mond voorbijpraatte stond dat gelijk met zelfmoord. Hij vroeg vervolgens: 'Weet je toevallig ook waar Gerald gisteravond naartoe ging of met wie hij eventueel gesproken heeft?'

Hilda schudde haar hoofd. 'Ik heb hem in dagen niet gezien.'

Orme slaagde er niet in zijn verbazing te verbergen. Ze reageerde daar onmiddellijk op: 'We zijn vijfenvijftig jaar getrouwd geweest, en vanaf het prille begin heeft hij gedaan waar hij zin in had.' Ze had haar lippen zodanig op elkaar geperst dat de paarsrode snee bijna niet meer te zien was. '"Je ziet me wel weer wanneer je me ziet", zei hij gewoonlijk.' Ze huilde nu zachtjes en Orme mompelde gemeenplaatsen van het soort dat politiemensen in zijn positie altijd mompelden. Gerald Ash was een kwaadaardige opsodemieter geweest, een gewelddadige crimineel, een gevaarlijk man. Na zijn verscheiden zou de wereld een prettiger oord zijn, maar hij was niet van plan dat tegen zijn weduwe te zeggen.

14

Sinds McLaughlan Swift had doodgeschoten was hij met verlof geweest, en Orme, die al eerder had geprobeerd hem te bellen om te vertellen dat Ash was vermoord, probeerde zijn nummer nu opnieuw.

Claire nam op en toen Orme vroeg of hij McLaughlan kon spreken, zei ze hem dat hij op bezoek was bij familie in het noorden.

'Hoe gaat het met hem?' vroeg Orme.

'Goed,' antwoordde ze, en dat was het enige dat hij uit haar kreeg. Hij had het nooit gemakkelijk gevonden om met Claire te communiceren. Hij had het gevoel dat ze wat McLaughlans beroepskeuze betrof niet helemaal achter hem stond. En dat was niet ongewoon. Echtgenotes en vriendinnen maakten zich vaak nogal zorgen, en omdat die zorgelijkheid geheel terecht was, was Orme niet van plan te proberen hen van het tegendeel te overtuigen – er zou wel eens een dag kunnen aanbreken dat hij genoodzaakt zou zijn die woorden in te slikken. *Het spijt me dat ik u op de hoogte moet brengen van...*

'Zou je hem willen vragen of hij mij terug wil bellen?'

'Tuurlijk,' zei Claire, en Orme beëindigde het gesprek met het gevoel dat hij de laatste persoon was van wie ze op dat moment iets wenste te horen. Maar dat was McLaughlans probleem. Hij was niet van plan zijn mannen van advies te dienen met betrekking tot de manier waarop ze de vrouwen in hun leven moesten aanpakken; hij had het al moeilijk genoeg met ze van advies te dienen hoe ze lang genoeg in leven moesten blijven om nog van hun pensioen te kunnen genieten.

De telefoon was een reproductie van een oud model, een apparaat dat Claire in de British Telecom-winkel aan Highstreet had gevonden. Ze hield van het gewicht van de hoorn, het art-deco-ontwerp, het feit dat ze niet kon beslissen of het ding nu mooi of lelijk was.

Ze legde de hoorn terug op het toestel en draaide zich naar Robbie om, en zag hoe Ocky stilletjes naast hem zat en zijn hand vasthield. 'Pappa voelt zich niet zo lekker.'

Claire wist niet precies of 'pappa' zich niet lekker voelde of alleen maar woedend was. Ze wist alleen maar zeker dat hij sinds de dag waarop hij Stuart Swift had neergeschoten nog maar nauwelijks een woord tegen haar had gezegd, en trouwens ook niet tegen Ocky. Ze was opgehouden hem te vragen wat er aan de hand was, precies zoals ze ook was opgehouden te proberen hem aan te raken. Toen ze had gepoogd haar armen om hem heen te slaan had hij zich losgetrokken. En het was niet zozeer dat lostrekken als wel zijn lichaamstaal, zijn zwijgen, de manier waarop hij het vertrek uitliep waar zij net naar binnen ging – al die zaken schreeuwden dezelfde boodschap uit: *Je begrijpt niet wat ik doormaak.*

Sinds de schietpartij had hij steeds op dezelfde manier naast haar gelegen, koud, nergens op reagerend en wakker, maar ze kon datgene wat hij haar aandeed wel aan. Waar ze níet mee kon omgaan was de wijze waarop hij Ocky negeerde. 'Waarom vindt pappa me niet meer aardig?'

'Pappa houdt wel degelijk van je, lieverd – hij voelt zich momenteel alleen niet zo gelukkig.'

'Waarom niet?'

'Hij heeft problemen op z'n werk.'

'Is daar iemand boos op hem?'

'Hij is eigenlijk een beetje boos op zichzelf.'

'Waarom?'

Ik wilde dat ik het wist, dacht Claire.

Hij had het overgrote deel van de afgelopen week op zijn bed gelegen, starend naar het plafond, zonder iets te zeggen, zonder zich te bewegen, zonder te reageren wanneer zij of Ocky de slaapkamer binnenkwam. Hij at ook niet meer, hoewel hij ook niet dronk, en dat was op zich al iets waarvoor ze erg dankbaar moest zijn, vermoedde ze. Niet dat hij ooit een grote drinker was geweest. Ze wist dat hij een oom had die alcoholist was. De man had een of andere handicap gehad – ze wist niet precies wat. Ze wist alleen dat het niet erfelijk was maar dat het het resultaat was van een of andere verwonding aan beide handen. Robbie had nooit verteld waaruit die verwondingen precies bestonden, maar hij had eigenlijk nooit veel over zijn familie gesproken. Ze wist dat hij vervreemd was van zijn vader, en ook van een soort stiefvaderfiguur die hem min of meer had opgevoed. Dat was zo'n beetje alles waarvan ze op de hoogte was, behalve dan dat alleen het idee al dat hij net zo zou kunnen eindigen als die alcoholistische oom van hem, voldoende was om hem nagenoeg geheel uit de buurt van de fles te houden. Wat er ook aan de hand was, hij dronk zelden iets, en het neerschieten van Stuart Swift had daar geen verandering in gebracht, hoewel hem dat op bijna alle andere gebieden wél enorm had veranderd.

Die ochtend had Ocky melk op de keukenvloer gemorst en Robbie was door het lint gegaan. 'In godsnaam, Claire, waarom let je niet een beetje beter op dat joch?'

De tranen waren niet onmiddellijk gekomen, maar later had ze Ocky op zijn kamertje gevonden, opgerold in een hoekje en met zijn favoriete speelgoed in de hand. Zijn snikken waren geluidloos en diep geweest, en het was dát, meer nog dan alles wat Robbie sinds de schietpartij tegen haar had gezegd en gedaan, dat haar had doen breken. Ze had Ocky opgepakt en was samen met hem naar buiten, naar de auto geheld, maar Robbie was het huis uit gekomen om haar met verontschuldigingen en de belofte dat hij zijn best zou doen, dat hij professionele hulp zou gaan zoeken, over te halen weer naar binnen te komen. Ze had zich laten vermurwen maar ze begon daar nu steeds meer spijt van te krijgen.

'Dat was Orme.'

'Dat had ik al begrepen.'

'Ik heb hem verteld dat je naar het noorden bent afgereisd.'

'Dat heb ik gehoord.'

'Hij wil dat je hem terugbelt.'

'Dat kan ik niet.'

Ze ging naast hem zitten, uiterst voorzichtig, alsof ze met een invalide te maken had, alsof de geringste beweging de meest vreselijke pijnscheut door zijn lichaam zou kunnen doen schieten. 'Je kunt hem niet eeuwig blijven ontlopen. Je moet over een paar dagen trouwens weer aan het werk.'

'Ik ga niet,' zei hij, met een stem waaruit op te maken viel dat hij een beslissing had genomen.

De media maken eufemistische verwijzingen naar de toestand waarin Ash werd aangetroffen. Zijn weduwe werd 'geadviseerd' niet te proberen het lichaam te identificeren, precies zoals jouw moeder het 'advies' kreeg niet te proberen het lichaam dat in het pakhuis werd gevonden te identificeren. Je ziet nog steeds precies voor je hoe ze die kamer uit komt lopen – de manier waarop ze je bij de hand pakte, de manier waarop ze instortte terwijl ze zei: 'Het zijn zijn kleren niet.'

Claire probeert het opnieuw: 'Waarom vertel je me niet wat je precies dwarszit?' En je zou niets liever willen dan haar de waarheid vertellen, te bekennen dat je de zoon bent van een man die veroordeeld is wegens een gewapende roofoverval, haar Tams laatste momenten te beschrijven en te vertellen hoe hij is gestorven. Om daarna over Jarvis te vertellen, die de enige stabiliteit in je leven bracht die je ooit had meegemaakt. Maar je vraagt je af hoe haar reactie zou zijn.

Misschien zou ze de voor de hand liggende vraag stellen: 'Waarom is Jarvis vertrokken.' Het is een vraag waarvan je betwijfelt of je hem ooit zult kunnen beantwoorden. Je weet alleen dat Jarvis een trommeltje heeft gevonden, en dat de inhoud daarvan maakte dat hij vertrok.

Je rukte het deksel van die trommel en keek wat erin zat, maar het enige dat je vond waren bibliotheekbonnetjes, een geboorteakte en een inentingskaart – plus een foto van Tam tijdens zijn eerste communie in een kerk in Glasgow. Dat was het – meer niet. Er zat niets in waardoor een man het gezin dat hij tot zijn eigen gezin had gemaakt in de steek zou moeten laten – voor zover je daar iets zinnigs over kon zeggen – maar Jarvis was nooit meer teruggekomen.

Maanden later lukte het je hem terug te vinden in een flat in Londen en stond je op een gegeven moment bij hem op de stoep. Maar Jarvis had gezegd dat hij niet op je bezoek zat te wachten. 'Even goede vrienden, Robbie; je hebt niets verkeerds gedaan...' Je had het gevoel dat hij je meer hoorde te vertellen. Je wilde een verklaring. Maar die heb je nooit gekregen.

Hoe leg je dit soort dingen uit aan iemand met een achtergrond die zó totaal verschilt van die van jou? Claire zou aanzienlijk meer willen weten. Ze zou willen weten waarom het neerschieten van Swift dit alles weer boven had gebracht. Maar het heeft het helemaal niet opnieuw bovengebracht – het is nooit weggeweest. Op de een of andere manier heb je technieken ontwikkeld die je hielpen ermee om te gaan, da's alles. Het doodschieten van Swift heeft de benen onder die technieken uit getrapt, waardoor je weer in je plastic luchtbel werd teruggeworpen. Ze zal niet begrijpen dat die luchtbel geen metafoor is, dat het de werkelijkheid is, dat je hem kunt aanraken, dat je kunt voelen dat je erin opgesloten zit, maar dat je je er niet uit kunt bevrijden. Maar je verlangt ernaar die reusachtige sprong te maken en haar alles over je verleden te vertellen.

Ze wil weten wat je precies bedoelt met 'ik ga niet'. Je vertelt haar dat je daarmee precies bedoelt wat je hebt gezegd – dat je niet van plan bent terug te gaan.

Ocky slaat zijn armen om je hals. Hij stelt vragen. Claire durft niet te vragen: 'Betekent dat dat je geen politieman meer wilt zijn?'

Je verzet je tegen de neiging om ze dicht tegen je aan te drukken, en je zegt ze dat je het niet weet, dat je het gewoonweg niet weet.

15

Tommy Carter was het soort boef aan wie zelfs een doorgewinterde politieman geen hekel kon hebben. Je zou hem arresteren omdat hij je geen enkele keus liet – hij had een kraak zo mooi weten uit te voeren, zo keurig netjes, dat je wíst dat hij de enige was die het kon hebben gedaan. Dus nam je hem mee naar de pub en trakteerde hem op een glas bier, en vertelde je hem vervolgens dat het je evenveel speet als het hem waarschijnlijk zou spijten, maar dat je hem toch echt in hechtenis moest nemen. Tommy was wat dat betreft altijd een heer. 'Het spijt me dat ik u in moeilijkheden heb gebracht, meneer Jarvis, maar u weet hoe het gaat...'

Ash daarentegen, beschikte over geen enkele eigenschap die op verzoening duidde, en de manier waarop hij aan zijn eind was gekomen was van dien aard geweest dat hij gegarandeerd de voorpagina's zou halen. En toen Jarvis de betreffende krantenkoppen las, vond hij het absoluut niet vreemd dat de man was vermoord. Het was een uiterst boosaardig heerschap. Hij was een leugenaar. Hij was een verklikker. En nu was hij dood.

Ironisch genoeg had Jarvis de man voor het laatst gezien op de begrafenis van Tommy. Daarvoor had hij hem in god-mocht-weten hoeveel jaar niet gezien. Ze hadden echter niet met elkaar gesproken, hoewel Jarvis Ash zijn kant uit had zien blikken, waarbij de minachtende uitdrukking op het gelaat van Ash de oud-politieman duidelijk had gemaakt dat de man een begroeting van zijn kant absoluut niet op prijs zou stellen.

Jarvis had het erbij gelaten. Maar het was wel jammer, vond Jarvis. Het zou voor hen beiden zo gemakkelijk zijn geweest naar elkaar toe te lopen, het verleden achter zich te laten, maar Ash was niet bepaald het soort man om het verleden achter zich te laten, dat wist Jarvis maar al te goed.

Ash was het type mens dat wrok bleef koesteren, en net zo lang afwachtte tot er zich een situatie voordeed die hem in staat stelde de balans naar zijn kant te doen uitslaan, zijn gram te halen, wraak te nemen, zijn geschonden aanzien te herstellen. Misschien was dat wel de reden dat hij uiteindelijk toch nog was vermoord.

Je kreeg de indruk dat, wie Ash dan ook gedood mocht hebben, dat had gedaan om andere informanten iets duidelijk te maken. Jarvis moest denken aan een soortgelijke veronderstelling, nu zo'n dertig jaar geleden, naar aanleiding van net zo'n brute moord.

Die had plaatsgevonden in een sportschool in Bolan Street, vlak bij het hart van de Gorbals. Die naam riep nu een beeld van kantoorgebouwen op, een complex met een arbeidsbureau en een zaak waar vrouwen aan hun conditie konden werken, maar Bolan Street had ooit een heel andere sfeer geademd. Iemand die goed bij zijn hoofd was dácht er niet eens aan daar ook maar in de buurt te komen – met uitzondering van drugsdealers, prostituees, boeven en mensen als Eoin Kerr, zestien jaar oud maar met de lichaamsbouw van een jongetje van acht.

Op Bolan Street had een soort duisternis geheerst die je in een straat alleen maar meemaakt als alle lantaarns kapot zijn gegooid, en Kerr, die later tegenover de politie van Strathclyde een verklaring had afgelegd, was zo verstandig geweest om zijn blik af te wenden van de tien, twaalf donkere deuropeningen van de vervallen huizen om hem heen en de paar miezerige boompjes die in de kou langzaam dood stonden te gaan.

Ondanks het vroege tijdstip – het was zes uur in de ochtend – waren er behoorlijk wat mensen op de been; ze stonden in de deuropening of hadden zich onder boompjes verzameld, terwijl er ook nog een stuk of wat daklozen aanwezig waren. Ook waren er vrouwen te zien die het stekkie hadden ingenomen waar eerder die nacht de wat betere klasse hoeren hun klanten hadden geprobeerd over te halen van hun diensten gebruik te maken. Maar Kerr was niet bang voor de daklozen, en ook niet voor de hoeren: hij was alleen maar bevreesd voor de dealers, en wat die lui hem zouden kunnen aandoen als ze van mening waren dat hij wel eens iets gezien zou kunnen hebben wat hij helemaal niet had mógen zien.

Er was maar weinig wat hij zou kunnen doen om zich te verdedigen, want hij – zelfs naar Gorbals-maatstaven – mocht zonder meer klein worden genoemd. Hij was maar een meter veertig lang en aan zijn magere lichaam zaten nauwelijks spieren.

Zijn hoofd was enigszins eivormig, alsof zijn moeder gedwongen was geweest om de afmetingen van zijn schedel op het allerlaatste moment te herzien teneinde hem door een bekkengordel ter breedte van een vorkbeen te persen, en zijn schedel werd nóg onaantrekkelijker vanwege de stugge roodachtige stoppels die voor zijn haar doorgingen.

Een minder vastbesloten jongetje zou zich misschien hebben neergelegd bij het feit dat hij zijn hele verdere leven door zijn omgeving gepest zou worden, maar Kerr had de trainer al lang geleden gesmeekt hem de sleutel te geven, zodat hij op de sportschool kon oefenen op een tijdstip dat er niemand in de buurt was om hem te beschimpen.

Hij had de sleutel in het slot gestoken, en merkte toen dat de deur van de sportschool al op een kier stond. Maar dat was blijkbaar niets bijzonders: in elk geval had hij er verder niet bij stilgestaan. Hij duwde de deur verder open en zag dat het binnen, zoals gewoonlijk, nog volkomen donker was.

Hij was gewend om, gebruikmakend van de ingang aan Cumberland Street, op de tast naar de muur te lopen waar het lichtknopje zat, maar toen hij de schakelaar overhaalde ging het licht niet aan.

Opnieuw zocht hij ook daar niets bijzonders achter, want de trainer was over het algemeen niet al te vlot met het betalen van de elektriciteitsrekeningen, dus zijn volgende reactie bestond uit het tasten naar de schakelaar van de noodverlichting. Hoe dat systeem precies werkte wist hij niet; hij wist alleen dat het zijn stroom betrok van de een of andere batterij of accu.

Het licht dat nu aangloeide was nauwelijks voldoende om iets te kunnen zien. De schaduwen vertekenden datgene wat voor hem op de grond lag, dus in eerste instantie weigerde hij te geloven wat hij zag. En toen realiseerde hij zich dat er niets met het licht aan de hand was, en ook niet met zijn ogen: het kwam alleen door wat er voor hem lag, iets waarvan hij het liefst zou weigeren te geloven dat het er inderdaad lag.

Voor een glazen trofeeënkast lag een stoel op z'n zijkant op de vloer, terwijl de bekerkast zelf zodanig was toegetakeld dat het glas onzichtbaar was geworden.

Enkele meters van de stoel verwijderd lag een man op de grond, en ondanks het feit dat zijn verwondingen van dien aard waren dat een normale identificatie niet langer meer mogelijk was, wist Kerr maar al te goed wie de man was. Net als bij zijn leven was de man ook dood zonder meer een monster. Jimmy McLaughlan, dacht Kerr.

Het nieuws over Jimmy's dood was vanuit Strathclyde binnengekomen en nog geen uur nadat hij het had gehoord stond Jarvis bij Elsa op de stoep om haar op de hoogte te brengen van wat er was gebeurd. Rond die tijd gingen ze ongeveer een jaar met elkaar om en in die periode had Elsa wat de verdwijning van Tam betrof zowel goede als kwaaie dagen gehad.

Er waren maar weinig mensen die beseften hoe moeilijk het was voor een familie waarvan iemand vermist werd, bedacht Jarvis. Die lagen stee-vast met hun emoties overhoop, niet alleen de eerste weken en maanden, maar jarenlang. Het proberen erachter te komen wat er met hun geliefde was gebeurd werd een ware obsessie. Sinds hij en Elsa met elkaar omgin-gen was er geen dag geweest dat ze het níet had gehad over wat er met Tam gebeurd zou kunnen zijn of waar hij op dat moment uit zou kun-nen hangen.

Dat waren de goede dagen geweest.

Op slechte dagen kon het gebeuren dat Robbie hem het huis binnen-liet, waarna hij al snel ontdekte dat het er één grote puinhoop was. Elsa lag dan boven op bed, haar ogen wijd open, strak naar het plafond sta-rend, zonder ook maar één keertje met haar ogen te knipperen. Hoe vaak was het niet voorgekomen dat hij met het hart in zijn keel kloppend naar boven was gegaan – het zag er vaak uit alsof ze zelfmoord had gepleegd – om haar vervolgens bij de schouder te pakken en haar net zo lang door elkaar te schudden tot ze een teken van leven toonde.

En dat teken van leven kwam er dan ook: dan kwam ze van het bed overeind alsof ze volkomen bezeten was, schreeuwend dat hij wist dat Tam dood was, maar dat hij haar dat niet wilde vertellen om te voorko-men dat ze gek zou worden. Het was niet altijd even gemakkelijk om haar van dat idee af te brengen, niet in het minst omdat hij er feitelijk van overtuigd was dat Tam inderdaad dood was. 'Zelfs al zou ik dat willen, Elsa, dan nog zou ik dat feit nooit voor je verborgen kunnen houden. Niemand zou dat kunnen.' En toch, bedacht Jarvis, was dat ook niet he-lemaal waar: hij had het sterke vermoeden dat Tams dood exact datgene was wat Robbie voor hen verborgen hield, en een paar keer had Jarvis Robbie er rechtstreeks op aangesproken: 'Wat denk jij, Robbie? Heeft je moeder gelijk?'

Vreemd, dacht Jarvis, dat een zó jong jongetje er al zó oud uit kon zien, zo verpletterd, en toch niets wilde vertellen. En het was niet zozeer dat hij niets wilde zeggen met betrekking tot wat er met Tam was gebeurd, maar ook in z'n algemeenheid zei hij bijna niets meer.

Jarvis had bij diverse gelegenheden tegen Elsa gezegd: 'Hij zegt nooit veel. En voor een jongen van zijn leeftijd is dat niet normaal...'

Maar Elsa had al te veel emotionele problemen van zichzelf om er ook nog de problemen van iemand anders bij te kunnen hebben, ook al was die iemand de enige zoon die haar nog restte. Het gevolg daarvan was dat ze totaal geen oog had voor Robbies vreemde gedrag. 'Hij is altijd al een stille jongen geweest.'

Maar Jarvis herinnerde zich het spraakzame, brutale kind dat hij vroeger was geweest en was het niet met haar eens. Hij was pas stil geworden nadat Tam spoorloos was verdwenen, en dat baarde Jarvis grote zorgen.

Meestal slaagde hij erin Elsa tot bedaren te brengen, maar dat was nooit gemakkelijk. Nog moeilijker om mee om te gaan waren de periodes van bijna suïcidale depressies waar zelfs geen medicatie tegen opgewassen leek, afgewisseld door periodes van bijna maniakaal optimisme nadat ze er weer eens in slaagde geloof te putten uit het feit dat de kleren die ze had moeten identificeren niet die van Tam waren. Ze zag het als een voorteken. Met Tam was alles in orde. Tam zou uiteindelijk wel weer naar huis komen. Misschien had hij iets stoms uitgehaald – naar de haven gegaan of zo, om zich vervolgens als verstekeling ergens aan boord van een schip te verstoppen. 'Misschien zit hij momenteel wel ergens in Australië.'

Jarvis had niets liever willen aannemen dan dat Tam ergens tussen de eucalyptusbomen zat, maar hij betwijfelde dat ten zeerste. Volgens hem was Tam dood. Robbie wist dat, en George moest daar op enige wijze bij betrokken zijn. Daarom hoopte hij dat George op korte termijn zou worden opgepakt, zodat hij haar kon vertellen wat er met Tam was gebeurd, en als hij eenmaal veilig en wel in de gevangenis zou zitten, kon Elsa met een echtscheidingsprocedure beginnen.

Ondertussen deed Jarvis, die zijn baan niet op het spel kon zetten door bij Elsa in te trekken, al het mogelijke om ervoor te zorgen dat ze niet onverzorgd achterbleef. Hij gaf haar geld om eten te kopen, betaalde de huur en het gas, licht en water, en had het huis zo veel mogelijk beveiligd, niet zozeer om te voorkomen dat George in zou breken nadat ze hem de toegang tot de woning had geweigerd, maar omdat hij bang was dat een gewone inbreker dat wel eens zou kunnen proberen. Hij had alle ramen van dievenklauwen voorzien en de voor- en achterdeur waren met zoveel sloten uitgerust dat Elsa er soms wel een halve minuut voor nodig had om hem binnen te laten.

Op de dag dat hij naar haar toe was gegaan om te vertellen dat Jimmy was vermoord had Elsa meer dan de gebruikelijke dertig seconden nodig gehad: enkele minuten deze keer, omdat ze een van de sleutels niet kon vinden.

Als hij haar niet een paar keer had geprobeerd te bellen voor hij bij haar langs was gegaan, waarbij hij steeds de ingesprektoon had gehoord, had Jarvis kunnen denken dat ze helemaal niet thuis was. Op zijn herhaald kloppen op de deur was niet gereageerd en uiteindelijk was hij omgelopen naar de achterkant van het huis en had daar door het keukenraam naar binnen gekeken. Hij had haar daar gezien, en het had net geleken alsof ze zich probeerde te verbergen in de nis die moest doorgaan voor een provisiekast, en hij voelde zich voor gek staan – hij wist niet waarom – alsof ze had geprobeerd hem uit de weg te gaan.

Ze had de deur geopend, waarbij ze zich gedroeg alsof hij er op de een of andere manier in was geslaagd haar te overrompelen. 'Je komt nooit zomaar onaangekondigd langs.'

'Je bent een uur lang aan de telefoon geweest!'

'Ik heb met een vriendin gebeld.'

'Heb je me dan niet horen kloppen?'

'Ik had de radio aanstaan.'

De radio in de keuken stond nog steeds hard te schetteren. Jarvis deed hem uit en adviseerde haar te gaan zitten, en voegde eraan toe dat hij slecht nieuws had. Die blik op haar gezicht! Een ogenblik lang had Elsa doodsbang geleken, en plotseling was het tot hem doorgedrongen dat ze dacht dat hij haar zou gaan vertellen dat George dood was. Toen Jarvis had verteld dat Jimmy dood was, en niet George, was ze niet in staat geweest haar opluchting te verbergen. Niet dat Jarvis had verwacht dat ze ontdaan zou zijn: Elsa had altijd gewalgd van Jimmy, dus hij verwachtte geen tranen en die kreeg hij dan ook niet te zien. Maar ze was niet helemaal onbewogen geweest door zijn verscheiden, en zeer tot Jarvis' verrassing had ze voor het eerst gesproken over hoe het vroeger was geweest. 'Je zou hem best gemogen hebben, Mike – je kon altijd erg met hem lachen, met Jimmy. En hij zag er ook nog eens goed uit, hoewel ik weet dat je dat nooit zult geloven.'

Het was niet de overdreven sentimentele, bedroefde herinnering geweest van iemand die had gewild dat zij meer had gedaan voor de overledene toen die nog in leven was. Dit was de herinnering van iemand die de ander oprecht aardig had gevonden, de herinnering aan de goede tijden die ze samen hadden meegemaakt, en Jarvis was geroerd geweest. En toen had ze alles bedorven door George ter sprake te brengen op een manier die er bijna voor zorgde dat hij stikte van jaloezie: 'George zal er kapot van zijn als hij dit hoort.'

Ze had nog iets anders willen zeggen, maar bedacht zich blijkbaar nog net op tijd. Niet dat dat er veel toe deed: Jarvis had precies geweten wat ze had willen zeggen – dat ze er op tijden als deze voor George had willen zijn.

Het had geleid tot de eerste echte ruzie tussen hun beiden. Jarvis had haar gezegd dat ze dan maar op moest donderen naar George, als ze zich zo'n zorgen over hem maakte, en Elsa had geprobeerd hem tot rede te brengen: 'Wat is er nou zo slecht aan als ik een beetje compassie toon? Jimmy was zijn broer. George is geen onmens, hij heeft óók zo zijn gevoelens.'

'Jammer dat hij van die gevoelens ten opzichte van jou en Robbie niets laat merken.'

'Hij geeft wel degelijk om ons, op zíjn manier.'

'Dat zie ik, ja.'

Hij was het huis uit gestormd, waarbij Elsa hem had toegebeten dat hij nooit meer terug hoefde te komen. Maar hij was, uiteraard, toch weer teruggegaan. Nog geen uur later was hij terug om zijn verontschuldigingen aan te bieden, en om toe te geven dat hij jaloers was geweest.

De ellende was dat alleen al het vallen van de naam George voldoende was om zijn bloeddruk ongelooflijk te laten stijgen. Het lukte hem nooit om van die naam af te komen, dát was het probleem. Zodra hij ook maar in Elsa's aanwezigheid verkeerde, steeds weer dook in elk gesprek de naam van George op. 'Waar denk je dat hij is, Mike?'

Wist ik het maar, dacht Jarvis. En alsof dat nog niet erg genoeg was,

was Hunter hem ook nog gaan tergen met van die kleine, terloopse opmerkingen: 'Je moet het hem wel nageven, Mike, hij ís me er eentje. Geen wonder dat je hem niet kunt vinden, Mike – hij is gewoon veel te slim voor jou.'

Jarvis was zich maar al te pijnlijk bewust van het feit dat George in kringetjes om hem heen holde, precies zoals hij zich bewust was van Elsa's gelijk: George zou er kapot van zijn als hij het nieuws over Jimmy zou horen –

– wat inhield dat hij Jimmy's dood als lokaas zou kunnen gebruiken, om hem uiteindelijk toch nog in de val te laten lopen.

Toen Jarvis in Glasgow arriveerde ontdekte hij dat er een soort glasachtige vorst over de stad was neergedaald. Hij liep van het centraal station naar de sportschool in Boland Street en zag dat de politie de directe omgeving had afgezet.

Jarvis liep naar de afzetting en stelde zich voor aan Whalley, de rechercheur die de leiding had over het moordonderzoek, en Whalley had naar hem gekeken met iets dat Jarvis later tegenover Hunter had omschreven als de *noord-zuidblik* – een blik die voortkwam uit achterdocht jegens iedereen van buiten het korps, en al helemaal jegens zo'n verdomde Engelse hufter! Hij was niet van plan om Jarvis' leven nog moeilijker te maken dan het al was, maar hij stond hem ook niet in Glasgow met open armen op te wachten. 'Dit is een klus die de politie van Strathclyde probleemloos zelf kan klaren, meneer Jarvis.'

'Ik kom ook helemaal geen adviezen geven. Ik kom alleen maar advies halen,' zei Jarvis. Hij stak zijn hand uit, en hoewel die eerder met de nodige reserve dan met enthousiasme door Whalley werd geschud, zorgde het er in elk geval voor dat de scherpe ondertoon uit zijn stem verdween.

Vervolgens stelde Whalley hem aan zijn mannen voor. De meesten daarvan waren geboren en getogen in de Gorbals en sommigen van hen hadden Jimmy McLaughlan nog gekend toen hij bekendstond als een keiharde bokser, en niet als monster. Het gevolg daarvan was dat er een gevoel van woede in de lucht hing, en er klonk ook woede in de stem van Whalley door toen hij het beeld beschreef waarmee de jongen was geconfronteerd die het lichaam had gevonden.

De sportschool was gevestigd in een kleine, leegstaande fabriek met daaromheen slordig in elkaar gezette woningen. Uit het plafond hingen stukken asbest en de elektrische bedrading zag er op een bijna misdadige manier gevaarlijk uit. Het was koud in het gebouw, en het stonk er – een doordringende, irritante stank waar Jarvis maar nauwelijks tegen bestand was. Hij besefte onder het lopen dat als niemand hem zou hebben verteld wie het slachtoffer was, hij automatisch zou hebben geweten dat het Jimmy moest zijn.

Hij verzette zich tegen de neiging zijn hand voor zijn mond te houden en wendde zijn blik af van een bloedvlek die op een van de muren een soort machiavellistische kaart had getrokken. Boven zijn hoofd bevonden zich stalen balken die ooit bepaalde machines hadden ondersteund. Nu waren er zes zware stootzakken aan bevestigd, onderling van elkaar gescheiden door nauwelijks een meter. In een hoek stonden ouderwetse gewichten, terwijl in de tegenoverliggende hoek een springtouw als een opgerolde slang op de smerige houten vloer lag.

Volgens Whalley had Jimmy de gewoonte om in de sportschool te overnachten en Jarvis had gezegd dat hij zich niet kon voorstellen dat Jimmy, of wie dan ook, in zo'n koude en oncomfortabele ruimte zou willen slapen – niet als ze ergens anders een eigen bed hadden staan, al was dat een krakend bed in een afgekeurde woning in de Gorbals.

'Veel keus had-ie niet,' zei Whalley, die vervolgens uitlegde dat Jimmy zich op de meeste avonden een enorm stuk in de kraag zoop. Geen enkele pubeigenaar vond het goed als hij in hun zaak kwam. De meesten gaven hem alleen maar wat te drinken wanneer hij zich aan de achterkant van hun pub vervoegde, waar hij gratis drankjes kreeg – vooropgesteld dat hij daar blééf.

Het was pure omkoperij, vond Jarvis, maar dat kon je zo'n kastelein niet kwalijk nemen. Direct nadat Jimmy een pub in liep, zouden alle aanwezigen gegarandeerd naar buiten gaan om daar frisse lucht in te ademen en uit de buurt te zijn van het beest, het monster, dat de voormalige plaatselijke held was geworden. Jimmy heimelijk gratis drankjes toestoppen om toch vooral te voorkomen dat hij een pub binnenkwam, moest alles bij elkaar genomen toch een geringe prijs zijn geweest.

Whalley legde verder uit dat Jimmy zich soms laveloos dronk en dat, omdat niemand van plan was hem buiten te laten liggen om daar dood te vriezen, sommigen van zijn vroegere vrienden de taak op zich hadden genomen om hem in dat geval van de straat te halen. Maar bijna niemand had zin om hem helemaal terug naar zijn huurflat te sjouwen, terwijl de sportschool vrij dicht bij de pubs lag, en Jimmy had daarvan de sleutel bij zich. Degene die hem vond haalde de sleutel uit zijn zak, schoof vervolgens Jimmy naar binnen en gooide daarna de sleutel dan achter hem aan in de brievenbus.

'Dus de trainer vond het goed dat hij de sportclub als een soort noodslaapplaats gebruikte?' vroeg Jarvis.

Whalley antwoordde dat Jimmy nog maar verdomd weinig plaatsen had waar hij in geval van nood zijn toevlucht kon zoeken, maar dat hij wat zijn vroegere trainer betrof altijd welkom was. 'Je moet niet vergeten,' zei Whalley, 'dat die trainer in feite dankzij Jimmy door heeft kunnen breken. Jimmy was een kampioen, de allereerste die hij ooit heeft getraind.'

Hij was ook een zwaargewicht, een echte titelpretendent, in potentie een van de groten, dacht Jarvis, en het pleitte voor zijn voormalige trainer dat hij niet had vergeten wat Jimmy ooit voor hem had betekend.

Op de vloer lag een stoel, waarvan de houten rugleuning door hagelkorrels uit een jachtgeweer zwaar beschadigd was. Jarvis werd getroffen door de gelijkenis van die stoel met die waarop de maîtresse van Jack Profumo, Christine Keeler, had gezeten toen de foto werd gemaakt die een paar jaar geleden op de voorpagina van *The Times* was afgedrukt. Rond die tijd waren er nogal wat van dat soort stoelen in omloop, waarvan de vrouwelijke rondingen en smalle taille zeer geschikt waren voor iemand met Keelers achtergrond, maar niet bepaald voor een bokser.

Jimmy was van achteren neergeschoten en hij was door de klap omvergevallen, samen met de stoel. De vloer, de muren en de prijzenkast hadden allemaal onder het bloed gezeten en net op het moment dat Jarvis zich afvroeg waarom zijn moordenaar hem gedwongen had met zijn gezicht naar de prijzenkast te gaan zitten, zei Whalley: 'Ik neem aan dat zijn moordenaar wilde dat die krantenknipsels het laatste waren dat hij ooit zou zien.'

Jarvis was meer geïnteresseerd in de stoel dan in veronderstellingen van Whalley omtrent de krantenknipsels. Er was een kalkmarkering omheen aangebracht, terwijl een tweede op de vloer aangaf waar het lichaam van Jimmy was aangetroffen. Het lijk was allang naar het mortuarium overgebracht, maar de stoel was achtergebleven en mensen van de technische recherche onderzochten het gedeelte van de vloer waar de stoel had gestaan.

Daar was het bloed tot zwarte poeltjes opgedroogd, terwijl andere spetters de inhoud van de prijzenkast nagenoeg geheel aan het oog onttrokken. Die was aan de wand geschroefd en bevatte kleine tinnen trofeeen, foto's en krantenknipsels, waarvan er een behoorlijk aantal aan Jimmy waren gewijd.

Jarvis bekeek ze eens wat beter en besefte dat Jimmy in zijn hoogtijdagen over een nagenoeg perfect lichaam had beschikt. Zijn nek alleen al was dikker dan Jarvis' hoofd en zelfs uit de weinige knipsels kreeg je een uitstekend idee over de kracht waarover deze man moest hebben beschikt.

'Ik denk dat deze moord is gepleegd uit wraak,' zei Whalley. 'Het ziet ernaar uit dat het iets te maken heeft met een informant, hoewel ik nauwelijks kan geloven dat Jimmy in staat is iemand erbij te lappen.'

Ook Jarvis kon dat moeilijk geloven. Bovendien zou Jimmy wel zéér grote schade aangericht moeten hebben om op deze manier aan zijn einde te komen, en als dat tóch het geval zou zijn, zou nu ongetwijfeld een van de politiemannen van Strathclyde naar voren zijn gekomen om te vertellen dat Jimmy zijn informant was geweest, en dat hij een specifieke boef had verraden, al was het alleen maar om Whalley in staat te stellen te determineren wie er een motief had om hem te vermoorden.

De ernst van de straf die aan informanten werd toegediend hing gewoonlijk af van de omvang van de schade die ze de beledigde partij hadden berokkend. In Glasgow werden de meeste informanten gestraft met een jaap van een scheermes, die van mond naar jukbeen liep, maar sommigen werd vermoord, en als dat gebeurde werden ze steevast op uiterst brute wijze om het leven gebracht. Wat dat betrof paste de moord op Jimmy precies in het plaatje.

Ze hadden het nu over het onderwerp George McLaughlan, waarbij Jarvis de ware reden om hier aanwezig te zijn uit de doeken deed: 'Ik heb je hulp nodig,' bekende hij, en Whalley leek op dat moment wat inschikkelijker te worden. Jarvis mocht dan een Engelsman zijn, en onderdeel vormen van een vreemd politiekorps, hij was uiteindelijk niet de gebruikelijke botte Engelse klootzak voor wie hij hem aanvankelijk had aangezien.

'Waarmee?'

'George móet op een gegeven moment weer opduiken. De kans bestaat zelfs dat hij bij de begrafenis aanwezig zal zijn.'

'Dat betwijfel ik,' zei Whalley. 'Zó stom is hij nou ook weer niet.'

George was absoluut niet stom, bedacht Jarvis. Dat was juist de ellende. 'Misschien niet,' erkende hij. 'Maar hij móet op een gegeven moment op een tijdstip rond Jimmy's begrafenis weer aan de oppervlakte komen.'

'Jij wilt dat we het huis van Iris in de gaten houden, hè?'

'Ik zal het sámen met jullie in de gaten houden,' zei Jarvis. 'En rustig afwachten.'

'Dat zou dan wel eens heel lang wachten kunnen worden,' zei Whalley. 'George is niet op z'n achterhoofd gevallen.'

Jarvis, die al van te veel lieden had moeten aanhoren hoe slim George McLaughlan wel niet was, hoefde dat niet ook nog eens uit de mond van Whalley te vernemen, net zomin als uit die van Elsa of Hunter. 'Ik kan zo lang wachten als nodig is.'

Hij keerde naar Londen terug nadat The Times met het nieuws over corruptie bij de politie was gekomen. In het artikel stond dat bepaalde rechercheurs binnen de Metropolitan Police geld aannamen in ruil waarvoor ze bereid waren aanklachten in te trekken, zich uiterst mild op te stellen ten opzichte van bewijsmateriaal dat ter zitting kwam, en niet te beroerd waren criminelen ongehinderd hun gang te laten gaan.

Het resultaat was dat de voormalige hoofdcommissaris van de politie van Cumberland van het ministerie van Binnenlandse Zaken opdracht had gekregen deze aantijgingen van corruptie te onderzoeken, en in de maanden die daarop volgden kwamen een stuk of wat collega's van Jarvis zeer in de belangstelling van de media te staan. Sommigen daarvan eindigden uiteindelijk in het beklaagdenbankje van de Old Bailey, en een daarvan was Hunter, die op heterdaad was betrapt toen hij steekpenningen aannam van enkelen van de grote jongens uit die dagen.

Tijdens de loop van het onderzoek naar Hunters activiteiten kwam er iets aan het licht dat Jarvis enorm deed schrikken: er werd al langere tijd vermoed dat iemand George van binnenuit waarschuwde zodra de Metropolitan Police of die van Strathclyde hem op het spoor was, maar het nieuws dat Hunter Georges contactman was geweest, kwam als een volslagen verrassing. Jarvis weigerde het te geloven. Hij wílde het niet geloven, en niet alleen omdat hij Hunter altijd had gemogen en vertrouwd: hij had al lange tijd het gevoel gehad dat Hunter zijn contacten met Elsa maar helemaal niets vond, maar had dat toen aan zijn zenuwen geweten. Maar nu vroeg hij zich toch onwillekeurig af wat Hunter eventueel tegen George had gezegd. Jarvis was zich ook zeer wel bewust van het feit dat als Hunter besloot hem erbij te lappen, het met zijn politieloopbaan gebeurd was, maar meer nog uit zorg over Elsa's veiligheid dan over zijn eigen baan besloot hij Hunter thuis op te zoeken en hem een paar directe vragen te stellen.

Hunter had in de deuropening gestaan van een riante alleenstaande woning met vier slaapkamers, een woning die Jarvis zich van zijn salaris nooit zou kunnen veroorloven. Zijn vrouw, Doreen, was op de achtergrond gebleven, en zag er aanzienlijk afgetobder uit dan Hunter, die slechts de indruk wekte dat hij zich bij alles had neergelegd. Haar stem was langs hem gefilterd, de muisachtige smeekbede van een vrouw die was overgeleverd aan de genade van haar buren: 'Wie is daar, Don? Zeg ze dat ze weg moeten gaan.'

'Ga terug naar binnen,' zei Hunter, en omdat ze hem onmiddellijk gehoorzaamde, hoorde ze niet wat hij erna zei: 'Het is een collega van me, of moet ik zeggen een voormálige collega?' Hij wist dondersgoed dat hij de gevangenis in zou draaien, bedacht Jarvis, en voor hij kon vertellen wat de reden van zijn bezoek was, zei Hunter: 'Ik neem aan dat je bent gekomen om me nog even een trap na te geven?'

'Nee,' antwoordde Jarvis kalm, en voegde eraan toe: 'Kan ik even binnenkomen?'

'Liever niet,' zei Hunter. 'Ik heb het momenteel niet zo op politiemensen.'

Jarvis was niet van plan te vertrekken zonder datgene waarvoor hij was gekomen. 'Er is iets dat ik wil weten.'

'Ga me nou niet vertellen dat je wilt weten waaróm ik het heb gedaan?'

'Nee,' zei Jarvis, die precies wist waarom hij het had gedaan – waarom iederéén het zou doen. Als een boef een dik pak bankbiljetten onder je neus houdt, is het erg moeilijk om nee te zeggen. Rekeningen hadden de nare gewoonte op te lopen. Vrouwen wilden wel eens op vakantie, wég uit de eentonigheid van de voorsteden. Kinderen hadden altijd wel iets nodig – kleding, een nieuw paar schoenen, geld voor een schoolreisje naar een of andere godvergeten berg. Hij besloot niet te gaan hengelen naar wat Hunter precies wist, áls hij al iets wist. De blik op Hunters gezicht – een blik die suggereerde dat Jarvis geen haar beter was dan hijzelf – vertelde hem wat dat betreft alles al, en hij kwam onmiddellijk ter zake.

'Ik wil weten wat je George over Elsa en mij hebt verteld.'

Als Jarvis eraan herinnerd zou moeten worden dat George allesbehalve blij zou zijn met het nieuws dat iemand zijn vrouw naaide, dan werd hem dat alsnog duidelijk in Hunters reactie, een reactie vol ongeloof: 'Dat zou ik je nooit flikken, Mike – dat zou ik niet op mijn geweten willen hebben.'

Jarvis had niet geweten wat hij moest zeggen. Hij voelde zich opgelaten, daar zo staand, met Hunter in de deuropening, terwijl hijzelf op de mat met 'welkom' erop zijn gewicht steeds van het ene been naar het andere verplaatste. Hij had zich volkomen dwaas gevoeld. Hunter had eraan toegevoegd: 'Luister, Mike. Ik ben de laatste persoon van wie iemand momenteel goede raad zou moeten aannemen, maar afgezien daarvan, zeg ik je nadrukkelijk – hou ermee op.'

'Ik ben niet bang voor George.'

'Wat doe je momenteel dan op mijn stoep, terwijl je eruitziet alsof je wel een stevige bloedtransfusie kunt gebruiken?'

'Ik wil alleen graag goed voorbereid zijn.'

'Je bent gek,' zei Hunter. 'Niets – en dan bedoel ik níets – zal nog helpen als George hier achter komt. En hij kómt erachter.'

'Je hebt het hem nog niet verteld.'

'Met geen woord,' zei Hunter. 'Dan zou ik medeplichtig zijn aan moord.'

Dat was alles wat Jarvis had willen horen. 'Succes,' zei hij tegen Hunter.

Hunter had een verachtelijk gesnuif ten gehore gebracht. 'Succes?' zei hij. 'Jíj bent degene die succes nodig heeft. Ik ga naar de gevangenis. Maar ik kom er wel weer uit, en dan ga ik gewoon door met mijn leven. Maar jij, jongen, jij leeft in geleende tijd.'

16

Korte tijd nadat Orme had gebeld liep Claire de woonkamer binnen en zag ze Robbie naar buiten staan kijken, hoewel hij een meter of twee afstand tussen hem en het raam hield. Hij draaide zich niet om toen ze binnenkwam en hij reageerde ook niet toen ze vroeg of er iets aan de hand was.

Ze vroeg het hem opnieuw en deze keer antwoordde hij: 'We worden in de gaten gehouden.'

Een fractie van een seconde geloofde Claire wat hij zei; en toen keek ze over de paar vierkante meter sierbestrating die pal voor het huis lag naar buiten. Op straat waren alleen maar enkele voorbijgangers en wat auto's te zien. Niemand hing er rond, terwijl er ook niemand vanaf de huizen aan de overkant hun kant uit keek. Niets dat een nader onderzoek rechtvaardigde.

Het geluid van speelgoed, grote stukken speelgoed en kleine stukken speelgoed, die in de kamer recht boven hen vanuit een grote kartonnen doos op de vloer werden gestort, maakte een welhaast abstracte indruk, alsof de bijna tastbare stilte die sinds de schietpartij het huis had afgedekt de norm was geworden. Het werd gevolgd door het geluid van Ocky die stapje voor stapje de trap af kwam, de behoedzame afdaling van een kind dat had geleerd kalm aan te doen.

Claire, die het ook kalm aan deed, liep naar het raam met de bedoeling hem te vragen wát precies hem tot de conclusie deed komen dat ze in de gaten werden gehouden, maar zo ver kwam ze niet: met twee reusachtige passen was McLaughlan aan de andere kant van de kamer, pakte haar arm beet en drukte haar tegen de vloer.

Ze hapte naar adem en rolde bij hem vandaan, precies op het moment dat Ocky in de deuropening verscheen. Die besefte onmiddellijk dat aan het ouderlijk tafereel recht voor hem iets niet klopte, en hij zei met een klein, vragend stemmetje: 'Mammie?'

Claire, nog verdoofd door de schok, keek McLaughlan hoofdschuddend aan. 'Doe dat alsjeblieft nooit meer,' zei ze.

'Ze kunnen gewapend zijn.'

Ze had wel eens gehoord dat anderen dit overkwam. Jonge mannen. Krachtige mannen. Mannen die, net als haar echtgenoot, niet in staat waren verder te leven met het feit dat ze het leven van iemand anders hadden beëindigd. Een voelbare dreiging was altijd nog te prefereren boven het alternatief, dus kroop ze naar een hoek van de kamer, ging staan en keek naar de huizen en de straat verderop.

Ze dwong de dreiging als het ware tot leven te komen, maar er was gewoon niemand. Er stond niemand aan de overkant en verder was er ook geen mens te zien. Alleen een paar passanten en enkele voorbijrijdende mensen. Niets opvallends. Niets dat kon worden uitgelegd als een dreiging.

Ocky begon te huilen – de automatische reactie van een kind dat werd geconfronteerd met de mogelijkheid dat de belangrijkste volwassenen in zijn leven ergens bang voor waren.

Hij holde op haar af, ze tilde hem op en liet hem vervolgens op haar heup rusten. 'Het is goed, Ocky, alles is in orde,' en McLaughlan probeerde hen gerust te stellen met de mededeling dat wie hen ook in de gaten mocht houden, ze het op hém hadden voorzien en niet op hen.

Een deel van Claire wilde hem vertellen dat ze absoluut niet bang was voor een denkbeeldige schutter, dat ze heel goed wist dat daar buiten niemand rondliep, dat datgene wat haar angst inboezemde het feit was dat hij plotseling geen enkele gelijkenis meer toonde met de kalme, evenwichtige persoon die hij tot voor kort altijd was geweest. Maar omdat ze geen flauw idee had wat iemand in zijn gemoedstoestand zou kunnen doen, en omdat ze bang was dat hij gewelddadig zou kunnen worden als ze iets verkeerds zei, zei ze maar niets.

'Ik moet weg,' zei hij. 'Begrijp je? Maar doe voor niemand de deur open. Voor níemand!'

Claire was verlamd van schrik.

'Beloof je me dat?' zei McLaughlan, en Claire, die op dat moment bereid was hem álles te beloven, knikte hem toe. 'En doe de gordijnen niet dicht – ik wil niet dat ze weten dat ík weet dat ze er zijn.'

Dit waren de woorden van een waanzinnige, van iemand die geen enkele greep meer had op de werkelijkheid, bedacht Claire. En toen vertrok hij. Zonder afscheid te nemen. Geen enkele uitleg waar hij naartoe ging. Hij liep simpelweg naar buiten.

Ze keek toe hoe hij de auto achteruit de oprit afreed, en toen de wagen eenmaal uit het zicht verdwenen was, holde ze naar de telefoon en toetste Doheny's nummer in. Ze wist hem op zijn nummer thuis te bereiken, terwijl de troostgevende geluiden van zijn gezinsleven vanuit de achtergrond tot haar door filterden.

Doheny's wereld kwam op haar over als normaal, volledig, chaotisch, en hij slaagde erin haar te gejaagde verhaal te onderbreken en deed dat met een kalmte die al snel effect had: 'Vertel het me nu nog eens, vanaf het begin, maar dan rustig.'

Ze vertelde hem wat er was gebeurd en merkte dat ze haar bezorgdheid probeerde te rechtvaardigen door eraan toe te voegen: 'Als hij écht denkt dat hij in de gaten wordt gehouden, dan zou het toch vanzelfsprekend zijn geweest dat hij zich tot jou of Orme had gewend. En dat heeft hij níet gedaan, omdat hij diep in zijn hart weet dat er niemand ís. Waarom zou hij naar buiten zijn gegaan als hij wist dat er wél mensen waren die hem in de gaten hielden? Het klopt gewoon niet.'

Doheny kon daar niets tegen inbrengen. Hij stond bij de telefoon, terwijl zijn jongste kind met zowel lichte als behendige vingers naar de sleutels hengelden die diep in zijn broekzak zaten. Voor een jongetje van zes spreidde hij een bijna buitengewoon talent voor zakkenrollen tentoon; een wat anders georiënteerde vader zou op basis hiervan wel eens grote verwachtingen kunnen koesteren omtrent de toekomst van dit kind.

Doheny haalde zijn autosleuteltjes te voorschijn en hing ze met meer affectie dan irritatie rond zijn oor. 'Wat wil je dat ik doe?'

Daar had hij een punt: Claire had zo ver nog niet vooruitgedacht. 'Dat weet ik niet,' bekende ze.

'Heb je bedacht wat de mogelijke consequenties zouden kunnen zijn als je dit aan Orme vertelt?'

Ze had nog geen tijd gehad om verder te denken dan aan het feit dat ze zich zorgen maakte, dat ze goede raad nodig had. Bij de mogelijkheid dat het vragen om die raad wel eens ongewenste repercussies zou kunnen hebben, had ze nog niet stilgestaan. Dat drong nu pas tot haar door, terwijl Doheny zei dat hij hoopte dat ze eerst goed na zou denken voor ze contact met Orme opnam. Hij voegde eraan toe: 'Het is niet ongebruikelijk dat mensen die onder dit soort druk staan denken dat ze geobserveerd worden.'

'Hij maakte me doodsbang –'

'Claire,' zei Doheny, 'als je Orme hetzelfde vertelt als je zojuist tegen mij hebt gedaan, zal hij ongetwijfeld actie ondernemen. Hij kan niet anders. En dat zal een kettingreactie tot gevolg hebben die zelfs Orme niet meer kan tegenhouden. Je hebt het over iets dat ervoor kan zorgen dat Robbie het Flying Squad uit wordt geschopt, of misschien zelfs wel helemaal ontslag zal moeten nemen.'

'Jij was er niet bij – je weet niet wat hij –'

'Heel veel mannen reageren op zo'n manier na een schietincident.'

'Ik ben doodsbang,' zei ze opnieuw.

'Dat begrijp ik best,' zei Doheny, 'maar misschien vraagt hij zich op dit moment wel af hoe hij ooit heeft kunnen denken dat hij in de gaten werd gehouden, of misschien is hij in paniek geraakt omdat hij denkt dat je misschien al iets tegen iemand hebt gezegd.' Hij voegde eraan toe dat hij mannen had gekend die veel ergere dingen hadden gedaan dan tegen hun vrouw zeggen dat ze dachten dat ze werden bespied. Hij had vrouwen gezien die in elkaar waren geslagen, mishandeld, beschuldigd werden van ontrouw. In Claires geval viel het allemaal nog mee. 'Geef hem een kans,' zei hij. 'Het is nog maar kort geleden. Reken hem het niet al te zeer aan.'

'Maar –'

'Hij zal het je nooit vergeven, Claire.'

Ze was ten prooi aan tegengestelde emoties: het liefst had ze onmiddellijk Orme gebeld, maar Doheny's waarschuwing was wel degelijk tot haar doorgedrongen. Als ze nou eens ongelijk had? Als Doheny nu eens gelijk had en Robbie terugkwam en zich voor zijn gedrag verontschuldigde? Dat de crisis achter de rug was en dat het nooit meer zou gebeuren? Was het dan niet een beetje prematuur om iets te ondernemen dat hem zou vernederen, dat zijn carrière zou schaden, hun huwelijk op de klippen zou doen lopen?

'Als je wilt,' zei Doheny, 'zou ik zelf met Orme kunnen gaan praten.'

'Nee,' zei Claire. 'Laten we eerst maar eens kijken wat er gebeurt.'

Ze maakte een einde aan het gesprek en legde de hoorn op het toestel. Buiten op straat minderde een auto vaart en reed vervolgens langs het huis. In haar huidige gemoedstoestand was het maar al te gemakkelijk om zich voor te stellen dat de passagiers in die auto onder het voorbijrijden naar het huis hadden gekeken, en als zíj zich dat al kon voorstellen, hoe gemakkelijk moest dat dan voor Robbie zijn geweest?

Ocky zei met een zorgelijk gezicht: 'Is er iets met pappie aan de hand?'

Alle instincten van Claire zeiden ja, maar Doheny's waarschuwing dwong haar geen acht te slaan op die instincten. 'Nee,' antwoordde ze. 'Met pappie is alles goed. Pappie heeft het alleen heel erg druk, da's alles.'

17

De vrouw achter de toonbank herinnert zich jou. Ze vertelt je dat ze nooit een gezicht vergeet, en dat je een van de mannen was die de bank in de gaten hielden.

Ze vraagt je wat je wilt en zegt tegen je dat ze al een verklaring heeft afgelegd tegenover iemand van de geüniformeerde dienst. Ze heeft alles gezien. Het kind. De ballon. De schoten. Ze heeft in de krant gelezen over de man die opgehangen onder een brug is gevonden.

Ze vraagt of je die man kende en je kijkt haar aan met een blik alsof je niemand meer kent – je weet verdomme nauwelijks meer wie je zélf bent. Ze vermoedt iets – ze heeft het idee dat er iets aan jou niet helemaal goed zit. Je ziet hoe ze langzaam tot die conclusie komt. Maar ze denkt ook dat als je politieman bent, het allemaal wel in orde zal zijn.

Je gebruikt de winkel om erachter te komen of je al dan niet gevolgd wordt, maar dat vertel je haar niet. Je zoekt zogenaamd wat, alsof het fruit in de eigentijdse uitstalling je mateloos fascineert, maar je kijkt niet naar de vruchten, je kijkt naar de mensen op straat. De meesten lopen voorbij, maar sommigen lijken wat rond te hangen en je probeert je te herinneren of je hun gezicht al eens eerder hebt gezien.

De vrouw achter de toonbank stelt niet langer vragen meer. Ze probeert niet te laten merken dat ze je in de gaten houdt, en dat ze graag zou zien dat er een nieuwe klant de winkel binnenwandelt, hoewel ze niet precies weet wat haar angst aanjaagt: ze weet alleen maar dat ze bang is.

Je pakt een appel uit een kist. Die geef je aan haar en je betaalt ervoor, en terwijl je de straat oploopt zet je je tanden erin. De vrucht smaakt naar perkament. De schil is glimmend gepoetst om de appel nóg roder te doen lijken, maar het vruchtvlees is veel te droog. Je laat hem op de grond vallen. Hij is zacht. Hij rolt niet eens weg. De appel valt met een misselijkmakende plof op het trottoir, verspreidt zich als een uiteengespat lichaam en komt, terwijl je op weg bent naar het huis, onder je voeten terecht.

Je herinnert haar aan het feit dat een eindje verderop in de straat een week geleden een geldwagen is overvallen. Een van de overvallers heeft een verklaring afgelegd waaruit blijkt dat er in het verleden van dit huis gebruik is gemaakt. Jij bent hier om dat verhaal na te trekken en of ze het vervelend vindt als hij de kelder aan een nader onderzoek onderwerpt?

Hoe weet ik dat u werkelijk bent voor wie u zich uitgeeft?

Je laat haar je legitimatie zien en ze bekijkt die uiterst nauwkeurig: ze trekt hem tussen jouw vingers vandaan, leest de kleine lettertjes, geeft hem dan terug.

'Nou, ik weet het niet...' Ze is erg bedeesd. Ze heeft de ogen van een Turkse hoer en ze probeert zo meisjesachtig mogelijk over te komen. 'Wat moet mijn man daar wel niet van denken?'

Ze is van plan je binnen te laten. Jij weet dat. Zij weet dat. Maar momenteel speelt ze nog steeds een spelletje. Het windt haar op. Dan gebeurt er op deze morgen tenminste iets. Ze verveelt zich zó stierlijk, dat jou treiteren en jou op de stoep laten staan een bron van plezier voor haar is.

Ze staat in een ivoorkleurige zijden kimono in de deuropening en haar stem klinkt bijna even gepolitoerd als haar houten vloer. 'En bovendien heb ik gehoord dat politieagenten altijd met z'n tweeën rondlopen, net als vrouwen die op een feestje naar het toilet moeten.'

De minachting achter die opmerking begint jou danig te irriteren. Je hebt zin om haar een klap in het gezicht te geven, maar je bent niet van plan haar de kans te geven jou van je doel af te brengen. Maar ze is nog niet klaar met je. 'Hoe weet ik nou of u al dan niet te vertrouwen bent?'

Ze zegt dat op een manier waaruit de hoop spreekt dat ze op het punt staat te ontdekken dat je geen millimeter te vertrouwen bent. Je geeft geen antwoord. Wat je ook zegt, ze zal de woorden steevast een nauwelijks bedekte seksuele lading meegeven, en seks is precies het allerlaatste waaraan je momenteel wenst te denken. Je komt tot de conclusie dat ze momenteel in een toestand van terminale frustratie moet verkeren, dat ze je waarschijnlijk al staat te vergelijken met de klootzak waarmee ze vanwege zijn geld is getrouwd. 'Eigenlijk weet ik niet of ik u wel moet binnenlaten...' Maar terwijl ze dat zegt doet ze de deur verder open. En nu laat ze je binnen, want dit soort vrouwen zijn niet alleen zelfingenomen, ze zijn ook nog eens stom. Ze denken dat hun rijkdom een barrière vormt tussen hen en de meer onplezierige vormen van het leven. Je durft er niet eens een slag naar te slaan hoeveel van dit soort vrouwen uiteindelijk slachtoffer worden van een moord. En deze is nog een stuk erger dan de grootste hoer: hoeren doen het om geld, vrouwen als deze doen het om hun honger naar macht te stillen.

Ze staat in de deuropening op een manier waardoor het voor jou onmogelijk is haar te passeren zonder haar aan te raken. En onder die zijden kimono zijn haar tepels zo hard dat je ze door het leer van je jas duidelijk kunt voelen. Maar het enige waaraan je kunt denken zijn de afmetingen en de vorm van dat halletje. Dat komt je uiterst vertrouwd voor, maar is tegelijkertijd weer heel anders dan je je herinnert. De wanden waren ooit van kaal pleisterwerk. Nu zijn ze geelbruin en karmijn, warm van kleur en textuur, en je vraagt je af wat ervoor nodig is geweest om de houten vloer die glans te geven.

Je doet afstandelijk tegen haar, en dat maakt haar geil: ze ziet jou als een roofdier. Maar voor haar is het erg belangrijk dat het gevaar een illusie is. Je moet alleen je rol spelen. Ze weet niet dat je een rol speelt, dat ze je niet zomaar als een nare documentaire kan uitzetten. Ze laat je alleen maar binnen omdat ze denkt dat ze goed karakters kan beoordelen. Ze heeft geen flauw idee wat er omgaat in je hoofd, of wat het voor je betekent om hier in de hal te staan waar Crackerjacks darmen op de vloerbedekking glibberden.

Je vraagt haar hoelang ze hier woont en ze werpt je een cadeautje toe door te zeggen dat haar echtgenoot het huis zeven maanden geleden heeft gekocht. Je vertelt haar dat een van de overvallers toegang tot het huis had vóór zij hier kwam te wonen, en dat de mogelijkheid bestaat dat er een vuurwapen in de kelder is verborgen.

'Een vuurwapen? Wat opwindend!' De opmerking klinkt bijna koddig, een koddigheid die nog eens wordt benadrukt door de door verveling veroorzaakte geaffecteerdheid.

Ze vertelt je dat ze bijna vergeten was dat er een kelder is. Maar jij bent dat niet vergeten. Jij hebt het aantal keren dat je je daar voor Jimmy verborgen hebt gehouden nooit kunnen vergeten, noch het feit dat dit de plaats is waar Crackerjack aan zijn verwondingen is overleden.

De scharnieren van de kelderdeur zijn overgeschilderd. Er verschijnen barsten in de verf als de je deur opendoet en verfschilfers dwarrelen neer op de glimmende vloer voor je.

Je staat op de bovenste trede en reikt naar het koord dat verbonden is met de lichtschakelaar die aan het plafond is gemonteerd. Het koord is verdwenen en ze zegt tegen je dat je even moet wachten, dat ze een zaklantaarn voor je zal halen.

Je wacht, en terwijl je wacht houdt je jezelf voor dat je gek bent om hiernaartoe te komen, dat ze op dit moment bezig kan zijn navraag naar je te doen. Maar enkele seconden later komt ze terug met een zaklantaarn, die ze, als ze hem aan jou overhandigt, een fractie langer vasthoudt dan nodig is. Als je hem van haar aanneemt raakt ze heel even je hand aan. Bij elke andere gelegenheid zou je dat als een onvervalste avance beschouwen. Op dit moment zie je het enkel en alleen als overlast.

Je vertelt haar dat het echt niet nodig is dat ze beneden in de kelder blijft, maar hoewel ze een stapje achteruit doet, gaat ze niet weg. Ze staat op de houten trap, waarbij de zoom van haar kimono in het stof hangt. Je zegt haar dat ze het straks nog koud zal krijgen, waarna zij zegt dat jij haar dan later wel kan opwarmen. Je doet de zaklantaarn aan en laat de lichtbundel door de kelder dwalen.

Er is niets veranderd. Dat is het eerste dat je opmerkt. De grond onder je voeten bestaat uit aarde, terwijl de witgekalkte muren hun licht ontvangen van een op straatniveau aangebracht raampje. Je loopt naar dat raampje en onderzoekt het metselwerk er vlak onder. De buitenmuur is dubbelsteens en je bent op de hoogte van de opening tussen de twee rijen stenen. Je haalt een van de bakstenen uit de muur, daarna nog een en je tast naar iets dat diep in die spleet verborgen is. Je haalt het te voorschijn. Alleen de aanraking ervan doet je al aan je vader denken. De laatste keer dat je dit wapen zag, lag het naast Crackerjack, en niets ter aarde kon het bloeden nog stoppen. 'Hoe erg is het?'

'Erg.'

'Laat me niet gaan, George.'

'Jij gaat nergens heen.'

De aanblik van dat vuurwapen maakt haar opgewonden. Ze begint de loop te strelen, waarbij de bewegingen van haar vingers uiterst suggestief zijn, tergend bijna. Ze weet niet dat het wapen wel eens geladen zou kunnen zijn, dat de man die het heeft verborgen wel eens op eventualiteiten voorbereid had willen zijn, dus hou je je vingers op veilige afstand van de trekker.

Er komt een moment, zoals je je maar al te goed bewust bent, dat haar vingers van de loop zullen glijden. Haar roze nylon kunstnagels krijgen het denim van jouw spijkerbroek te pakken. Ze is op zoek naar een stijve, en omdat je niet aan haar verwachtingen voldoet komt ze met de opmerking dat je waarschijnlijk een van die mannen bent met een probleem. Ze begint te lachen, en je grijpt haar, en je drukt het wapen zo hard tegen haar nek, dat ze onverstaanbaar begint te jammeren. Je houdt haar overeind, en je zegt haar dat je niet van de politie bent; dat je haar zal naaien als ze dat met alle geweld wilt, maar pas nadat ze het loodje heeft gelegd.

Het onaangename geluid van urine die op de vloer van de kelder klettert zorgt ervoor dat je haar loslaat, en stampvoetend schreeuwt ze een riverdance van doodsangst bij elkaar. Ze zegt je dat ze álles bereid is te doen, zolang je haar maar geen pijn doet, alsjeblieft, en je vraagt je af hoeveel vrouwen vóór haar het op een dergelijk akkoordje hebben proberen te gooien.

Je hebt je hele leven nog nooit een vrouw geslagen, maar nu heb je geen keus. Je móet ervoor zorgen dat ze ophoudt met schreeuwen, en je geeft haar een harde klap in het gezicht. Je zegt haar dat ze vandaag geluk heeft. Ze heeft de deur voor hem opengemaakt. Ze had net zogoed de voordeur kunnen openen voor een moordenaar.

McLaughlan trok de marineblauwe trui met ronde hals over een kogel-vrij vest dat groter en zwaarder was dan het vest dat hij gewoonlijk droeg. Dit vest was ouder en minder goed op het lichaam afgestemd. Maar dat gaf niet. Zolang het zijn werk maar deed. En zolang de twee andere vesten die op de grond bij zijn voeten lagen ook hun werk maar deden.

Hij had ze gekocht in een zaak waar je onklaargemaakte wapens kon kopen, soms aan verzamelaars, maar meestal aan onderwereldfiguren, die het een en ander aanpasten en er vervolgens weer gebruik van konden maken.

'Robbie – wat doe je?'

Hij wendde zich van het beeld voor hem af en zag Claire in de opening van de slaapkamerdeur staan. Ocky stond als een kleine, onzekere vreemdeling naast haar. Hij had zijn vader wel eens vaker gezien in deze kleren, maar nog nooit met het omvangrijke kogelvrije vest onder de trui.

Hij boog zich voorover, pakte de twee andere vesten op en reikte ze haar aan. 'Er zit er eentje bij voor jou, en de ander is voor Ocky.'

'Robbie –'

Ze schudde haar hoofd en deed een stapje achteruit, waarbij Ocky eruitzag alsof hij elk moment in huilen uit kon barsten.

'Doe aan,' zei McLaughlan. Hij stak zijn arm uit, pakte haar beet en trok haar terug de slaapkamer in, om haar vervolgens te dwingen het vest aan te trekken, waarbij hij hardhandig aan het klittenband rukte in een poging het geheel zo goed mogelijk te laten passen. 'We slapen vannacht bij elkaar,' zei hij. 'Allemaal in dezelfde kamer en in hetzelfde bed.'

En toen zag ze het wapen. Ze wist helemaal niets van vuurwapens. Niets. Maar wat ze wél wist was dat de politie haar mensen niet uitrustte met geweren met afgezaagde loop. Dit was een geweer met een afgezaag-de loop. Het was oud. Het was smerig. Het lag op bed. Ze keek ernaar, maar een of ander instinct maakte dat ze haar hoofd afwendde. Datzelfde instinct waarschuwde haar dat ze de juiste dingen moest zeggen, dat ze de juiste bewegingen moest maken, dat Ocky's leven, en het hare, er wel eens van af zouden kunnen hangen.

'Ocky,' zei McLaughlan, 'kom eens hier. Trek dit aan.'

Ocky bleef in de deuropening staan en McLaughlan pakte hem op. Hij legde hem naast het wapen op bed en deed hem het kleinste vest aan waarover de winkel had beschikt. Het zat veel te ruim en toen Ocky probeerde het ding van zich af te schudden, begon Claire op hem in te praten: 'Doe nou maar wat pappa zegt, Ocky – niet tegenstribbelen, jongetje, niet tegenstribbelen.'

18

Het besef dat hij Ash voor het laatst had gezien in de pub die Tommy's stamkroeg was geweest, deed Jarvis ertoe besluiten daar eens langs te gaan, dus verliet hij de flat en wandelde erheen – een beetje lichaamsbeweging kon geen kwaad.

De pub zag eruit als alle pubs met namen als 'The British Lion' en 'The Elephant and Castle' – pubs die er zo ontegenzeglijk Brits uitzagen dat ze bijna leken op het soort zaak dat je ook wel aan de Costa del Sol aantrof.

In deze specifieke pub, en in vele andere, waren de plafonds en de wanden van dikke balken en lambriseringen voorzien, terwijl er verder nog een hoop koper te zien was en er boven de bar een foto van de koningin hing.

In de loop der jaren had hare majesteit met een glimlachje rond haar mond neergekeken op enkelen van de meest notoire boeven uit de Britse geschiedenis, hoewel sommige mensen deze lieden als patriotten beschouwden, wat dan ook de reden was waarom er een rijtje Union Jack-vlaggetjes uit een serie gaten in de muur staken, gaten die waren ontstaan toen ooit eens iemand zijn wapen op die muur had leeggeschoten.

Volgens de geruchten zou een vorige eigenaar die gaten opzettelijk hebben laten aanbrengen – goed voor de omzet, goed voor de toeristen en goed om als vaste klanten af en toe over te kunnen lachen.

Of dat gerucht nou waar was of niet, Jarvis had geen idee. Er zat iets heel willekeurigs in die gaten, iets waaruit zou kunnen worden afgeleid dat degene die de schoten had afgevuurd niet gewend was om met een vuurwapen om te gaan, alsof het wapen met de schutter aan de haal was gegaan en die laatste zich was doodgeschrokken.

Het was donker in de pub, hoewel het klaarlichte dag was, waarbij moest worden aangetekend dat het zwaarbewolkt was. De ramen waren niet alleen beslagen, maar waren ook nog eens van zware bruine gordijnen voorzien, en het enige licht was afkomstig van wandarmaturen die van een goudkleurig randje waren voorzien.

Een ogenblik lang bleef hij in de deuropening staan en liet snel zijn blik door de zaak gaan. Het was niet altijd verstandig om in dit soort oorden te komen: in pubs als deze liepen maar al te vaak boeven als Ash rond – criminelen die, net als sommige politiemensen, een uiterst goed geheugen hadden en niet bepaald vergevingsgezind waren. Hij liet zijn blik door de gelagkamer glijden, maar zag dat de meeste mensen aan de tafeltjes – alle tafeltjes waren aan de bovenkant afgedekt met een laagje gehamerd koper – mensen waren die hij zonder problemen had ontmoet op Tommy's begrafenis, dus had hij het gevoel dat hij veilig naar binnen kon en liep naar de bar, waar hij een glas bitter van de tap bestelde terwijl hij via een spiegel achter de omgekeerde flessen waaraan een ingenieus vulmechanisme was bevestigd zijn achterkant in de gaten hield. 'Neem er zelf ook eentje,' zei hij tegen de barjuffrouw, die een paar muntstukken van een pond in de perspex fooienpot stopte en vervolgens andere klanten ging helpen.

Naast de omgekeerd hangende flessen bevonden zich glasplaten waarop de flessen met likeur stonden uitgestald. Van alle flessen die daar stonden werd Jarvis' aandacht vooral getrokken door een fles advocaat. Die fascineerde hem, aangezien hij ervan overtuigd was dat die fles er al stond sinds deze pub voor het eerst haar deuren had geopend. Niemand dronk van dat goedje. In elk geval niemand van de aanwezige criminelen, terwijl ook hun vriendinnen weigerden het spul aan te raken. Misschien zat die fles wel aan de glasplaat vastgeplakt, want hij was sinds de oorlog nooit meer van zijn plaats geweest. Het kostte Jarvis weinig moeite zich voor te stellen dat deze hele bar, inclusief de inhoud, ooit nog eens in het British Museum zou komen te staan, waarbij de fles advocaat waarschijnlijk een eigen plekje onder een glazen stolp zou krijgen.

De barjuffrouw haalde de glazen van de tafeltjes, en haar kleding leek in de verte op de outfit die hier waarschijnlijk in Tommy's tijd door het bedienend personeel werd gedragen. Jarvis ging ervan uit dat dat iets met terugkerende modebeelden te maken had. Haar minirok van pvc wekte de indruk een volle maat te klein te zijn en haar tot de knie reikende laarzen een volle maat te groot, terwijl haar oogleden bijna leken te bezwijken onder een glimmende massa turkooizen oogschaduw. Jarvis vond haar eruitzien als een meisje van veertien en kon zelfs niet in de verste verte ook maar íets erotisch aan haar ontdekken. Ze bewoog zich voort zonder de gratie die er in eerste instantie voor had gezorgd dat hij zich tot Elsa aangetrokken had gevoeld, maar hij was zich dan ook bewust van het feit dat sommige vrouwen vanaf hun geboorte al stijl hadden. Hun achtergrond had daar niets mee te maken. Grace Kelly. Lauren Bacall. Rita Hayworth. Dat waren stuk voor stuk sensuele vrouwen. Niet één daarvan had zich in het pvc hoeven hijsen of zich vol make-up hoeven smeren om een man in staat van opwinding te krijgen. Eén blik was voldoende geweest. En die blik hoefde ook niet altijd uitnodigend te zijn. Soms ging er een flikkering van woede mee gepaard, de onmiskenbare suggestie dat deze vrouw zich niet liet temmen.

Elsa's ogen hadden gevlamd toen Jarvis haar had verteld dat hij niet wilde dat ze naar Jimmy's begrafenis zou gaan, en dan vooral vanwege het feit dat hij niet wilde uitleggen waarom niet.

Hij had haar in vertrouwen op de hoogte kunnen brengen van het feit dat Iris werd geschaduwd, en dat hij niet wilde dat Elsa in moeilijkheden zou raken wanneer George daar zijn gezicht zou laten zien, maar hoezeer hij ook van haar hield, hij was niet van plan om de beste kans die hij tot nu toe had om George te pakken te krijgen op het spel te zetten door haar iets te zeggen wat ze eventueel aan Iris door zou kunnen geven. Het gevolg daarvan was dat Elsa geen enkele reden zag om níet te gaan. Erger nog, ze besloot wél te gaan en Robbie mee te nemen, en toen Jarvis opmerkte dat de begrafenis van iemand die vermoord was niet bepaald de plaats was waar je een jongetje van tien mee naar toe nam, had dat geen enkele indruk gemaakt. Ongeacht zijn denkbeelden was ze de dag vóór de begrafenis naar Glasgow afgereisd, en de avond voor haar vertrek vroeg ze of hij toevallig ook wist of de politie van Strathclyde Iris in de gaten hield.

Het werd hem bijna terloops gevraagd, een vraag die ze simpelweg door het gesprek leek te weven, en op een bijna even terloopse wijze had hij geantwoord: 'Voor zover ik weet niet.' Het was de eerste keer in hun relatie dat hij tegen haar had gelogen en dat had hem dwarsgezeten.

Maar het zat hem ook nog steeds dwars dat het zo lang had geduurd voor ze de deur voor hem had opgedaan op de dag dat hij naar haar huis was gekomen om haar te vertellen dat Jimmy dood was – hij kon het idee dat George toen in haar huis was geweest niet van zich afzetten. Hij wist dat zijn redenatie ergens niet klopte – als George inderdaad het idee had dat Elsa een relatie met aan andere man had, was het weinig waarschijnlijk dat hij bij haar zou onderduiken. En wáár in het huis had hij zich moeten verbergen? In de slaapkamer? In de kelder?

Hij had altijd al geweten dat het huis over een kelder beschikte. God wist dat hij en zijn collega's die in de loop der jaren vaak genoeg hadden doorzocht. Je kon die bereiken komen via een deur bij de keuken en de trap die naar beneden leidde was van hout en niet helemaal veilig.

Het was schemerig beneden, en de vochtgeur was sterk genoeg om ervoor te zorgen dat je je adem inhield, maar je kon toch nog redelijk goed zien: ter hoogte van de straat bevond zich een raampje, een raampje dat uit veiligheidsoverwegingen van een traliewerk was voorzien. Iemand – George misschien wel – had dat traliewerk weggehaald om, mocht dat ooit een keertje nodig zijn, via dat raampje te kunnen ontsnappen.

Achteraf bezien wenste Jarvis dat hij de slaapkamers en de kelder had bekeken, maar Elsa zou hem onmiddellijk de voet dwars hebben gezet. Hij hoorde haar in gedachten al zeggen: 'Vertrouw je me soms niet?'

Jarvis werd geconfronteerd met het feit dat hij zichzelf iets moest bekennen. Hij hield van Elsa. Hij had oog voor al haar goede kanten. Maar alles in beschouwing genomen vertrouwde hij haar geen millimeter. George McLaughlan had haar nog steeds in zijn greep – zo keek hij ertegenaan. Op zich was Elsa even betrouwbaar als elke andere vrouw, maar George dwong haar tot bepaalde dingen. Waarschijnlijk was hij komen opdagen als het spreekwoordelijk bezoek waar ze niet op zat te wachten, en in plaats van hem tegen zich in het harnas te jagen, had Elsa hem binnengelaten en had ze gedaan alsof alles tussen hen beiden als vanouds was. En toen was Jarvis gearriveerd, en had ze geweten hoe hij daar tegenaan zou kunnen kijken, dus had ze George met de mededeling dat er een of andere politieman voor de deur stond, zover weten te krijgen dat hij zich in de kelder verborg. Maar desondanks had Elsa gevraagd: 'En wat was jij van plan te gaan doen terwijl ik in Glasgow zit?' En Jarvis had geantwoord: 'Daar heb ik nog niet over nagedacht. Hoezo?'

'Ik vroeg het me maar af. Je blijft wel in Londen?'

'Waar zou ik anders heen moeten?'

'Ik vroeg het me alleen maar af,' zei ze opnieuw.

De opkomst bij Jimmy's begrafenis verraste iedereen. Glasgow vergeet zijn helden niet gemakkelijk en het grote aantal mensen dat zich rond het graf had verzameld maakte het voor Whalley's mensen een stuk makkelijker naar George uit te kijken.

Jarvis, die Jimmy alleen maar had gekend als het monster dat hij ooit was geworden, had later foto's van sommigen van de aanwezigen bekeken. Iris en Elsa waren gemakkelijk te herkennen geweest, maar Robbie was opgegaan in een vrij grote groep die bestond uit mensen van de sportschool, uit de pubs die Jimmy frequenteerde, een vertegenwoordiger van de bond van profboksers en verslaggevers van de plaatselijke en nationale pers.

George was niet komen opdagen, maar andere leden van de familie waren wél aanwezig, mensen van wie Elsa had verteld dat ze op de een of andere manier in relatie stonden met Iris. Sommigen daarvan leken ietwat van slag door de opkomst. Anderen wekten de indruk ongeïnteresseerd te zijn, alsof ze zich afvroegen waarom deze mensen in godsnaam gekomen waren. Ze waren voor een borrel naar het flatgebouw teruggegaan, maar tegen acht uur 's avonds was iedereen verdwenen.

Nadat de laatste familieleden waren vertrokken, zat Jarvis naast Whalley in een oude Ford Popular die zodanig was geparkeerd dat ze de flats in de gaten konden houden. Elsa was er nog, en hij vroeg zich af hoe ze zich zou voelen als ze wist dat hij tegen haar had gelogen, dat hij níet in Londen zat, maar nog geen tweehonderd meter verwijderd was van de kamer waar zij en Robbie straks op dat armoedige, van luizen vergeven bed zouden slapen.

Het idee dat ze beiden door vuiligheid omgeven zouden zijn vond hij afgrijselijk, en hij moest er ook niet aan denken dat ze omringd waren door gewapende politie. Als George ten tonele zou verschijnen kon de situatie binnen de kortste keren wel eens ernstig uit de hand lopen.

Hij probeerde kalmte te vinden door zichzelf voor te houden dat als George inderdaad van plan was op te komen dagen om Iris op de een of andere manier steun te bieden, hij dat waarschijnlijk allang gedaan zou hebben. Het was nu een beetje laat op de dag om alsnog te overwegen Iris een schouder te geven waarop ze zou kunnen uithuilen. Dat had hij aan Elsa overgelaten, zoals hij haar voor zo'n beetje alles had laten opdraaien – van het verwerken van Tams verdwijning tot aan het elke dag weer eten op tafel zien te krijgen. En hoewel hij al boos werd bij de gedachte alleen al hoe George Elsa had behandeld, zorgde dat ook voor een bepaalde mate van voldoening, want op die manier lag er een weg voor hem open om te doen wat George nooit had gedaan: zorgdragen voor zijn vrouw en zijn gezin.

Hij was er bijna in geslaagd zichzelf ervan te overtuigen dat er vanavond niets meer zou gebeuren, toen een van Whalley's mannen radiocontact maakte: *'Ze komen in beweging.'*

Whalley vroeg om nadere bijzonderheden en kreeg te horen dat Iris, Elsa en Robbie de flat zojuist hadden verlaten en nu in de richting van Bolan Street liepen. Even later stapten ze in een taxi die in een zijstraat op hen had staan wachten.

Een onopvallende auto reed achter de taxi aan, die een paar keer plotseling was gekeerd, op het allerlaatste moment zijstraten was ingereden en een tijdje op een parkeerplaats stil had gestaan, om vervolgens weer door te rijden. De hele rit had een halfuur geduurd, waarbij een afstand was afgelegd die in vijf minuten overbrugd had kunnen worden, maar uiteindelijk werd de politie naar een pension in de buurt van de haven geleid.

Terwijl de ongemarkeerde auto de taxi had gevolgd, was Jarvis druk bezig geweest zich ervan te overtuigen dat Elsa niet bestand was tegen het vooruitzicht nóg een nacht op dat kermisbed te moeten doorbrengen, en dat ze tegen Iris had gezegd dat ze samen met Robbie in een pension wilde overnachten. In gedachten zag hij voor zich hoe Iris zou reageren: 'Maar ik wil hier niet aan mijn lot worden overgelaten,' maar besefte dat dat een hersenspinsel was. Als Elsa de nacht in een pension had willen doorbrengen, dan had Iris gezegd dat ze dat vooral moest doen. Ze zou absoluut niet proberen haar zover te krijgen dat ze bleef, en ze zou ook niet met haar zijn meegegaan. Het hele scenario – vanaf het feit dat ze de flat verlaten hadden tot het feit dat de taxichauffeur duidelijk had geprobeerd eventuele achtervolgers van zich af te schudden – kon maar één ding betekenen: ze waren op weg naar een ontmoeting met George.

In het begin had hij zichzelf wijsgemaakt dat Elsa nooit uit vrije wil akkoord zou zijn gegaan met een ontmoeting met George, dat Iris haar had overgehaald door te zeggen dat Robbie het recht had zijn vader af en toe te zien. Maar toen zag hij de feiten onder ogen, want hij wist donders goed dat het zo niet was gegaan.

'Wat ben je stil,' merkte Whally op.

'Ik heb ook een hoop aan mijn hoofd,' antwoordde Jarvis, die besefte dat de politie van Strathclyde nu een tactisch probleem moest zien op te lossen. Wat hun betrof bestond de mogelijkheid dat George zich al in het pension bevond. Daar stond tegenover dat het ook mogelijk was dat hij er níet was. De enige manier om daar achter te komen was met de eigenaar gaan praten en hem te vragen of er iemand binnen was die aan het signalement van George voldeed, maar als ze dat zouden doen, en de eigenaar was bevriend met George, bestond de kans dat de eigenaar George zou waarschuwen dat de politie elk moment een inval in het huis zou kunnen doen.

Whalley was blijkbaar tot dezelfde conclusie gekomen en zei: 'Wat denk jíj? Gaan we daar nú naar binnen, of wachten we nog even?'

Hij was nog niet uitgesproken of George liep pal langs hun auto. Hij was hen van achteren genaderd en geen van beiden had hem zien aankomen. De aanblik alleen al zorgde ervoor dat Jarvis even naar adem moest happen. Hij was geen vreemde voor George. In de loop der jaren waren er heel wat gelegenheden geweest waarbij ze oog in oog met elkaar hadden gestaan. Hij was daarom ook niet verrast door zijn lengte, of door de manier waarop hij uit het niets was verschenen – dat was helemaal George. Maar nu hij hem zag op iets dat in feite als zijn 'eigen terrein' kon worden omschreven, werd Jarvis getroffen door de zelfverzekerde indruk die hij maakte. De meeste mensen bleven 's avonds uit de buurt van de havens, en zij die er wél kwamen waren meestal slim genoeg om zenuwachtig te zijn, om zich af te vragen wat ze hier te zoeken hadden en te proberen er met een zo groot mogelijke bocht omheen te lopen. Hij liep het pad naar het pension op en drukte op de bel. Toen de voordeur voor hem werd geopend zei Whalley: 'Daar gaan we.'

'Wat was je van plan te gaan doen?'

'Achter hem aan, nu we weten waar hij ergens uithangt,' antwoordde Whalley. Hij reikte naar de radio met de bedoeling zijn mannen een bevel met die strekking te geven, maar Jarvis stak zijn hand uit om hem tegen te houden. 'Nu niet,' zei hij. 'Nog niet.' En toen Whalley hem vroeg waarom niet, antwoordde Jarvis met een leugen: hij vertelde hem dat het naar zijn opvattingen onaanvaardbaar was om gewapende mannen toestemming te geven het pension binnen te vallen terwijl ze zeker wisten dat er een tien jaar oud kind in dat huis aanwezig was.

Het was een goed excuus geweest, maar meer dan een excuus was het niet: Jarvis wilde niet dat Whalley's mannen dat huis zouden binnenvallen omdat hij, terwijl hij hier zo in de auto zat, plotseling geconfronteerd werd met het feit dat Elsa geen gemakkelijke vangst zou blijken te zijn. Hij was niet in staat geweest haar af te houden van haar reis naar Glasgow, en Iris zou haar nooit ofte nimmer hebben kunnen dwingen om vanwege Robbie of wie of wat dan ook naar het pension te gaan. Ze had geweten dat George naar het pension zou komen, en ze was daar om slechts één enkele reden naartoe gegaan: ze wilde hem zien.

Hij had de feiten onder ogen gezien, en toch wilde hij wanhopig graag dat hij het bij het verkeerde eind zou hebben, en het enige wat daarvoor kon zorgen, was de aanblik van George McLaughlan die het pension zou verlaten. Als hij dat deed – als hij binnen het uur weer vertrokken zou zijn, als hij daar niet samen met Elsa de nacht door zou brengen – dan zou Jarvis iets hebben waaraan hij zich vast kon klampen, iets wat hem ervan zou kunnen overtuigen dat Elsa niet meer van George hield. Hij zei tegen Whalley: 'Geef hem de gelegenheid om zijn familie even te zien, dan komt hij daarna misschien wel weer naar buiten. We kunnen hem beter op straat aanhouden dan binnen, vooral omdat de kans bestaat dat er geschoten gaat worden – en al helemaal omdat er een kind bij is.'

Whalley moest daar wel mee akkoord gaan, al was het alleen maar om zich in te dekken voor het geval Robbie bij een eventuele schotenwisseling klem zou komen te zitten. 'We geven hem een uur de tijd,' zei hij.

Dat uur was het langste uur uit Jarvis' leven. Ze bevonden zich in de slechtst mogelijke positie waarin gewapende agenten zich kónden bevinden. In het pension zat een kind, en wát ze ook deden, het zou moeiteloos de verkeerde beslissing kunnen blijken te zijn. Als Whalley de woning zou laten bestormen, zou Robbie daarbij wel eens gewond kunnen raken. En als hij dat niet deed zou George, zodra hij zou beseffen dat het gebouw was omsingeld, zijn zoontje in gijzeling kunnen nemen. Welke van de twee het zou worden deed er niet toe, in beide gevallen zou het wel eens de dood van Robbie kunnen betekenen. George zou niet de eerste boef zijn die zijn zoon zou gebruiken om voor zichzelf een vrije aftocht af te dwingen. *Zelfs George zou zijn eigen kind niet doden.*

Jarvis was daar niet zo zeker van.

Hij wilde niets liever dan dat George naar buiten zou komen, en hij wilde ook waanzinnig graag dat Elsa en Robbie zouden vertrekken. Maar geen van beide gebeurde. Hij had geweten dat geen van beide zou gebeuren. En toen het uur was verstreken, stapten hij en Whalley de auto uit en liepen ze over het pad naar de voordeur van het pension.

Ze wilden niet dat George gewaarschuwd zou worden door het geluid van de bel die door het huis echode, dus klopte Whalley niet al te hard aan, waarop de eigenaar opendeed in de verwachting dat de mensen op zijn stoep, gezien het vergevorderde uur, wellicht een stelletje dronkaards waren.

Whalley en Jarvis lieten hun legitimatie zien, terwijl direct na hen gewapende agenten het pension binnendrongen. 'Waar is de achterdeur?' wilde Whalley weten, en de eigenaar wees naar een gewelfde doorgang die naar de keuken leidde.

Whalley knikte naar een van zijn mannen, die de deur daar opendeed, zodat er nog meer politiemensen naar binnen konden. Daarna liet Whalley een foto van George aan de eigenaar van het pension zien, terwijl hij erbij zei: 'Jij hebt deze persoon een uur geleden binnengelaten. Naar welke kamer is hij gegaan?'

De eigenaar maakte aanstalten om hem voor te gaan, de trap op naar boven, maar Whalley hield hem tegen en vroeg hem alleen maar te vertellen welke kamer het was. 'De kamers drie en vier,' zei de pensionhouder. 'Die liggen aan de overloop op de eerste etage.'

Jarvis liep vóór Whalley en zijn mannen de trap op, en hij was dan ook degene die op de deur van kamer drie klopte. De deur werd geopend door Iris, en achter haar zag hij Robbie in een groot tweepersoons bed liggen. Hij kwam overeind en knipperde met zijn ogen, zijn ogen zwaar van de slaap, maar Jarvis maakte zich meer zorgen over Iris' reactie. Direct nadat ze zag dat het trappenhuis helemaal gevuld was met Whalley's mannen, gilde ze: 'George – politie!'

De waarschuwing had nog maar nauwelijks weerklonken toen Whalley twee van zijn mensen kort toeknikte. Ze wierpen zich tegen de deur van de tegenovergelegen slaapkamer en ramden die uit zijn voegen, waardoor Jarvis een onbelemmerd uitzicht op de kamer had.

Direct nadat de deur was ingebeukt dook George van het bed en probeerde hij iets te pakken te krijgen dat op de vloer lag. Een fractie van een seconde later al werd hij door Whalley's mannen onder schot gehouden en verstarde hij. Maar George keek niet naar Whalley, en ook niet naar de wapens die op hem waren gericht: hij keek naar Jarvis.

Maar Jarvis keek naar Elsa. Hij herkende haar nauwelijks, althans, niet in de kleding die ze nu droeg. Maar hij had haar dan ook nog nooit eerder in goedkope polyester lingerie gezien, de beha met halve cups, de netkousen en de string. Het moest voor Whalley's mannen een lust voor het oog zijn. Maar dat was niet datgene wat Jarvis dwarszat, nee, dat kwam veeleer door datgene wat zij en George aan het doen waren geweest toen hun deur uit zijn voegen werd geramd. Dát alleen zorgde er bij hem voor dat hij werd overspoeld door een bijna blinde woede, een jaloezie die zó intens was dat hij nauwelijks adem kon halen. Hij stortte zich op George en begon op hem in te beuken. En George McLaughlan lachte hem alleen maar uit. Dat was nog het ergste: hij had zijn armen omhoog gebracht om zich te verdedigen – de automatische reactie van een geoefend bokser – maar hij had niet teruggeslagen. 'Mike,' suste hij, 'straks doe je je nog pijn.' En Whalley's mannen hadden Jarvis vastgegrepen, hadden hem van George afgetrokken, terwijl Whalley toekeek met iets dat in de buurt kwam van ontzag. Niemand die hij kende zou het ooit in zijn hoofd hebben gehaald om met zijn blote handen George McLaughlan aan te vallen. Hij begreep absoluut niet waardoor Jarvis werd bewogen de man aan te vliegen. Voor het eerst sinds hun kennismaking zag Jarvis respect in Whalley's ogen, en Whalley zei: 'We nemen het vanaf hier van je over, Mike.' Toen sloegen zijn mannen George in de boeien en leidden hem de kamer uit.

Hij was voldoende gekalmeerd om weer na te kunnen denken, maar toch had het geleken alsof het huis met lawaai was gevuld, waarvan het meeste afkomstig was geweest van Iris, maar iets daarvan werd ook door Robbie veroorzaakt, die zich aan zijn oma had vastgeklemd en haar smeekte te voorkomen dat de politie zijn vader zou meenemen.

Pas op dat moment besefte Jarvis dat het spreekwoord *het hemd is nader dan de rok*, aanzienlijk meer betekende dan de mensen zich gewoonlijk bewust waren. In al die tijd dat hij Robbie had gekend, had de jongen nooit ook maar enige aanhankelijkheid jegens zijn vader getoond, maar die bestond wel degelijk, en terwijl Whalley's mannen George naar beneden brachten, zocht Robbie zijn heil niet bij Jarvis of Elsa, maar bij Iris. 'Ze hebben m'n vader meegenomen!'

Jarvis had gedacht dat hij zijn woede onder controle had, dat hij zich had kunnen afreageren door George als stootzak te gebruiken, maar toen hij Robbie zo had zien huilen was zijn woede opnieuw aan de oppervlakte gekomen, bijna even krachtig als enkele ogenblikken geleden. Hij hoorde zichzelf tegen Elsa schreeuwen: 'Dat dóé je niet!'

'Wat niet?' vroeg Elsa, en plotseling stond hij vlak voor haar, zijn gezicht maar enkele centimeters van het hare verwijderd, en wees hij op Robbie. 'Je laat een jongen van tien niet in hetzelfde bed slapen als – '

'Zeg het maar. Kom maar op. Zég het dan!'

Jarvis probeerde uit alle macht greep op zijn woede te krijgen. Nog nooit in zijn leven had het zó weinig gescheeld of hij had een vrouw geslagen, en hij kwam nog iets verder naar voren toen Elsa zei: 'Je laat een jongen van tien niet in hetzelfde bed slapen als een voormalige hoer. Dát wilde je zeggen, hè?' Jarvis ontkende het niet, en ze vervolgde: 'Nou, die voormalige hoer is toevallig wél zijn oma. Ze hóúdt toevallig van hem. Maar daar gaat het hier helemaal niet om – niet als je eerlijk bent. Jij denkt dat je hier zomaar kunt binnenvallen en mij kunt uitkafferen omdat ik Robbie in hetzelfde bed laat slapen als Iris, maar wat je in werkelijkheid bedoelt te zeggen is dat je me het ontzettend kwalijk neemt dat ik George neuk.'

'George is een boef.'

'George is mijn échtgenoot,' zei Elsa. 'Jij bent de andere man. Jij bent degene die 's nachts heimelijk rondsluipt, doodsbang dat je superieuren erachter komen, doodsbang voor George.'

'Ik ben absoluut niet bang voor George.'

'Als ik een pond zou krijgen voor elke keer dat ik jou heb horen zeggen dat je niets liever wilde dan George achter de tralies krijgen...'

'Ik denk dat we daar zojuist in zijn geslaagd.'

Dat trof doel. 'Schoft,' zei ze.

Jarvis reageerde met: 'Hij was er zeker, hè, in je huis, toen ik je het nieuws over Jimmy kwam vertellen.'

Ze ontkende het niet.

'In de kelder zeker?' vroeg Jarvis.

Opnieuw geen antwoord.

'Dat dacht ik al.'

Ze huilde nu. De schok, bedacht Jarvis. En toen kwam Robbie binnen en sloeg zijn armen om haar heen. Ze vormden een duo vol verbolgenheid, alsof hij hun leven kapot had gemaakt, en hij vond dat zó oneerlijk dat hij haar moeiteloos had kunnen wurgen. 'Hij zal nooit ofte nimmer ook maar iets goeds kunnen voortbrengen,' zei hij. 'Dat weet je, hè?'

'Laat m'n moeder met rust.'

'Hij zal nooit veranderen,' zei Jarvis. 'Hij zal altijd een crimineel blijven. Maar als je dat graag wilt...'

Zelfs op dat moment, als ze op dát moment hem een soort signaal had gegeven – hoe klein ook, dacht Jarvis – zou hij zich hebben laten vermurwen. Dan zou hij naast haar op het bed zijn gaan zitten; dan zou hij zijn arm om haar heen hebben geslagen, en dan zou hij haar hebben gezegd dat hij het begreep, dat het niet gemakkelijk was om jezelf los te maken van de vader van je kind, al helemaal niet als je een gemeenschappelijk verleden hebt, en ook niet als je kinderen nog steeds van hem houden. Maar Elsa had helemaal niets gezegd. Geen woord. Ze zat op het bed en huilde om George, dus was Jarvis de kamer uit gelopen.

Hij wrong zich langs Iris, die op de trap stond en een Senior Service had opgestoken. De geur van de tabak leek hem te volgen toen hij het pension verliet, en eenmaal buiten keek hij toe hoe George naar een bestelbusje werd geleid.

Hij torende hoog uit boven de mannen van Whalley die hem de handboeien hadden omgedaan, en hoewel ze er qua lengte best mochten zijn, maakten ze een nerveuze indruk, alsof George elk moment, met hén erbij, aan de haal zou kunnen gaan, hen met zich meeslepend terwijl hij zich het volgende moment van hen zou ontdoen. Er was maar weinig wat ze daar tegen hadden kunnen uitrichten. Alhans, die indruk wekte het geheel. In werkelijkheid was zelfs een George niet in staat om twee volwassenen meer dan een paar lastige meters met zich mee te slepen. Maar de werkelijkheid, en de indruk die hij wekte, waren twee heel verschillende dingen, en Jarvis begreep waarom Whalley geen enkel risico had genomen: hij had niet alleen gewapende mannen naast George geposteerd, maar ook nog eens een gewapende politieman áchter hem gepositioneerd. George McLaughlan werd naar de bestelbus gebracht terwijl er drie lopen op hem gericht bleven.

Enkele seconden voordat hij in de wagen werd geladen bleef hij plotseling staan, als een paard dat van het ene op het andere moment had besloten dat niets op Gods aarde hem kon dwingen terug naar de stal te gaan. Jarvis keek gefascineerd toe hoe de mannen om hem heen ook beweginloos bleven staan, maar Georges aarzeling was van tijdelijke aard, niets meer dan een plotselinge weigering om een benauwde, donkere ruimte met grendels en sloten te betreden.

De straat was goed verlicht, en Jarvis zag nu duidelijk dat het pak slaag dat hij George had proberen te geven zo goed als geen sporen op diens lichaam had achtergelaten. Hij had net zo goed een kussen kunnen pakken en dat door de kamer kunnen smijten. Geen wonder dat George hem had uitgelachen.

De mannen naast hem trokken aan hem alsof ze in de weer waren met een ketting waaraan een olifant vastzat, maar George gaf geen centimeter mee: hij was niet van plan in dat bestelbusje te stappen totdat hij er klaar voor was.

Hij hield lang genoeg stand om de boodschap duidelijk te maken dat hij, als hij wilde, tweederde van Whalley's mannen het ziekenhuis in kon slaan vóór die kans zouden zien hem te overmeesteren, en de manier waarop hij dat deed confronteerde Jarvis met iets dat hij zichzelf nog nooit eerder had willen toegeven: namelijk dat hij, vergeleken met George, in Elsa's ogen helemaal níemand was. Hij was heel gewoon, en niet alleen dat, hij was ook nog eens buitengewoon saai. Elsa wilde financiële en emotionele veiligheid, maar wat ze nog liever wilde waren de dramatiek en de seksuele opwinding die onlosmakelijk met een man als George verbonden waren. En dan gaf het niet wat voor een ellende ze op die manier over zich afriep. Dan gaf het niet waar ze de volgende penny of de volgende maaltijd vandaan moest halen. Dan gaf het niet dat ze één zoon had die spoorloos was verdwenen en een ander die zó ondersteboven was van de verdwijning van zijn broer, dat hij nauwelijks nog iets zei.

Jarvis beende weg.

19

Doheny kende alle trucjes waarop de hersenen na een schietpartij de juiste kijk op de zaken konden vervormen. Welke de rechtvaardiging om het schot af te vuren ook mocht zijn, sommige mensen waren in staat om zichzelf ervan te overtuigen dat de man dood op de grond lag omdat zíj in paniek waren geraakt, omdat ze hun instructies verkeerd hadden begrepen, omdat ze niet goed hadden geluisterd.

Het schuldgevoel kon overweldigend zijn, en direct ná die schuld kwam de angst voor een disciplinair onderzoek dat uiteindelijk tot resultaat zou hebben dat ze hun baan kwijt zouden raken, dat ze door hun collega's, hun familie en de pers te schande zouden worden gemaakt, zouden worden gemeden en uitgestoten. Dus stortten ze geestelijk in, beeldden zichzelf in dat de mensen die hun het meest lief waren niet meer van hen hielden, nooit van hen hadden gehouden, dat hun kinderen niet van hén waren, dat iemand in de buitenwereld het op hen voorzien had, dat iemand op hun dood uit was.

McLaughlan had niet beweerd dat iemand op zijn dood uit was, maar ondanks het feit dat hij Claire had gevraagd niet in paniek te raken, zodat ze niets zou doen waarvan ze later spijt zou krijgen, maakte Doheny zich grote zorgen over hem. De ingebeelde angst dat je geschaduwd werd was maar een klein stapje verwijderd van het even ingebeelde maar niet minder zorgelijke idee dat er iemand rondliep die wellicht van plan was om jou koud te maken.

Het was natuurlijk altijd mogelijk dat McLaughlan na een nacht behoorlijk slapen het wat minder somber in zou zien. Daar stond tegenover dat er ook een mogelijkheid bestond dat hij bij het wakker worden overtuigder was dan ooit dat er iemand achter hem aan zat, dus besloot Doheny voor hij naar het bureau zou vertrekken eerst Claire te bellen. Als McLaughlan opnam zou hij hem voorstellen samen wat te gaan drinken. Als Claire opnam zou hij alleen maar vragen hoe het ging.

Hij toetste McLaughlans nummer in en liet het toestel net zo lang overgaan tot het duidelijk was dat er niemand aanwezig was om op te nemen. Half en half verwachtte hij dat er zou worden overgeschakeld op het antwoordapparaat, maar het toestel rinkelde door, en Doheny legde de hoorn neer met het idee het wat later nog eens te proberen.

Hij pakte zijn jas en liep naar de deur, maar terwijl hij dat deed voelde hij zich plotseling onbehaaglijk. Hij keek hoe laat het was - even na acht uur in de ochtend. McLaughlan hoefde zich pas morgen op het bureau te melden om weer aan het werk te gaan, terwijl Claire fulltime moeder was.

Waar hingen ze dan ergens uit?

Hij liet de redial-knop voor wat hij was en toetste het nummer nogmaals met de hand in - voor het geval hij zich de eerste keer had vergist. Wat de tijd betreft was er geen vergissing mogelijk: het was inderdaad even na achten, en opnieuw leek de telefoon een hele tijd over te gaan. Waarschijnlijk waren ze er niet, dacht Doheny, maar wáár ze op dit tijdstip ergens konden zijn zou hij niet kunnen zeggen, tenzij ze de afgelopen nacht niet thuis hadden doorgebracht. Misschien waren ze naar vrienden gegaan en waren ze daar blijven logeren. Dat was mogelijk.

Maar niet erg waarschijnlijk, bedacht Doheny. Toen Claire hem had gebeld had ze niet bepaald geklonken alsof ze op het punt stond gezellig ergens op bezoek te gaan.

Hij schrok toen er plotseling toch werd opgenomen. Doheny had op het punt gestaan neer te leggen, met de bedoeling op weg naar het bureau even bij Claire langs te gaan, en direct toen hij haar stem hoorde wist hij dat er moeilijkheden waren. 'Claire?' zei hij.

Jammerend bracht ze uit: 'Alsjeblieft - help me!'

Doheny schreeuwde nu bijna in de hoorn: 'Claire?'

'Hij heeft een wapen.'

De verbinding werd verbroken en Doheny stond in de hal. Hij had de uitdrukking 'het bloed bevroor in zijn aderen' maar al te vaak gehoord, en hij had zelfs het idee dat hij het zelf ook wel een paar keer had meegemaakt. Nu wist hij dat de adrenaline die vlak voor een actie door hem heen werd gepompt in geen enkele verhouding stond met dít effect. Voor de eerste keer in zijn leven wist hij hoe het voelde als je bloed daadwerkelijk van het ene op het andere moment leek af te koelen.

Er bestond nu geen enkele twijfel meer wat hem te doen stond. Hij verbrak ook van zijn kant de verbinding en toetste het directe nummer in van een toestel dat dag en nacht bemand was. De allereerste keer overgaan werd al na een fractie van een seconde afgebroken door de stem van de centralist van het bureau Tower Bridge.

'Ik wil Orme spreken,' zei Doheny.

McLaughlan kwam naast haar staan, het kogelvrije vest nu óver, in plaats van onder de trui, en met in zijn hand het smerige geweer met afgezaagde loop.

Claire had hem nog nooit eerder een wapen zien dragen. Weten wat voor soort werk hij deed en zich voorstellen hoe hij eruitzag als hij een wapen bij zich had was één ding: hem met een wapen in de hand in de woonkamer zien staan was iets heel anders.

De loop was ruw tot de huidige lengte afgezaagd, waardoor het wapen er nogal onevenwichtig uitzag: een snuit van een pitbullterriër op het lichaam van een hazewind. Het was in feite een rijkelijk versierd kunstwerk, waarvan het overvloedige zilverwerk fazanten voorstelde die uit het struikgewas kwamen. Het zilver was mat geworden, bijna zwart zelfs, en ze vermoedde dat de verkleuringen op de kolf veroorzaakt waren door bloedvlekken.

Een geweer als dit was ooit regelmatig schoongemaakt en opgeslagen in een wapenkamer, samen met soortgelijke goedverzorgde wapens. Maar op een gegeven moment was het gestolen. Dat wist ze natuurlijk niet zeker, maar Claire vond het weinig waarschijnlijk dat het type persoon dat er geen enkel probleem mee had om dit ooit bijzonder fraaie geweer zo gruwelijk te verminken, voor zijn specifieke doeleinden een nieuw wapen zou kopen. Dit geweer was in een bar, op een parkeerplaats of in een hotelkamer van eigenaar verwisseld.

Ocky zat op haar heup, zijn benen strak om haar middel geklemd, zijn armen om haar hals geslagen. Gewoonlijk was het helemaal geen kind dat gedragen wilde worden, maar het een of andere instinct zei hem dat hij zo dicht mogelijk bij zijn moeder moest blijven. Hij hield zich ook stil, en hij keek zijn vader aan met grote, intelligente ogen. Hij had zelfs geen commentaar op het geweer. Het leek wel of hij wist dat zijn moeder er doodsbang voor was, en dat hij er daarom ook doodsbang voor moest zijn. Hij wilde er dan ook niet eens naar kijken.

'Je hebt je vest uitgedaan.'

'Ik kan dat ding niet aan hebben en tegelijkertijd Ocky dragen.'

'Zet hem dan neer.'

'Dat wil hij niet.'

McLaughlan liep naar hen toe en Ocky deinsde terug. 'Hij is bang voor dat geweer,' zei Claire, en ze vroeg zich af hoe ze kans had gezien de angst niet in haar stem door te laten klinken. Vanbinnen schreeuwde ze het uit, maar het enige waaraan ze kon denken was het aantal keren dat ze had gehoord over vrouwen die het hadden overleefd, die zichzelf en hun kinderen hadden weten te redden, door kalm te blijven.

'Ik dacht dat ik de telefoon hoorde.'

'Dat klopt.'

'Wie was het?'

'Doheny,' antwoordde Claire.

'Je hebt me niet geroepen.'

'Ik dacht dat je had gezegd dat je niemand wilde spreken.'

'Maar Doheny is anders.'

'En als hij nou eens tegen Orme zou zeggen dat hij je gesproken hebt, nadat ik hem gisteren nog heb gezegd dat je naar het noorden bent afgereisd?'

Daar had hij niet aan gedacht. Ze keek toe hoe hij dat verwerkte, erover nadacht en zich er vervolgens bij neerlegde.

In de kamer heerste een bijna totale duisternis omdat de avond tevoren de gordijnen waren dichtgetrokken. Nu buiten het daglicht volop heerste had McLaughlan besloten ze voorlopig nog even dicht te laten. Hij schoof het uiteinde ervan een fractie opzij en liet zijn blik over de buitenwereld glijden, op zoek naar iets dat hem in zijn overtuiging zou sterken dat er buiten iemand stond die hem in de gaten hield. Plotseling hield Claire het niet meer uit. 'We zouden in elk geval de gordijnen open kunnen doen.'

'Ik wil dat ze dicht blijven.'

'Gisteren zei je dat je wilde dat ze open bleven – je wilde niet dat zíj zouden weten dat jíj wist dat ze er waren.'

'Ik ben van gedachten veranderd.'

Het was zinloos om te argumenteren met een man die een geweer met afgezaagde loop in zijn hand hield. Hij gebruikte het wapen om ermee naar de kamers op de eerste etage te wijzen en zei: 'Naar boven.'

'Waarvoor?'

'Ik wil je kunnen blijven zien.'

'Waarom?'

'Om jullie beiden te kunnen beschermen.'

Claire liep voor hem uit, Ocky nog steeds steunend op haar heup. 'Waar gaan we naartoe, mamma?'

Dat wist ze niet. De slaapkamer aan de voorzijde van het huis? Of die aan de achterkant? Naar zolder?

'Naar de badkamer,' zei McLaughlan, en Claire gehoorzaamde alsof het de normaalste zaak van de wereld was dat ze met z'n drieën de badkamer binnengingen en vervolgens de deur achter zich op slot deden.

De vooroorlogse gietijzeren badkuip stond naast een wastafel waarvan het bassin van het voetstuk was losgekomen. De kuip nam de hele wand in beslag, een muur waarin zich slechts één enkel venster van matglas bevond, terwijl het rottende hout van het kozijn ervoor zorgde dat de bewoners constant last hadden van een ijskoude tocht.

Het was waarschijnlijk het koudste vertrek van het huis, maar het was ook het schoonste omdat Claire daar erg haar best voor had gedaan. Ze had heel goed geweten dat het nog wel eens een tijdje kon duren voor ze zich een nieuwe badkamer konden veroorloven, dus had ze hem helemaal schoongeboend, had ze hem ontsmet en had ze hem uiteindelijk weer bruikbaar gemaakt. Ze had erop gestaan één niet al te groot luxe-artikel wél aan te schaffen: de oude chromen kranen waren van het bad verwijderd en waren vervangen door nieuwe. In een houder boven de kranen zat een handdouche en het was Claire gelukt een rail aan het plafond vast te maken waaraan ze een geïmproviseerd douchegordijn had opgehangen.

McLaughlan kleedde zich uit, stapte het bad in en nam een douche, maar trok het douchegordijn niet dicht omdat hij een oogje op Claire en Ocky wilde houden

Ze stonden zo ver mogelijk bij hem vandaan en Claire deed haar best om Ocky zo goed mogelijk tegen de spetters te beschermen, maar omdat McLaughlan het douchegordijn niet had dichtgetrokken waren ze beiden al snel drijfnat.

Ocky huilde nu, waarbij zijn stem niet veel meer was dan een zwak gemurmel boven het neerstromende water. Ondanks het feit dat het water warm was, rilde hij toch, voornamelijk van angst.

Claire beefde ook van angst, maar deed haar best dat te verbergen, en toen McLaughlan vroeg: 'Alles goed met je?' knikte ze hem glimlachend toe.

Dit, dacht Claire, is het nou wanneer je op de een of andere manier verplicht bent met een geesteszieke om te gaan. Ze zaten nog geen twee minuten met z'n allen in de badkamer, of ze moest haar visie omtrent mantelhulp al totaal herzien. In het verleden was ze van mening geweest dat de mensen gedwongen zouden moeten worden meer verantwoordelijkheid te nemen voor familieleden die hulp nodig hadden. Nu begon ze te beseffen hoe het moest zijn als je vierentwintig uur per etmaal met bizar gedrag werd geconfronteerd. Zonder hulp. Zonder geld. En geen onderscheiding om het feit te markeren dat je de kwaliteit van je eigen leven had opgeofferd om de kwaliteit van het leven van iemand anders te verbeteren.

Haar moeder had haar ooit eens verteld dat een vrouw nooit met een man moest trouwen totdat ze er heilig van overtuigd was dat hij de hoofdprijs uit de loterij was, en tot de schietpartij had Claire voortdurend in een toestand verkeerd waarin ze niet kon geloven dat iemand als Robbie ooit met iemand als zij zou willen trouwen. Die vraag stelde ze zich niet vanwege gebrek aan zelfvertrouwen, maar na een koele analyse van de feiten: vergeleken met anderen was hij bijzonder intelligent en zag hij er goed uit, terwijl zijzelf, vergeleken bij anderen, er gemiddeld uitzag, gemiddeld intelligent en gemiddeld getalenteerd was. Dat had ze hem zelfs wel eens gezegd, alsof ze hem wakker wilde maken uit het fantasiewereldje waarin hij haar veel interessanter vond dan ze in feite was, hem terug wilde brengen naar de echte wereld, waarin ze in feite betrekkelijk gewoon was, maar het enige dat hij had gezegd was: 'Er is helemaal niets gewoons aan jou, Claire. Er is nooit iets gewoons aan een vrouw die integer is, een vrouw die de betekenis van de woorden loyaal en trouw kent, een vrouw die er vreugde in schept om andere mensen behulpzaam te zijn en er niet tegenop ziet zich daarbij grotendeels weg te cijferen.'

Het had bijna te veel geleken om naast de aangeboden vriendschap en geborgenheid ook nog eens passie te verlangen, maar terwijl ze toekeek hoe hij de zeep uit zijn haar en zijn gezicht spoelde, herinnerde ze zich hoe, nog niet eens zo erg lang geleden, er een tijd was geweest dat ze samen onder de douche stonden, toen passie, net als het water, vrijelijk en overvloedig uit de kraan leek te komen.

Op dit moment leken die passie en die intimiteit een herinnering uit een ver verleden. Zoiets zou hen nooit meer overkomen, bedacht Claire. Ze was alle vertrouwen in hem kwijt. In de plaats daarvoor was alleen maar angst gekomen, plus het vermoeden dat ze hem nooit écht had gekend.

Het wapen stond vlak bij de kranen tegen de muur, waarbij de kolf op het glibberige oppervlak van het bad rustte en de loop naar het plafond wees. Als dat ding viel – als het afging –

Ze wist welke schade zo'n geweer kon aanrichten. Kort nadat Robbie aan zijn schietopleiding was begonnen had hij eens foto's mee naar huis genomen die onder de cursisten de ronde deden. De foto's waren gemaakt op plaatsen waar schietincidenten hadden plaatsgevonden, sommige in het Verenigd Koninkrijk, maar het overgrote deel was uit de Verenigde Staten afkomstig, en op die foto's waren mensen te zien die door een heel scala aan vuurwapens onder vuur waren genomen.

Van alle verwondingen die ze op deze foto's had aanschouwd was de ergste een wond geweest die was veroorzaakt door een schot van korte afstand met een geweer met afgezaagde loop. Ze had nooit geweten dat je met zo'n ding het gezicht van iemand helemaal aan flarden kon schieten, en ze wilde niet dat Ocky door zijn vader gedemonstreerd zou krijgen hoe zoiets gebeurde.

Hij draaide de douche dicht en reikte naar het wapen, stapte met het ding in zijn hand het bad uit en pakte zijn doorweekte kledij. Hij worstelde zich erin en gaf toen iets dat nog het meest op een bevel leek, waarbij de akoestiek van de badkamer ervoor zorgde dat het eerder als een bedreiging dan als verzoek klonk: 'Doe de deur open.'

Ze stond Ocky toe op haar heup te klimmen en deed de deur van het slot. Een niet al te stevige grendel, het soort grendel dat een kind zonder al te veel moeite had kunnen forceren. Maar toen ze de deur open wilde doen hield hij haar tegen. 'Ik ga eerst,' zei hij. 'Voor het geval...'

Voor het geval wát? vroeg Claire zich af. Er wás helemaal niemand. Niemand op straat, niemand in de tuin, niemand in het huis. Wat dacht hij op de overloop aan te treffen? Een of andere gemaskerde man met een pistool?

Ze duwde de deur open en McLaughlan stapte de overloop op. En toen zag ze hoe het geweer uit zijn hand werd gerukt, zag ze hoe hij plat met zijn gezicht tegen de houten vloerdelen werd gedrukt. Ze hoorde een stem die ze herkende, de stem van Doheny. 'Rustig maar, McLaughlan,' en boven zijn stem uit hoorde ze hoe er mensen de trap op kwamen stormen.

Ze stond in de deuropening, Ocky op haar heup, en nu stroomden de tranen, die ze tot dan toe had weten te bedwingen, vrijelijk over haar wangen. Hij zei geen woord. Hij lag met zijn buik op de harde houten vloer en keek haar alleen maar aan.

Ze schudde haar hoofd. 'Het spijt me...' en plotseling was ze omringd door mensen, er zaten ook enkele vrouwen bij, stuk voor stuk bewapend. Zo is het nou, bedacht ze. Zo is het nou om de vrouw van een crimineel te zijn, waarbij je probeert voor je kinderen op te komen, terwijl om je heen mannen met bivakmutsen op je huis binnenstormen. En voor het kind dat je op je arm hebt maakt het niet uit wie het zijn – het enige dat hij weet is dat mammie huilt, dat de mannen gewapend zijn en maskers dragen. Het heeft geen zin om dit ventje van vier te vertellen dat het politiemannen zijn, dat ze aan jouw kant staan, dat niemand je kwaad wilt doen.

Ocky zat volkomen verstard op haar arm. Tot nu toe had hij zich aan haar vastgeklemd, maar had hij nog niet eens gejengeld. Maar nu begon hij keihard te huilen, en het geluid van zijn gekrijs was meer dan McLaughlan kon verdragen. Hij kwam met een ruk overeind, Doheny met zich meenemend, en pas op dat moment besefte Claire hoe sterk hij was. Hij schudde de mannen die hem vasthielden bijna moeiteloos van zich af, terwijl hij een derde man met zijn schouder tegen de grond werkte. Een stuk of wat andere mensen van Orme drukten hem weer terug op de vloer. Ze gingen boven op hem zitten en met vereende krachten lukte het hen hem met zijn gezicht tegen de houten planken gedrukt te houden.

Orme was degene die hun opdracht gaf hem los te laten. Claire had niet eens geweten dat hij erbij aanwezig was. Ze hoorde zijn stem en haar blik werd getrokken naar de deur van Ocky's kamer. Daar stond hij, met in zijn hand het geweer met afgezaagde loop. 'Laat hem overeind komen,' zei hij, en probeerde nadat zijn mannen McLaughlan naar beneden hadden begeleid zijn arm om Claire heen te slaan. Ze deinsde terug voor het geweer en hij zei: 'Hij is niet geladen,' maar dat maakte geen enkel verschil. Ze haatte alleen al de aanblik van het ding en vond het afgrijselijk om het in de buurt te hebben, en Orme gaf het aan een van zijn mannen, die het snel uit het zicht liet verdwijnen. 'Was dat het enige wapen?'

'Ik denk van wel,' bracht ze snikkend uit. 'Ik weet het niet –'

'We zullen het huis moeten doorzoeken,' zei Orme.

Hij liet haar achter bij een vrouwelijke agente, die vroeg of ze haar misschien ergens naartoe moest brengen – naar haar moeder misschien, of naar een vriendin?

Claire wist niet precies waar ze heen moest. Ze wist alleen maar dat ze onmogelijk in het huis kon blijven. Nadat Robbie met het geweer was teruggekeerd was het een gevangenis voor haar geweest. Geen licht, geen muziek, geen gelach. Alleen maar angst. Het huis zou moeten worden verkocht. Ze kon hier onmogelijk nog langer wonen. Niet nu.

'We gaan er eerst eens even voor zorgen dat jij en Ocky droge kleren aan kunnen trekken,' zei de agente. 'Dan kun je daarna beslissen waar we je heen moeten br–'

'Wat gebeurt er met Robbie?'

Orme reageerde vanaf de onderste trede van de trap. 'Maak je over hem maar geen zorgen,' zei hij. 'Hij is nu óns probleem.'

20

Orme was zich bewust van het feit dat McLaughlan alle klassieke symptomen vertoonde van een posttraumatisch stresssyndroom. Dat verklaarde weliswaar zijn gedrag, maar dat verklaarde geenszins hoe hij de hand had weten te leggen op een geweer met afgezaagde loop.

Hij zat naast hem in een auto die niet als politiewagen herkenbaar was, en vertelde hem dat hij hem meenam naar het bureau, waar hij hem met een aantal vragen zou confronteren. Bij het determineren van zijn toekomst bij de politie zou elk antwoord van het grootste belang zijn. Orme had daarom een goede raad voor McLaughlan: 'Wees eerlijk tegenover me, want dan kan ik je misschien helpen. Als je me probeert te beduvelen, zal ik er persoonlijk voor zorgen dat je wordt behandeld als elke andere crimineel.'

McLaughlan leek met stomheid geslagen door de inval. Misschien, dacht Orme, zag hij het als verraad. Hij had geen flauw idee wat er in zijn hoofd omging. Hij vroeg er ook niet naar – de manier waarop McLaughlan naar buiten keek, naar de huizen in de buitenwijken, terwijl ze het oude gedeelte van de stad binnenreden, maakte hem duidelijk dat het niet bepaald waarschijnlijk was dat hij een zinnig antwoord op die vraag zou krijgen.

Toen ze eenmaal weer op het bureau waren teruggekeerd, zette Orme hem op een stoel in het vertrek dat hij als zijn kantoor beschouwde. Dit was onofficieel, vertelde hij hem. Hij zou geen aantekeningen maken en ook nog geen conclusies trekken: voorlopig wilde hij alleen maar met hem praten en proberen erachter te komen wat er aan de hand was. Hij liet Doheny bij hem achter, en sprak vervolgens in een andere kamer heel even over de telefoon met een psycholoog.

Levinson, de psycholoog met wie Orme sprak, was iemand met veel ervaring in het werken met mannen die bij schietincidenten betrokken waren geweest. Hij was bereid onmiddellijk te komen en met McLaughlan te praten, maar tot Ormes verrassing wilde McLaughlan niet dat hij erbij betrokken zou worden. Er zat voor Orme, die Levinsons aanbod al geaccepteerd had, dus niets anders op om hem terug te bellen met de boodschap dat hij niet hoefde te komen.

Niet zonder reden beschouwde Levinson dit als een slecht teken. Wat maar al te begrijpelijk was, bedacht Orme. Niemand vindt het leuk om te horen dat zijn diensten niet nodig zijn, te merken dat iemand blijkbaar geen respect heeft voor datgene wat je doet. Hij herinnerde zich dat Doheny hem eens had verteld dat een psycholoog hem en zijn team na een bijzonder traumatische ervaring ooit had geëvalueerd. De meeste mannen waren er met een score uit te voorschijn gekomen die aangaf dat hun emotionele stressniveau min of meer overeenkwam met die van een groep kleuters die in een zandbak aan het kibbelen waren. De psycholoog echter, die uit pure belangstelling zelf ook aan de tests had meegedaan, was geëindigd met een score die overal ver bovenuit steeg. De herinnering veroorzaakte een glimlach op Ormes gelaat, maar die glimlach verdween onmiddellijk weer toen hij zich de toestand herinnerde waarin hij Claire had aangetroffen toen hij en zijn mannen het huis waren binnengevallen.

Toen hij haar in gedachten weer voor zich zag, zoals ze daar in de deuropening van de badkamer had gestaan, vroeg hij zich onwillekeurig af of hij op het punt stond een man te ondervragen die straks zou merken dat zijn huwelijk definitief ten einde was.

McLaughlan en Doheny stonden op toen Orme het kantoor binnenkwam.

Orme gebaarde dat ze moesten gaan zitten, trok een stoel naar zich toe en kwam onmiddellijk ter zake. 'Waar heb je dat wapen vandaan, McLaughlan?'

Waar heb je dat wapen vandaan? Dat is een vraag waar je sinds je aankomst op het bureau rekening mee hebt gehouden. De enige manier om met deze vraag om te gaan is te zeggen dat je je dat niet meer kunt herinneren. En misschien, of je dat nu wilt of niet, zullen ze een psycholoog raadplegen om te vragen of dat mogelijk is. Kan een man iets doen zonder zich bewust te zijn dat hij dat heeft gedaan? Kan hij de hand leggen op een wapen zonder zich te kunnen herinneren waar hij het vandaan heeft, of zelfs dat hij het ding in bezit heeft?

Het antwoord van de psycholoog zal grotendeels afhangen van wat voor een stomme zak die psycholoog precies is, een kleine of een grote. Als hij van het softe soort is dat oprecht hoopt dat zijn patiënt zijn emoties met de persoon links van hem deelt, zal hij zeggen dat dat zeer wel mogelijk is, dat je iemand altijd het voordeel van de twijfel moet geven. Maar als hij daarentegen een van die keiharde klootzakken is die niet tevreden de pijp uit kan gaan voordat hij alles heeft gedaan om elke kleine crimineel aan deze kant van de rivier in een high-security-gevangenis voor ontoerekeningsvatbare schurken te laten opbergen, zal deze vraag met 'nee' beantwoorden.

En dan heeft hij nog gelijk ook. Omdat het allemaal flauwekul is. Alles. 'Vertel me maar wat er in je jeugd is voorgevallen, dan zal ik je helpen jezelf weer helemaal beter te maken.' Maar niets van dit alles zal je ook maar één steek verder brengen; het enige dat zou helpen is als er iemand opstaat die je broer weer tot leven weet te wekken. Maar je zit al genoeg in de stront om ook nog eens samen met de een of andere zielenknijper – een knaap die zelf waarschijnlijk meer problemen heeft dan Freud ooit bij elkaar heeft kunnen verzinnen – te kijken hoe de door jou geschreven P's en Q's eruitzien.

Waar heb je dat wapen vandaan, McLaughlan? En je vindt het tekenend dat hij je met je achternaam aanspreekt. Gewoonlijk zou Orme je aanspreken met Robbie. Maar niet vandaag. Want vandaag heeft hij een team om zich heen moeten verzamelen, heeft hij je huis moeten binnenvallen om je vrouw en kind te redden, alsof iemand die jou een béétje kent zich ook maar één moment voor zou kunnen stellen dat je die ook maar één haar zou kunnen krenken.

Je was van plan hen te beschermen. Je vertelt hem dat en hij kijkt je aan of je gek bent geworden.

Tegen wie?

Swift.

Heb je dan gezien dat Swift jouw huis in de gaten hield?

Nee, maar ik heb zijn mensen wél gezien.

Hoe zien die er dan uit?

Het zijn steeds anderen. Je ziet dezelfde persoon nooit een tweede keer.

Je lijkt ervan overtuigd dat deze mensen jou in de gaten houden, en dat ze in dienst zijn van Swift.

Noem het een gave.

En als je het nou eens helemaal bij het verkeerde eind hebt? Als er nou eens helemaal niemand is?

Ze wáren er.

Terwijl je dat zegt, voel je hoe Doheny naast je verstrakt. Hij denkt dat je helemaal de kluts kwijt bent, en dat kun je hem niet kwalijk nemen. Hij voelt zich gedeeltelijk verantwoordelijk. Herstel. Hij voelt zich zéér verantwoordelijk, want om te beginnen heeft hij zijn uiterste best gedaan jou zover te krijgen dat je je hebt laten inschrijven voor de schietopleiding. Hij was geïntrigeerd door je gebrek aan belangstelling. Elk lid van het Flying Squad had een verzoek ingediend om aan de cursus vuurwapens te mogen deelnemen, maar jij niet, en Doheny wilde daar het fijne van weten. Hij móest weten waarom.

Hij vroeg je wat het probleem precies was, en je zei hem dat er helemaal geen probleem wás – dat vuurwapens je gewoon niet interesseerden, meer niet.

Dat is goed, zei Doheny, en je vroeg hem waarom dat goed was. Hij vertelde je dat het al moeilijk genoeg was om de psychopaten die buiten rondliepen in de klauw te houden, en dat de politie er absoluut geen behoefte aan had dat er binnen de gelederen ook nog eens een stelletje psychopaten rondliep, en hij nodigde je persoonlijk uit om toch voor de cursus in te schrijven.

Je schoof zijn uitnodiging toch weer terzijde. Hij kan het niet geloven. Het maakte hem alleen maar vastbeslotener jouw vermogen om met vuurwapens om te gaan te laten evalueren. Hij zei je dat je precies het soort man was aan wie de politie behoefte had.

Je vertelde hem opnieuw dat je geen belangstelling voor vuurwapens had, maar je vertelde hem niet waarom. Je vertelde hem niet dat je alles al wist van vuurwapens – dat je ze als klein jongetje al in handen had gehad, dat je ze had schoongemaakt, dat je ze geladen had. Je vond ze in laden als je daarin op zoek was naar kleurpotloden, je stootte erop in de kast als je op zoek was naar schone kleren of speelgoed, je schoof ze op de bank opzij als je op de televisie naar Blue Peter wilde kijken. Vuurwapens waren voor jou niet belangrijker dan het mes en de vork waarmee je je eten naar binnen werkte. Maar Doheny liet niet los, en voor je goed en wel in de gaten had waar je was, stond je in Lippett's Hall om getraind te worden.

Er was niet veel geweest wat ze je op vuurwapengebied nog hadden kunnen bijbrengen. Je beschikte nu eenmaal over de vaardigheid, de gave ermee om te gaan, en iedereen was jaloers op je... Dus schoof je door naar de volgende fase, naar de training die erop gericht was jou voor te bereiden op elke mogelijke situatie waarvan je superieuren dachten dat je tijdens je werk wel eens in terecht zou kunnen komen.

Ze trainden je uitstekend. Maar geen enkele mate van training had je kunnen voorbereiden op de manier waarop je je nu voelt, of wat je moet doen als je hier weg bent.

21

Dit was Jarvis' minst favoriete gedeelte van de dag. De zon had zich ver-
plaatst van de voorzijde van de flats naar de achterkant ervan, en zijn
woonkamer was in de gebruikelijke middagdepressie gedompeld.

Jarvis' stemming paste zich onmiddellijk aan en werd er bij de aanblik
van de huizen aan de overkant niet beter op. Het uitzicht was – op z'n
vriendelijkst uitgedrukt – niet bepaald inspirerend. Het was een verza-
meling gebouwen die waren getransformeerd in tweekamerwoningen,
kleine kantoren en een dansschool. Maar het was in elk geval aanzienlijk
inspirerender dan het uitzicht dat George McLaughlan had gehad op de
avond dat hij was gearresteerd.

De cellen op het bureau waar Whalley hem mee naartoe had genomen
waren gebouwd voor mannen die duidelijk niet van plan waren te blijven
zitten waar ze waren neergezet. Ze waren dan ook kleiner dan de gemiddelde cel, en God en Jarvis wisten dat de gemiddelde cel in een gemiddelde Britse gevangenis sowieso al klein genoemd mocht worden. Ze
waren twee meter veertig bij negentig centimeter. Nauwelijks groot genoeg om er een brits neer te kunnen zetten die als slaapplaats moest fungeren.

Jarvis had die nacht een blik geworpen in Georges cel en had de omstandigheden onmenselijk gevonden, ongetwijfeld de schending van de
een of andere internationale overeenkomst. Toch besefte hij dat George
dat misschien niet eens zou opmerken. De kamer waarin hij tijdens zijn
jeugd het bed had gedeeld met zijn broer was ongeveer even groot geweest, en ook daar was het bed weinig meer dan een brits geweest. Momenteel had hij in elk geval een bed voor zich alleen.

Whalley had aan Jarvis gevraagd of hij hem die nacht nog wilde verhoren, maar tot Whalley's verrassing had Jarvis het aanbod afgeslagen, en eraan toegevoegd: 'Ik neem hem liever in Londen onder handen.'

Whalley had Jarvis aangekeken met een blik waaruit zou moeten blijken dat hij precies wist wat er speelde: de volgende dag zou George voor verhoor van Glasgow naar Londen worden overgebracht. Whalley had aangenomen dat Jarvis wilde wachten totdat er niemand van de politie van Strathclyde meer aanwezig zou zijn, om vervolgens net zo lang op George in te beuken tot hij de overval op Ladbrokes zou bekennen. 'Er is niets dat je in Londen kunt doen wat je ook niet híer kunt doen,' merkte hij op, maar Jarvis maakte opnieuw duidelijk dat hij liever wachtte tot hij zich – mét George – weer op eigen terrein bevond.

Whalley had verder niet aangedrongen. Hij had aangenomen dat Jarvis er zo z'n redenen voor had. En dat had Whalley goed gezien, dacht Jarvis, hoewel hij uiterst verrast zou zijn geweest als hij had gehoord wat die redenen precies waren. Nu Hunter geschorst was, was Jarvis verantwoording verschuldigd aan een hoofdinspecteur die hij nauwelijks kende. Hij had daarom geen flauw idee hoe zijn nieuwe superieur zou reageren als hij hem zou vertellen dat hij liever wilde dat iemand anders George zou verhoren.

Zijn superieur zou het – begrijpelijk – nogal vreemd vinden dat Jarvis een jaar lang druk bezig was geweest met het opsporen van George, voortdurend in touw was geweest hem in handen te krijgen, en nu blijkbaar geen zin meer had om hem een verhoor af te nemen. 'Daar kun je maar beter een heel goede reden voor hebben,' kreeg hij te horen, en Jarvis, die van mening was dat hij daar inderdaad een heel goede reden voor had, had zijn antwoord bij de hand.

'Recentelijk is komen vast te staan dat mijn voormalige superieur informatie aan George heeft doorgespeeld. Als ik naar binnen ga en ik verhoor hem, en we gaan tot vervolging over, en we krijgen het niet voor elkaar dat hij daadwerkelijk veroordeeld wordt, dan bestaat altijd de kans dat iemand met een beschuldigende vinger míjn kant uit gaat wijzen.'

Het klonk als een even goede reden als alle andere die Jarvis ooit had gehoord, alleen was het de waarheid niet, het kwam niet eens in de búúrt van de waarheid.

Het ging er gewoon om dat hij zich ongeschikt voelde, niet tegen deze taak opgewassen. George had hem in zijn gezicht uitgelachen en het kostte Jarvis grote moeite dat achter zich te laten. Je kon een schurk als George onmogelijk tot een bekentenis dwingen als hij geen enkel respect voor jou had. Dat was al moeilijk genoeg wanneer je er op de een of andere manier in geslaagd zou zijn hem van te voren doodsbang voor jou te maken.

Hunter had er altijd de voorkeur aan gegeven dat zijn criminelen doodsbang voor hem waren, en hij was er dan ook helemaal niet vies van om een cel binnen te wandelen, de deur achter zich dicht te doen en de gevangene in kwestie net zo lang ongenadig op zijn donder te geven tot het hem duidelijk was dat Hunter niet was gekomen om zijn kostbare tijd te verdoen. Niet dat hij op die manier bij George ook maar enig succes gehad zou hebben, maar daar moest onmiddellijk bij worden gezegd dat Hunter George nooit op die manier aangepakt zou hebben. Niet alleen was Hunter zich er maar al te zeer bewust van dat hij daarbij door George zou worden vermoord, maar Hunter had een zwak voor hem en had hij een soort vriendschap voor de man opgevat. En als het geen echte vriendschap was, dan hadden ze toch in elk geval een bepaalde overeenkomst met elkaar en een soort wederzijds effect. Eén ding waarvan Jarvis was overtuigd, was het feit dat George absoluut geen respect voor hém had. Hij had zijn armen omhoog gebracht om zichzelf te verdedigen, maar verder had hij hem recht in zijn gezicht uitgelachen. Hoe kon je een crimineel ondervragen als die zich nog niet eens liet verleiden terug te slaan?

De hoofdinspecteur accepteerde zijn redenen om verder niet meer bij deze specifieke zaak betrokken te zijn. Het gevolg daarvan was dat een andere ervaren rechercheur de opdracht had gekregen George te ondervragen. Maar Jarvis was in de rechtbank aanwezig toen Georges zaak voorkwam.

Elsa was daar ook aanwezig geweest, gekleed in een linnen pakje en een schril contrast vormend met de laatste keer dat hij haar had gezien. Sinds de arrestatie van George hadden ze geen contact meer met elkaar gehad en hoewel Jarvis zich voorhield dat hij het niet erg vond dat hij haar kwijt was, vond hij het nog steeds pijnlijk om zo dicht in haar nabijheid te zijn, en al helemaal onder dit soort omstandigheden. Of ze vooral hém de schuld gaf van het feit dat George was gearresteerd, wist hij niet. Maar wat er ook in haar hoofd speelde, ze weigerde hem aan te kijken.

Zij hield haar blik voornamelijk op George gericht, of op de rechter, alsof ze die op de een of andere manier zou kunnen verleiden George minder zwaar te straffen, maar George was daarbij niet bepaald behulpzaam geweest. hij had verklaard niet schuldig te zijn aan de tenlastelegging, ondanks het feit dat hij positief was geïdentificeerd als een van de overvallers, en verder kon niemand om het feit heen dat Crackerjack sinds de dag van de overval door niemand meer was gezien.

Op een gegeven moment bracht het Openbaar Ministerie het rechtstreeks ter sprake en nodigde het George uit te bekennen dat dankzij zíjn weigering om dringend nodige medische hulp aan zijn vriend en kompaan te laten verlenen, de laatstgenoemde aan verwondingen die hij tijdens de overval had opgelopen was overleden. Georges enige reactie bestond uit de opmerking dat het OM dan toch echt met een lijk op de proppen moest komen, of anders z'n bek moest houden, dus alles bij elkaar was er aanzienlijk meer voor nodig dan een paar smekende blikken van de kant van Elsa om de rechter zover te krijgen dat hij wat meer clementie zou tonen – al was het maar voor háár.

Desondanks kwam het vonnis dat over George werd uitgesproken als een schok. In datzelfde gerechtsgebouw hadden nog geen vijf jaar eerder overvallers die heel wat beruchter waren dan George gevangenisstraffen tegen zich horen uitspreken van soms wel dertig jaar vanwege de rol die ze hadden gespeeld bij de Grote Treinroof. Een andere rechter sprak nu een vonnis van vijftien jaar tegen hem uit. De hoogte van dit vonnis zorgde ervoor dat nagenoeg alle aanwezigen in de rechtszaal heel even naar adem hapten.

Voor Jarvis het goed en wel in de gaten had leek de publieke tribune te exploderen. Hij kon zich alleen maar voorstellen dat de rechter, die een vrij somber beeld van Georges karakter en levensloop had geschilderd, een voorbeeld had willen stellen.

Elsa ging door de schok bijna onderuit, maar George wierp haar slechts één enkele snelle blik toe. Ze keek onwrikbaar terug, en geen van beiden knipperde ook maar met de ogen toen de rechter zei: 'Breng hem naar beneden.'

Het lawaai in de rechtszaal was nu oorverdovend, en de rechter eiste hard met zijn hamer slaand om stilte, waarna zelfs een verslaggever met de tegenwerping was gekomen dat dit wel een érg hoge straf was.

Misschien dat George in hoger beroep zou gaan, bedacht Jarvis, maar erg ver zou hij daarmee niet komen. Dit vonnis was een teken des tijds, een voorbode van wat hen allemaal nog te wachten stond. De ernstige criminaliteit nam alleen maar toe, en nu er niemand meer mocht worden gegeseld of worden opgehangen, werd door het klootjesvolk steeds vaker geroepen dat de straffen niet langer meer toereikend waren. 'Geen wonder dat het niet meer veilig is op straat. De bevolking moet worden beschermd tegen het soort boeven dat met zo'n soort vuurwapen rondloopt.'

Jarvis hield zijn blik op George gericht, wilde hem dwingen zich om te draaien, wilde dat de man kapot zou zijn van dit zware vonnis. Hij draaide zich inderdaad om, maar maakte allerminst een kapotte indruk. Zijn blik kruiste die van Jarvis en hield zijn blik heel even vast. Hij blééf die blik vasthouden, zelfs toen de bewakers die naast hem waren geposteerd hem van achter het beklaagdenbankje meevoerden naar de trap die naar het cellenblok onder de rechtszaal leidden.

Jarvis zat bij die trap, waarbij alleen een stevig hek van rozenhout hem van George scheidde. Hij boog zich iets naar voren, zodat hij beter kon zien hoe George aan zijn lange afdaling naar het cellenblok begon, maar plotseling greep George hem bij een arm beet, die hij een ogenblik lang stevig vast bleef houden.

De bewakers trokken hem vrijwel onmiddellijk met zich mee, maar niet eerder dan dat George iets zei dat Jarvis nooit zou vergeten.

'Hou haar warm voor me, Mike.'

Het was Jarvis niet gelukt over de schok van die opmerking heen te komen. Hij kon onmogelijk begrijpen hoe George erachter was gekomen, of wat hij eraan dacht te gaan doen. Het enige dat hij zeker wist, was dat George het alleen maar ná zijn arrestatie te horen had gekregen, niet ervóór, anders was hij zeker handelend opgetreden. Misschien had iemand het hem verteld toen hij in voorlopige hechtenis had gezeten. Als dat zo was, dan hadden ze hem er duidelijk niet bij verteld dat het over was. Niet dat dat waarschijnlijk veel verschil zou maken, bedacht Jarvis. Het feit alleen al dat hij het lef had gehad om naar Georges vrouw te kíjken, was voldoende om zijn lot te bezegelen. En het feit dat George aan een gevangenisstraf van vijftien jaar begon was ook geen troostrijke gedachte: dat betekende alleen maar dat George nu vijftien jaar de tijd had om een uitzonderlijk smerige manier te verzinnen om wraak te nemen.

Op minder naargeestige momenten besefte Jarvis dat áls hij nog bepaalde dingen in zijn leven wilde doen, hij maar beter kon proberen dat de komende vijftien jaar te doen, want nadat George eenmaal weer was vrijgelaten, zou hij, Jarvis, waarschijnlijk binnen de kortste keren in een dusdanig erbarmelijke conditie komen te verkeren dat hij niets inspannenders meer kon doen dan één keer met zijn ogen knipperen als hij 'ja' bedoelde en twee keer als het 'nee' was.

Maar dat was natuurlijk helemaal niet leuk. Iemand, waar dan ook, had het op hem voorzien. En als George het wist, zou het misschien niet al te lang meer duren voor zijn superieuren het ook wisten. En wat dan? Hij kon proberen te ontkennen dat hij en Elsa een relatie met elkaar hadden gehad, maar hij betwijfelde of hem dat veel goed zou doen. Jarvis had voldoende ervaring om te weten dat een of andere heldere geest met foto's op de proppen zou kunnen komen die waren gemaakt door politiemensen die het huis in de gaten hadden gehouden, waarna ze een lijst konden maken van het aantal keren dat hij er de afgelopen maanden op bezoek was geweest. Ze zouden hem vertellen hoe lang hij daar was gebleven, wat hij en Elsa hadden gegeten, misschien zelfs welke verhaaltjes hij aan Robbie had voorgelezen voordat hij hem had ingestopt. Voor zover Jarvis wist bestond zelfs de mogelijkheid dat ze hem konden vertellen hoe vaak en hoe lang hij en Elsa op het bed van George hadden liggen vrijen.

Het had geen zin om eraan te denken. Maar op de een of andere manier kon hij zich niet veroorloven het uit zijn gedachten te bannen: als het zover mocht komen en hij zou zich ervoor tegenover een superieur moeten verantwoorden, dan zou hij het toegeven, maar hij zou er wél bij zeggen dan het allemaal afgelopen was, en er dan maar het beste van hopen.

Met een beetje geluk zou hij pas weer iets van George horen of zien nadat die op vrije voeten was gekomen. In feite was hij er redelijk van overtuigd dat het zo zou gaan lopen, maar hij had niet gerekend met een bezoek van Crackerjacks weduwe.

Ruim een jaar geleden had hij haar voor het laatst gezien, kort na de overval, toen hij haar had verhoord in de hoop erachter te komen of ze wist waar Crackerjack ergens uithing. Bij die gelegenheid had ze ontkend dat haar echtgenoot en George elkaar kenden, dus toen Jarvis te horen kreeg dat er een zekere mevrouw Crowther bij het politiebureau binnen was komen lopen en erop had gestaan hem te spreken te krijgen, had hij onmiddellijk het gevoel gehad dat dit wel eens erg interessant zou kunnen zijn.

Het was niet bepaald een vrouw die er goed uitzag. Ze had een schrale huid, en volgens Jarvis bestond er niets ergers bij een vrouw dan een huid die rood was geworden door de constante blootstelling aan het soort wind dat alleen maar kon staan bij een rivier die zo breed, zo wreed en zo bitterkoud was als de Clyde. Daarnaast was ze, in bewoordingen die Jarvis in die dagen bijna nooit gebruikte, 'hondsruw'.

Ze was met de trein uit Glasgow gekomen, waarbij ze haar jongste kind, een dreumes nog, op haar arm droeg, om hem te vertellen dat ze in Londen was omdat ze van de politie van Strathclyde ook niet bepaald vrolijk werd. 'Ik blíjf ze maar vertellen dat ik sinds Les naar Londen is afgereisd om daar George McLaughlan te ontmoeten, niets meer van hem heb gehoord. Al een jaar lang heeft niemand meer iets van hem gehoord!'

Ze heeft haar verhaal veranderd, bedacht Jarvis, maar voor hij kon vragen waarom ze dat gedaan had, vervolgde ze: 'Eerlijk gezegd, meneer Jarvis, denk ik dat hij dood is.'

Haar jongste kind, een baby van achttien maanden, begon hartstochtelijk te huilen. Ze zette hem op haar schoot, stopte een fopspeen in zijn mond om hem zo stil te krijgen, en zei: 'Maar denk je dat die schóften van Strathclyde bereid zijn om een onderzoek naar zijn verdwijning in te stellen? Nou, mooi niet.'

Jarvis begreep maar al te goed waarom de politie van Strathclyde niet stond te trappelen om een onderzoek in te stellen: tenzij George van plan was te praten, was de kans dat ze erachter zouden komen wat er precies met Crackerjack gebeurd was uiterst klein.

Omdat hij plotseling besefte dat ze misschien op korte termijn zou willen hertrouwen, vroeg Jarvis: 'Waarom is het zo belangrijk voor u dat het bewijs wordt geleverd dat uw man inderdaad dood is?'

De noodzaak daartoe had eerder een praktische, en niet zozeer een emotionele achtergrond. 'Ik heb kinderen die gevoed moeten worden, meneer Jarvis. Een mens moet nu eenmaal verzekerd zijn.'

Jarvis begreep het, maar hij snapte nog steeds niet waarom ze naar hem was gekomen. 'Als u bij mij bent gekomen om me te vragen of ik er bij de politie van Strathclyde opaan wil dringen dat ze naar hem op zoek gaan, ben ik bang dat ik u moet zeggen dat ik daar geen enkele invloed heb.'

'Ach, dat Strathclyde kan barsten,' reageerde ze. 'Die klootzakken daar kunnen allemaal doodvallen. Ik wil alleen maar dat u aan George vraagt waar hij het lichaam heeft gelaten.'

'Waarom denkt u dat hij me dat zal vertellen?'

Ze had hem uitgelegd dat het onder boeven gebruikelijk was om niet alleen hun directe familieleden en compagnons op de hoogte te brengen van de ware aard der zaken, maar ook om er – indien mogelijk – voor te zorgen dat de echtgenotes, vriendinnen en kinderen van criminelen niet financieel onverzorgd achter zouden blijven. Van George, die nooit ook maar één poging had ondernomen om zijn eigen gezin van dagelijks brood te voorzien, kon nauwelijks verwacht worden dat hij wel voor háár zou zorgen, maar het minste dat hij kon doen was bevestigen dat Crackerjack dood was en aan de politie te vertellen waar het lichaam gevonden zou kunnen worden. Dat zou al een heel stuk schelen.

Het klonk zo redelijk, dat Jarvis toestemde om het te gaan proberen. Meer dan dat kon hij onmogelijk beloven, hoewel hij moest toegeven dat, nu de rechtszitting achter de rug was, George bij het vertellen van de waarheid niets meer te verliezen had.

Ze vertrok nadat ze zich ervan overtuigd had dat Jarvis in elk geval bereid was iets te proberen, en pas nadat ze was weggegaan begon Jarvis spijt te krijgen van datgene wat hij haar had beloofd. Dat 'Hou haar warm voor me, Mike' hield hem 's nachts nog steeds uit zijn slaap, en hoe meer hij erover nadacht, hoe minder zin hij had om George McLaughlan onder ogen te komen. De tijd zou komen dat hij op vrije voeten kwam, en als het zo ver was, was Jarvis zeker van plan hem als eerste te vinden. Om te beginnen zou hij proberen hem om te praten. Als dat niet werkte, zou hij als een man de strijd tegen hem opnemen. Wat hij níet zou doen was hem opnieuw laten insluiten. Dat liet zijn trots niet toe. Hij was een man. Hij was politieman. En hij zou naar alle waarschijnlijkheid als het zover was ook nog eens een dooie man zijn. Hij zou George ook de waarheid vertellen – dat Elsa iets voor hem betekend had, dat hij van haar had gehouden, dat zijn liefde voor haar de grootste vergissing van zijn leven was geweest, niet omdat hij vanwege die liefde op korte termijn zou sterven, maar omdat ze hem had verraden, en Jarvis betwijfelde of hij ooit nog in staat zou zijn om een andere vrouw te vertrouwen.

Hij kon zich ook Georges reactie daarop voorstellen, en hij ving een vluchtige glimp van zichzelf op in een achterafstraatje bij de haven. Op zijn gezicht zou ongetwijfeld de verbijsterde blik liggen van iemand die recentelijk op brute wijze was vermoord, terwijl George met zijn schoen, die van een stalen neus was voorzien, in zijn opgezwollen stoffelijke resten stond te porren. *Jij zult in de toekomst nooit meer met mijn vrouw neuken, meneer Jarvis.*

Maar beloofd was beloofd, en om zich nu niet aan zijn woord te houden was net zo laf als opdracht geven hem na zijn vrijlating direct weer op te laten pakken. Het gevolg van een en ander was dat Jarvis zich vol tegenzin neerlegde bij het feit dat hij over niet al te lange tijd in een klein kamertje zou zitten met tegenover zich een man die niets liever wenste dan hem dood te zien.

George zat zijn straf uit in Barlinnie – somber, deprimerend, en al geruime tijd beschouwd als een van de strengste gevangenissen van het land. Nog geen week na het bezoek van Crackerjacks vrouw ging Jarvis ernaartoe.

Hij wist uit ervaring dat een hoop gevangenen vóór ze een lange vrijheidsstraf accepteerden eerst een soort rouwproces doormaakten. Het was min of meer te vergelijken met het proces dat mensen meemaken als ze te horen krijgen dat ze terminaal ziek zijn. In eerste instantie komt de ontkenningsfase. Daarna woede. Daarna neerslachtigheid. Uiteindelijk aanvaarding, hoewel mensen daarin enorm verschilden: niet iedereen gaat die laatste fase van hun leven even rustig binnen, en niet iedereen begint rustig en beheerst aan een lange gevangenisstraf. Sommige mensen worden daarbij steeds gewelddadiger. Sommigen worden gek en herstellen daarna nooit meer helemaal.

George had de ontkenningsfase overgeslagen en had woede onder deze omstandigheden een te krachteloze emotie gevonden, zodat hij had geopteerd voor constante, methodische razernij. De daaruit volgende ongeregeldheden zorgden er een paar keer voor dat hij ongenadig op zijn donder kreeg, maar had eveneens tot gevolg dat hij werd overgeplaatst naar de speciale afdeling van Barlinnie, en Jarvis vroeg zich af hoe het onder zo'n regime met hem zou gaan.

De ontmoeting vond plaats in een vertrek dat vol stond met tafels en stoelen. Het stonk er naar desinfecterende middelen, en het geluid van de gevangenis – hoewel dat van vrij ver kwam – vormde een constante irritatie.

Jarvis had niet geweten wat hij kon verwachten, na het 'Hou haar warm voor me, Mike', maar George maakte er geen enkele toespeling op, en ook Elsa kwam niet ter sprake.

Jarvis was niet in staat geweest het te begrijpen. Het was natuurlijk mogelijk, vermoedde hij, dat George al lang genoeg eenzame opsluiting achter de rug had om zichzelf toe te staan te bezwijken voor het verlangen hem in het bijzijn van vier gevangenisbewaarders om te brengen. Aan de andere kant bestond de mogelijkheid dat hij met hem speelde, dat hij probeerde hem het idee te geven dat zijn informatie niet juist was, in de hoop hem direct na zijn vrijlating onverhoeds aan te vallen.

Maar wat ook het geval mocht zijn, Jarvis was niet van plan erover te beginnen, en hij hield het gesprek dan ook gericht op de enige reden waarom hij gekomen was.

Het was een zeer eenzijdig gesprek, in die zin dat Jarvis meestentijds aan het woord was, maar nadat hij had uitgelegd waarom Crackerjacks vrouw naar hem toe was gekomen, had hij eraan toegevoegd: 'Doe haar een lol, George – het heeft op geen enkele wijze nog enige invloed op de strafmaat, maar als dat lichaam wordt gevonden kan ze eindelijk haar kinderen weer eens fatsoenlijk te eten geven.'

Hij had een pakje Senior Service meegebracht. Hij schoof het over het tafelblad naar George, die het pakje opende en er eentje uithaalde. Het was naar alle waarschijnlijkheid de eerste fatsoenlijke sigaret die hem na zijn arrestatie was aangeboden en George rookte hem langzaam op. De geur ervan deed Jarvis weer aan de huurkazernes denken, en aan de manier waarop Iris een sigaret bij Jimmy's lippen had gehouden.

'Geef me eens een stukje papier,' zei George.

Jarvis vroeg een van de bewaarders of hij een velletje papier en een pen wilde gaan halen. Het papier was geen enkel probleem en was er binnen de kortste keren, maar een pen werd beschouwd als een potentieel wapen en George moest het doen met een potlood.

Met dat potlood tekende hij een kaartje van een terrein langs de rivier de Clyde en omschreef het als 'een ritje van een uur met de bus vanaf het centraal station van Glasgow'. 'Ik doe dit voor de vrouw van Crackerjack, en dat is de énige reden waarom ik het doe – begrijp je?'

Jarvis maakte duidelijk dat hij begreep dat dit niet een soort overwinning voor de autoriteiten was, dat George deze informatie gaf uit de goedheid van zijn hart, enkel en alleen omdat hij met de weduwe en haar kinderen te doen had.

Nadat dat voor iedereen duidelijk was, had George een kaartje getekend en had dat vervolgens over tafel naar Jarvis toegeschoven, die het had opgepakt en het aandachtig had bekeken. Terwijl hij dat deed drong het tot hem door dat andere politiemensen George konden hebben gevraagd waarom hij Crackerjacks lichaam helemaal mee terug naar Glasgow had genomen, in plaats van het ergens in de buurt te dumpen. Jarvis nam niet de moeite ernaar te vragen, niet alleen omdat George toch geweigerd zou hebben daar antwoord op te geven, maar ook omdat hij er redelijk van overtuigd was dat hij daar wel op eigen kracht achter zou kunnen komen. Nadat Crackerjack was neergeschoten, had George hem bij de plaats des onheils weggehaald en had hij hem naar een verhoudingsgewijs veilige plaats overgebracht. Maar toen duidelijk was dat Crackerjack stervende was, stond George voor een vreselijk dilemma: als hij hem naar een ziekenhuis bracht, zouden ze beiden in hechtenis worden genomen en achter de tralies verdwijnen. En als hij dat níet deed, zou Crackerjack sterven.

George had duidelijk voor de tweede optie gekozen. Geen wonder dat hij niet wilde praten over het hoe en waarom. Hij moest zien verder te leven met het feit dat Crackerjack, als hij hem op de stoep van een of ander plaatselijk ziekenhuisje had gedumpt, misschien nog in leven zou zijn geweest. Het enige dat Jarvis zei was: 'Hij was blijkbaar zwaargewond. Misschien had hij het toch niet gered, wat je ook gedaan zou hebben.'

Hij had verwacht dat George hier op de een of andere manier op zou reageren, maar zoals altijd verraste George hem: 'Ik heb geprobeerd hem zover te krijgen dat ik hem naar een hospitaal mocht brengen. Hij kon niet tegen het vooruitzicht om op die manier te overleven. Hij zei tegen me dat hij liever het risico nam níet naar een ziekenhuis gebracht te worden.'

Dat risico liep erop uit dat hij aan zijn einde kwam op een verlaten industriegebied, een kilometer of zes, zeven verwijderd van het centrum van Glasgow, en toen Jarvis zich realiseerde hoe lang de stoffelijke resten daar al moesten liggen, drong onwillekeurig tot hem door dat het niet bepaald een prettig werkje zou zijn die daar weg te halen.

22

Orme was lange tijd van mening geweest dat iedereen die met een vuurwapen, een mes of een ander dodelijk wapen werd aangetroffen, net zo lang in voorlopige hechtenis moest worden gehouden tot een rechter of een psychiater het veilig achtte de persoon in kwestie in vrijheid te stellen.

In werkelijkheid echter, hoewel hij een team had samengesteld om McLaughlans huis binnen te vallen, hem het wapen afhandig te maken en hem naar het bureau over te brengen voor verhoor, had Orme niets om hem vast te houden. Hij zou hem moeten laten gaan, en dan misschien niet vandaag, maar in elk geval morgen. Intussen zou hij tot een besluit moeten zien te komen of hij hem in staat van beschuldiging zou stellen of met ziekteverlof zou sturen.

Ondanks McLaughlans vasthoudendheid met betrekking tot het niet kunnen herinneren waar hij het wapen vandaan had, besloot Orme voor het laatste te kiezen. De eerste twee opties zouden als resultaat hebben dat hij de politie uit werd geknikkerd, en Orme wilde hem in dit stadium het voordeel van de twijfel geven. Hij wist dat hij een voortreffelijk politieman was. Dit was pas het eerste teken van instabiliteit, en je moest niet vergeten, bedacht Orme, dat er mannen waren ingestort na heel wat minder traumatische gebeurtenissen dan die welke McLaughlan nog maar een paar dagen geleden had moeten doorstaan. En wat ook niet onbelangrijk was, was het feit dat McLaughlan het wapen duidelijk had aangeschaft om zijn vrouw en kind te kunnen beschermen. Hij had op geen enkel tijdstip de indruk gewekt dat hij van plan was geweest hen – of zichzelf – ermee te willen verwonden. Hij was ziek, hoewel hij dat momenteel misschien zou ontkennen, en Orme wilde hem dolgraag nog een tweede kans geven.

Hij vertelde McLaughlan dat hij niet de eerste politieman was die het feit dat hij iemand had neergeschoten moeilijk kon verwerken, en legde uit dat dit wel eens de eerste fase van een zenuwinzinking zou kunnen zijn. Hij vertelde hem ook dat hij, Orme, omdat hij nu eenmaal niet in staat van beschuldiging was gesteld, niets zou kunnen doen als McLaughlan op enig moment zou besluiten het voor gezien te houden en zijn ontslag aan zou bieden. Maar Orme adviseerde hem echter niet eerder naar huis te gaan dan na een evaluatie door de psycholoog. Al was het alleen maar omdat het een goede indruk zou maken bij het onontkoombare officiële onderzoek – en dat onderzoek wás onontkoombaar. Ondertussen zou Orme proberen datgene wat er eerder die dag was voorgevallen wat af te zwakken. Het indienen van een accuraat rapport was onvermijdelijk, maar de manier waarop hij de gebeurtenissen zou omschrijven zoals die zich hadden afgespeeld nadat Doheny met Claire had gesproken, zou het verschil maken tussen een McLaughlan die bij de politie mocht blijven en een McLaughlan die de politie werd uitgeschopt.

Tot nu toe had hij iedereen die ernaar had gevraagd ervan weten te overtuigen dat er met betrekking tot McLaughlans huidige emotionele toestand wellicht een misverstand in het spel was geweest, en misschien had het allemaal veel erger geklonken dan het in werkelijkheid was, en dat hij daarom bij wijze van voorzorgsmaatregel zijn huis was binnengevallen zonder het daarvoor benodigde huiszoekingsbevel, enkel en alleen om zich ervan te overtuigen dat moeder en kind niets was overkomen. Dubbelzinnigheid, bedacht Orme, dat al lange tijd werd beschouwd als het meest krachtige wapen in het arsenaal van de politicus, zou hem uitstekend van pas komen. Doheny had McLaughlan thuisgebracht nadat hij Orme had verteld dat hij van plan was later die dag bij hem op bezoek te gaan voor een borrel. Of Orme daar nog bezwaar tegen wilde aantekenen?

Orme had geen bezwaar, en nadat Doheny was vertrokken las hij nog wat recentelijk binnengekomen informatie die door de afdeling Ernstige Misdrijven aan hem was doorgefaxt door: Orme had het gevoel dat het misschien wel nuttig was om wat meer over Stuart Swifts achtergrond te weten te komen, en daardoor ook meer inzicht te hebben in zijn mogelijke geestestoestand op de ochtend van de overval. Ernstige Misdrijven had daarom een verslag opgestuurd dat was samengesteld door een sociaal werker, die dat had gedaan in opdracht van een rechter voor wie Stuart ooit als minderjarige was verschenen.

Orme wist niet hoe nuttig dit verslag uiteindelijk zou blijken te zijn, maar het was in elk geval buitengewoon interessant: Stuarts jeugd mocht zowel financieel als emotioneel gezien uiterst armoedig worden genoemd. Calvin had het overgrote deel ervan in de gevangenis gezeten, terwijl Stuart samen met zijn moeder in een flat in Soho had gewoond.

Ze was een soort actrice geweest, eentje die een paar keer in tv-spots was opgetreden, maar niet meer dan dat. Ze heette Barbara Sheldon en ze was met Calvin getrouwd toen ze nog maar net twintig was geweest.

Het was geen gelukkig huwelijk en kort nadat ze een scheiding had aangevraagd was Barbara spoorloos verdwenen. De politie koesterde argwaan, maar beschikte niet over harde bewijzen. Het dossier werd nooit gesloten. Slechts enkele maanden na Barbara's verdwijning werd Calvin veroordeeld tot tien jaar gevangenisstraf vanwege een gewapende overval. Stuart werd aan de zorgen van Ray toevertrouwd totdat zijn vader uit de gevangenis zou worden ontslagen.

Het was een zeer ongelukkige regeling, waarbij Stuart aan Ray probeert te ontsnappen, waarna die op zijn beurt zijn handlangers eropaf stuurt om hem te vinden en weer terug te brengen, en voor het eerst sinds de schietpartij besefte Orme dat Stuart misschien veel meer was dan zomaar een overvaller die zijn verdiende loon kreeg. Geen wonder dat die knaap uiteindelijk aan de drugs verslaafd was geraakt, dacht Orme. Op de een of andere manier mocht het een wonder worden genoemd dat hij het nog zo lang had uitgehouden.

Maar één ding stond vast, bedacht Orme. De kans dat Barbara Sheldon nog leefde, waar ze zich ook ergens mocht bevinden, was uiterst klein.

Je komt thuis om geconfronteerd te worden met een boodschap op het antwoordapparaat. Ze is samen met Ocky naar haar moeder afgereisd om daar een tijdje te blijven logeren – wat een klotecliché. Je bent teleurgesteld, alsof ze je in de steek heeft gelaten, alsof je liever had gezien dat ze was weggelopen met de een of andere knaap van wie je niet eens wist dat die zich op de achtergrond had opgehouden.

Ze wil dat je je realiseert dat ze je niet verlaten heeft – het is alleen maar dat ze er momenteel niet meer tegen kan: ze heeft behoefte aan een beetje gezond verstand om zich heen, iemand op wie ze kan steunen. Maar je neemt de hoorn van de haak en draait het nummer van haar moeder.

En dan leg je de hoorn terug en laat haar met rust. Ze wil een beetje ademruimte. Nou, die krijgt ze. Bovendien ben je opgelucht. Je weet iets dat noch zij, noch Orme, noch Doheny weet: Direct nadat je het politiebureau had verlaten werd je gevolgd. De auto van Doheny werd gevolgd. Ze hebben je gevolgd toen je naar huis ging. Ze bevinden zich nu ergens buiten en houden het huis in de gaten, en tenzij je kans ziet hen van je af te schudden, zullen ze je ook volgen naar je afspraak met Doheny.

23

De rivier de Clyde ontspringt als een klein bergbeekje in de Lowther-heuvels. Een groot deel stroomt ze door een van de fraaiste landschappen die Schotland te bieden heeft, maar er was niets fraais aan de desolate woestenij waar Jarvis nu naar keek.

Het stuk land was in feite een lappendeken van funderingen, sommige zo te zien van pakhuizen die hier rond de eeuwwisseling waren gebouwd. Op een gegeven moment gedurende de afgelopen vijf jaar had de afdeling Planning van de gemeente Glasgow de pakhuizen laten afbreken met de bedoeling daar huizen te bouwen. Misschien dat die huizen ooit nog een keertje gebouwd zouden worden – Jarvis wist het niet. Momenteel strekte het land zich uit zo ver als het oog reikte, aan de ene kant geflankeerd door een brede zwarte rivier waarop het momenteel laagtij was, zodat er een kleverige moddervlakte zichtbaar was die in Jarvis' ogen zonder meer als dodelijk betiteld mocht worden.

Hij probeerde de omvang van het uitgestrekte land vast te stellen, maar slaagde daar niet in. Het reikte tot aan de einder, in de lengterichting doorsneden door een kanaal dat evenwijdig met de voormalige spoorlijn liep. De rails waren al weggehaald, of waren zo door onkruid overwoekerd dat er niets meer van te zien was, alleen de oude spoordijk, met links en rechts ervan greppels.

De lucht die van de rivier afkomstig was drapeerde zich als een ijskoude doek over zijn gezicht. Hij had zoiets nog nooit eerder meegemaakt. Om hem heen stonden de hondengeleiders van de politie van Strathclyde diep in hun overjassen weggedoken, waarvan ze de kraag zo hoog hadden opgeslagen dat ook hun oren nog een beetje beschermd werden, terwijl hun honden aan de hand van de kaart die George had getekend het terrein doorzochten.

Sommige van de honden gingen op weg naar de rivier. Andere holden naar het spoorwegtalud, huppelden langs het jaagpad van het vol troep liggende kanaal, of schoten onder een steile boogbrug door die Jarvis niet bepaald mooi kon vinden.

Met name één specifieke hond trok zijn aandacht: hij was totaal anders dan de andere honden, allemaal Duitse herders. Dit dier was groter en had een schofthoogte van wel vijfenzeventig centimeter. Het grootste deel van die hoogte kwam voor rekening van de benen, die uitzonderlijk lang waren, en poten die even massief waren als die van een Ierse wolfshond. Zijn snuit was langer, smaller, en zijn kop heel breed. Maar het was vooral zijn kleur die hem van de andere deed verschillen: de andere honden waren zwart en geelbruin, terwijl hun goedverzorgde kortharige vachten glinsterden. Deze hond was grijs; en hij was langharig.

Hij stond daar, tilde tegen de wind in zijn snuit omhoog, nam de omgeving in zich op en overwoog hoe hij dit zou aanpakken. Vervolgens ging hij op weg en liep langs de spoordijk die naar de rivier leidde. Het duurde een tijdje voor hij terugkeerde, maar zijn begeleider leek zich daar geen zorgen over te maken.

'Dat lijkt me een goede hond,' zei Jarvis.

'Het is de beste hond in Glasgow. De allerbeste,' antwoordde de begeleider. 'Maar je moet niet proberen hem te aaien, of iets ander stoms – voor je het weet heeft hij je hand er afgebeten.'

Deze woorden zorgden ervoor dat er een huivering langs Jarvis' ruggengraat liep. Het herinnerde hem eraan wat er met Jimmy was gebeurd.

Na een kwartiertje kwam de hond terug, waarbij hij iets in zijn bek had. Een buigzaam iets, een breekbaar iets, dat over de grond sleepte omdat het voor de hond veel te groot was om fatsoenlijk tussen zijn tanden mee te kunnen voeren. Hij liet het voor de voeten van zijn begeleider op de grond vallen. De man draaide zich naar Jarvis om. 'Heb ik je niet verteld dat het een beste hond is?'

Jarvis, die neerkeek op een ruggengraat die van al het lichaamsweefsel was ontdaan, stak zijn hand uit om de hond te aaien, maar herinnerde zich nog net op tijd wat de man gezegd had en trok zijn trillende vingers snel terug.

De ogen van de hond waren smal en kil, het puurste ijsblauw dat Jarvis ooit had gezien. Hij had geen idee wat voor soort hond het was, maar hij vermoedde dat ergens in het verleden iemand een van zijn voorouders met een wolf had gekruist. Waar hij nu naar keek was het resultaat van dat kruisen, dat verschillende generaties lang had plaatsgevonden. Groot en slank bleef de hond bij de ruggengraat staan; het speeksel van de hond druppelde erop, alsof het instinct om het op te eten bijna overweldigend was.

'Ach,' zei de hondenbegeleider, 'je bent een goed dier, een príma dier. Goed gedaan!'

De meeste honden, dacht Jarvis, zouden bij het ontvangen van zoveel lof helemaal extatisch zijn geworden, maar deze hond keek zijn begeleider aan met een koel soort afstandelijkheid die Jarvis in de loop der jaren met George was gaan associëren. Hij hoefde niets te vragen om te weten dat zijn begeleider hem voor geen cent vertrouwde. Ik durf te wedden dat hij dat dier nooit de rug toe keert, bedacht Jarvis. Nog geen secónde.

Het was een vreemd groepje dat achter de hond aan langs de spoordijk liep. De andere hondenbegeleiders hadden hun dier ondertussen aangelijnd, maar deze mocht rustig los verder lopen. Hij bleef af en toe staan om de andere de gelegenheid te geven hem in te halen, en op een gegeven moment zei Jarvis: 'Vind je het niet erg om met zo'n hond te moeten werken?'

'Ik ken hem al vanaf de tijd dat hij nog een puppy was,' antwoordde de begeleider. 'Ik weet wat ik doe.'

Ik mag het voor je hopen, dacht Jarvis.

Ze liepen verder, waarbij de hond hen voorging onder de brug door langs het talud. Een kleine kilometer verderop schoot hij plotseling een van de greppels in, en de begeleider en Jarvis gingen er onmiddellijk achteraan.

Vóór dat tijdstip had Jarvis geen idee gehad dat een hond zijn bek zó wijd open kon doen om een groot en onhandig voorwerp tussen zijn kaken te kunnen klemmen, want de schedel mocht wel degelijk groot en onhandig worden genoemd. 'Goeie hond,' zei de begeleider een tikkeltje nerveus. 'Laat maar vallen. Goed gedaan.'

De hond was duidelijk niet van plan de schedel prijs te geven. Hij versmalde dreigend zijn ijsblauwe ogen en zijn nekharen kwamen omhoog om een kraag te vormen.

'Ach, hij zal straks wel loslaten. Laten we hem maar even de tijd geven,' zei zijn begeleider, en toen Jarvis om zich heen keek zag hij dat niemand bereid was ook maar enig risico te nemen. Als de hond nog even met die schedel wenste te spelen, dan was dat wat hun betrof prima.

Andere beenderen lagen lukraak in het gras verspreid, de armen, de benen en de ribben – allemaal uit de kleding te voorschijn gehaald die door de overledene was gedragen.

'Is dit de man die je zoekt?' vroeg de hondenbegeleider, en Jarvis, die precies wist wat Crackerjack op de dag van de Ladbrokes-klus had gedragen, wierp een blik op het jasje dat vlak bij de hond op de grond lag.

Hij knikte en de begeleider zei: 'Waarom denk je dat George hem hier heeft gedumpt, en niet in de rivier?'

Jarvis kende het antwoord, maar hield dat voor zich: de Clyde mocht, net als alle andere rivieren trouwens, roofzuchtig worden genoemd, maar wát hij ook aan menselijk leven tot zich nam, hij legde het over het algemeen ook weer keurig op de stoep van de stad. Als George Crackerjack in de Clyde had gegooid, zou zijn lichaam al na enkele uren zijn gevonden. Het feit dat het lijk vol gaten zat die afkomstig waren van een Thompson-pistoolmitrailleur zou voor de politie het onweerlegbare bewijs zijn dat hij was neergeschoten door de schietgrage bookmaker, en dit feit, plus de verklaring van de bookie waarin George als de andere overvaller werd genoemd, zou voor het Openbaar Ministerie voldoende reden zijn om George in staat van beschuldiging te stellen – met een heel grote kans dat hij deze keer veroordeeld zou worden.

Maar uiteindelijk bleken alle door George genomen voorzorgsmaatregelen vergeefs te zijn geweest: hij wist niet dat hij als een van de overvallers was geïdentificeerd, en uiteindelijk zorgde het feit dat Crackerjack van de aardbodem was verdwenen er alleen maar voor dat de jury ervan overtuigd raakte dat hij niet meer leefde.

De rechter was duidelijk geïrriteerd door Georges weigering om te vertellen waar hij het lichaam had achtergelaten, en Jarvis vermoedde dat de rechter van mening was dat Crackerjack, als hij op tijd medische hulp had gekregen, het misschien had overleefd. Als dat zo was, zou het verklaren waarom hij George tot zo'n zware straf had veroordeeld.

Herhalend wat volgens Jarvis weleens de particuliere mening van de rechter zou kunnen zijn, merkte de hondenbegeleider op: 'Als hij hem niet in de steek had gelaten, had hij vandaag de dag misschien nog geleefd.'

'Ik betwijfel het,' zei Jarvis. 'Hij moet toch echt dood zijn geweest voor George hem ergens zou hebben gedumpt.'

'Hoe kun je daar zo zeker van zijn?' vroeg de begeleider.

Jarvis' jaloezie jegens George zat erg diep, maar desondanks beschouwde hij zich nog steeds als iemand met enig eergevoel. Hij en Crackerjack waren samen opgegroeid, hadden als kinderen samen gespeeld, hadden in dezelfde straatbendes gezeten. Hadden samen in de nor gezeten. De verbondenheid die ontstond tussen mensen die dezelfde soort jeugd hadden gehad, die hun jeugd met elkaar hadden gedeeld, was onverminderd groot, en wat George ook gedaan mocht hebben, hij zou Crackerjack nooit ofte nimmer in z'n eentje hebben laten sterven. 'Ze waren bevriend met elkaar,' was het enige dat hij zei.

24

De studeerkamer van Bloomfield keek uit over sportvelden, vele hectares groen die zich uitstrekten vanaf de achterzijde van de gebouwen tot aan de heuvels van Berkshire.

Het was momenteel rustig op school, want dit waren de nogal lastige uren tussen het doen van huiswerk en de avondmaaltijd, wanneer de jongens die intern waren aan hun eigen lot werden overgelaten, en de leiding ervan uitging dat ze zich zouden bezighouden met het lezen van een boek, schilderen, of wat al niet.

Bloomfield, een van de al wat langer meelopende leraren, hing denkbeelden aan die totaal verschilden van die van het enigszins progressieve hoofd, en hij wist uit ervaring dat je jongens nooit ofte nimmer aan hun lot moest overlaten, onder welke omstandigheden dan ook, en als je dat wél deed, zouden de jongens in kwestie zich verspreiden over die gedeelten van het gebouw waar de andere leerlingen geacht werden niet te komen om daar óf te masturberen óf andere kostschoolklanten het leven moeilijk te maken.

Van lieden die er geen probleem van maakten als ze zich op die manier bezig moesten houden, kon gewoonlijk blindelings worden aangenomen dat ze zouden proberen zich te amuseren door het pesten van de jongere jongens – iets waar ze een grote bedrevenheid in hadden ontwikkeld – dus toen Bloomfield Figgis en Devereaux de sportvelden zag oversteken met een jongere leerling op sleeptouw, werd hij achterdochtig.

De jongen in kwestie was een eerstejaars. Watkins, of Simpkins, of iets dergelijks. Simpkins, dacht Bloomfield. Hij wist het nu bijna zeker. De jongen heette Simpkins.

Maar hoe hij ook mocht heten, hij leek te worden afgemarcheerd naar een groepje bomen dat de grens van het schoolterrein markeerde, en het was de weerzin die de jongen tentoonspreidde die Bloomfield attent maakte op het feit dat het blijkbaar tegen zijn zin gebeurde. Op een gegeven moment hield Figgis zelfs een van zijn armen vast, maar liet hem toen weer los, om hem even later weer achter zich aan te trekken of hem voor zich uit te duwen.

Devereaux keek ondertussen achterom om te zien of een van de leraren niet toevallig achter hen aan kwam.

Daar had hij zich geen zorgen over hoeven maken, bedacht Bloomfield. Het enige waar zijn collega-leraren momenteel in geïnteresseerd waren achteraan te gaan was een aantrekkelijke en buitengewoon ongeschikte dame die als assistent-hoofd van de interne dienst fungeerde. Het was toevallig haar vrije middag en driekwart van het lerarenkorps was momenteel verwikkeld in een uitputtingsslag als gevolg van haar onvermogen te beslissen met wie ze als volgende in het ledikant zou duiken.

Daarom verliet hij zijn van eikenhouten lambriseringen voorziene studeerkamer die zijn beloning was voor veertig jaar trouwe dienst en liep vanaf de achterzijde van het gebouwencomplex naar het sportterrein.

Tegen de tijd dat hij dat bereikte was het drietal verdwenen, maar hij was vast van plan ze in de gaten te houden en er heilig van overtuigd Figgis en Devereaux op heterdaad te kunnen betrappen bij datgene wat ze op dat moment Simpkins zouden aandoen. Maar voor hij nog een stap had kunnen verzetten, zag hij Simpkins bij de bomen vandaan rennen.

Even later volgden Figgis en Devereaux, maar die leken geen enkele haast te hebben. Ze zaten duidelijk niet achter hem aan, concludeerde Bloomfield. Ze keken hem eigenlijk alleen maar na.

Simpkins holde pal langs hem heen, en Bloomfield riep hem, maar Simpkins reageerde niet op het horen van zijn naam en Bloomfield draaide zich om om te zien hoe hij naar het gebouwencomplex rende.

Hij verdween door de poort die de verbinding vormde tussen de schoolgebouwen en het sportcomplex, waarna Bloomfield zich opnieuw omdraaide met de bedoeling zijn aandacht op de twee ouderejaars te richten.

Figgis was blijkbaar zo geamuseerd door de aanblik van Simpkins paniekerige aftocht, dat hij niet had gezien dat Bloomfield met grote passen zijn kant uit kwam. Er was een elleboogstoot tussen de ribben voor nodig, afkomstig van Devereaux, om hem te waarschuwen dat dit wel eens moeilijkheden zou kunnen betekenen, en Figgis haalde dan ook snel de zelfgenoegzame grijns van zijn gezicht.

Bloomfield was nog enkele meters van de jongens verwijderd, toen hij riep: 'Wat hebben jullie met Simpkins uitgespookt?'

Figgis, die de vervelende gewoonte had om een bij elke gelegenheid passende domheid voor te wenden, nam onmiddellijk de houding aan van iemand die diep en volkomen onterecht gekwetst was. 'Ik, meneer? Niets, meneer.'

'Waarom holde hij dan weg?'

'Dat weet ik niet, meneer.'

'Je hebt hem naar dat groepje bomen meegenomen.'

'Ik heb helemaal n–'

'Ik heb het zelf gezien, Figgis. Spreek me niet tegen.'

'Dat doe ik niet, meneer.'

'Je spreek me wel degelijk tegen.'

'Niet waar, men–'

'En jij, Devereaux, wat deed jíj daar tussen de bomen – en wat heb jij in godsnaam in je ogen zitten?'

Devereaux, van gemengde Frans/Noord-Afrikaanse origine, had een huid die dezelfde kleur vertoonde als Bloomfields wandelschoenen. Maar zijn donkerbruine ogen waren vandaag echter luminescent groen; blijkbaar had hij kans gezien de hand te leggen op contactlenzen zoals die bij het toneel werden gebruikt. 'Ik, meneer? Niets, meneer. Ze hebben deze kleur altijd al gehad.'

'Je ziet er bespottelijk uit. Hóe zie je eruit?'

'Bespottelijk, meneer.'

'Hoe kom je aan die dingen?'

'Ik heb ze geleend, meneer.'

'Van wie?'

'Dat weet ik niet meer, meneer.'

'Doe ze onmiddellijk uit.'

'Dat kan niet, meneer. Ze zitten aan mijn ogen vast.'

'Mijn studeerkamer. Morgenochtend om vijf uur – jullie alletwee – en zorg ervoor dat je je veldloopspullen bij je hebt.'

Ze kreunden, maar bleven toch staan, alsof ze nog meer straf verwachtten, en plotseling voelde Bloomfield alle energie uit zich weg vloeien. 'Oh, ga toch wég,' zei hij, en ze bewogen zich behoedzaam bij hem vandaan, terwijl Devereaux in zijn ogen wreef om de contactlenzen eruit te krijgen vóór hij door het hoofd zou worden gezien.

Bloomfield stond met zijn rug naar de bomen de twee jongens na te kijken. Toen ze halverwege op weg naar het gebouwencomplex waren, begon hij achter hen aan te lopen. En veranderde toen van gedachten. Hij wist niet precies waarom. Het was zijn bedoeling geweest om op zijn schreden terug te keren, de rust van zijn studeerkamer weer op te zoeken en voor het eten nog een pijp op te steken. Maar Simpkins had een doodsbange indruk gemaakt en Bloomfield kon niet geloven dat die doodsschrik alleen maar het resultaat was geweest van Devereaux' buitenaardse ogen.

Wat was er gebeurd nadat ze dat groepje bomen hadden betreden?

Hadden ze hem bedreigd? Hadden ze hem een pak slaag gegeven? Hadden ze hem verwond?

Hij concludeerde dat ze helemaal de tíjd niet hadden gehad om iets vreselijks met hem uit te halen. Ze hadden zich hoogstens twee tellen tussen de bomen opgehouden voor Simpkins de benen had genomen.

Maar hij was niet zozeer weggerend, vond Bloomfield. Hij was gevlúcht, en was niet eens blijven staan toen Bloomfield zijn naam had geroepen.

Hij draaide zich naar de bomen om, liep ernaartoe en ging het bosje binnen via een pad dat was uitgesleten door eindeloze generaties jongens die in het geheim een sigaretje wilden roken.

Alles bij elkaar was het een niet-onplezierige omgeving, zelfs in deze tijd van het jaar, nu de helft van de bomen geen blad meer droeg en de doorweekte grond ervoor zorgde dat zijn schoenen vuil werden.

Hij voelde hoe het vocht zich een weg door het leer drong, keek naar beneden en volgde het pad met zijn blik, om het volgende moment bij een den uit te komen. Die leek enigszins misplaatst tussen de kleinere, jongere eiken, een monoliet die tot hoog in de hemel reikte. Hij was groen, en erg vol, bijna de perfecte kerstboom, met een aangenaam symmetrische vorm; en aan een tak die ter hoogte van zijn borst naar buiten stak bevond zich één enkele decoratie.

Aanvankelijk besefte Bloomfield niet direct wat die decoratie voorstelde, behalve dan dat het rond was, paarsrood en opgezwollen. Hij liep er wat dichter naartoe om het eens wat beter te kunnen bekijken, en terwijl hij dat deed, werd hij zich ook bewust van het feit dat er zich in zijn lichaam bepaalde fysieke veranderingen voltrokken. Hij had er geen enkele controle over, en hij slaagde er alleen maar in zijn hartslag ietwat te vertragen door met korte, scherpe stoten adem te halen.

Terwijl hij dichterbij kwam vroeg hij zich af waar het vandaan kwam, en hoe het aan de boomtak vast was komen te zitten. En toen besefte hij dat een of andere jongen – Figgis, misschien, of Devereaux – het gevonden moest hebben en het vervolgens, om maximaal effect te bereiken, in de boom had gehangen.

Maar wie het ook geweest mocht zijn, wellicht was het dezelfde knaap die een brilletje rond de oogkassen had getekend, plus een Hitlersnorretje onder datgene wat nog van de neus over was.

Iemand had heel attent en uiterst zorgvuldig een oud schoolpetje op de schedel geplaatst, waarvan de klep iets over het voorhoofd was getrokken. En rond datgene wat nog van de nek over was, zat een oude schooldas, waarmee het hoofd aan de tak zat bevestigd.

Eén vreselijk ogenblik lang schoot de mogelijkheid door Bloomfields hoofd dat er een leerling werd vermist, dat de afgelopen week tijdens het ochtendappel misschien wel iemand anders had gereageerd wanneer de naam van die vermiste leerling door de leraar werd opgelezen.

En toen kreeg hij zichzelf weer in de hand. Het hoofd was dat van een man. En voor zover hij kon zien was het haar van de man grijs, evenals de bakkebaarden op zijn wangen.

Hij besefte dat hij de schedel niet aan moest raken, maar toch stak hij onwillekeurig zijn hand uit omdat hij zich verplicht voelde de sigaret die tussen de tanden was gestopt te verwijderen.

De lippen lieten geen enkel protest horen toen hij de sigaret op de grond liet vallen. Hij wist niet wat hem bewogen had hem weg te halen, hij wist alleen maar dat het verkeerd zou worden uitgelegd als hij ook zou toegeven aan de verleiding om het hoofd van de tak te slaan, om het te begraven, om net te doen alsof het er nooit was geweest.

Hij draaide zich om en verliet het groepje bomen, zichzelf daarbij dwingend langzaam te lopen, om rustig adem te halen, en zijn gedachten op een rijtje te zetten voor hij zijn studeerkamer zou bereiken, om vervolgens de politie te bellen.

25

Doheny had opzettelijk een pub uitgekozen waar veel politiemannen kwamen. Er waren ook wel burgers aanwezig, maar de meesten van de mensen die zich rond de bar verdrongen waren agenten die geen dienst hadden, waarvan er enkelen hun vrouw of vriendin bij zich hadden, maar het overgrote deel in gezelschap was van de mensen met wie ze elke dag samenwerkten; en ook al stootten de meesten van hen hun hoofd geregeld aan plafondbalken die waren aangebracht toen de gemiddelde lengte van een agent nog een meter vijftig was, ze zaten er duidelijk niet mee.

Het was warm binnen, en comfortabel. Het was er ook veilig. Elke keer dat de deur openging keken zestig paar ogen wie er binnenkwam. Als de bezoeker geen politieman was, bleven die ogen strak op de buitenstaander gericht totdat die zijn drankje op had en snel weer verdwenen was.

McLaughlan was er al vroeg en Doheny zag hem onmiddellijk na binnenkomst. Hij stond bij de bar met een onaangeroerd glas bier voor zich, en toen hij Doheny zag aankomen bestelde hij er ook eentje voor hem.

Doheny probeerde zich al schuddend te ontdoen van een leren Timberland-jack, bijna identiek aan het model dat Fischer had gedragen op de dag van de overval, en hing dat over de rugleuning van een stoel in de wetenschap dat dit waarschijnlijk de enige pub in Noord-Londen was waar je dat kon doen zonder ernstig het gevaar te lopen dat hij gejat zou worden. Gewoonlijk voelde hij zich volkomen op zijn gemak met McLaughlan, maar momenteel zag die knaap er zelfs úit als een vreemde.

Doheny was aanwezig geweest bij de sessie met Orme, en later waren er nog bijeenkomsten geweest met andere, hogere politieofficieren. In de komende weken en maanden zouden er nog andere sessies plaatsvinden, en als het zover was, zou McLaughlan vergezeld worden door een advocaat en zouden er ook andere vertegenwoordigers aanwezig zijn. Dat wil zeggen, als hij zijn hersens gebruikte. Na vandaag wist Doheny niet zeker meer of McLaughlan zich wel bewust was hoezeer hij in de problemen zat.

Later zou hij proberen hem te overtuigen van het belang van een door een politiepsycholoog opgesteld rapport. Zoals Orme hem al eerder nadrukkelijk had gezegd, kon een gunstig rapport ervoor zorgen dat hij niet uit het korps werd geschopt, hoewel niets ter wereld er nog voor zou kunnen zorgen dat hij ooit nog eens zou worden toegelaten tot een eenheid waarbij de kans bestond dat de mannen van vuurwapens gebruik zouden moeten maken. Van nu af aan waren het Flying Squad, de afdelingen Ernstige Delicten, Moordzaken, Drugsbestrijding en eenheden die zich bezighielden met het beschermen van het koningshuis en vips voor hem taboe. McLaughlan zou eindigen achter een bureau, met het maken van rapporten en met het regelen van het verkeer.

Het was geen toekomst waar Doheny met enige mate van enthousiasme naar uit zou kijken. Hij durfde er een eed op te doen dat McLaughlan ontslag zou nemen. Maar desondanks was hij van plan hem zo ver te krijgen dat hij Ormes advies ter harte zou nemen: als hij dat deed bestond in elk geval nog de kans dat hem zijn pensioenrechten niet werden ontnomen.

Het was een bizar gevoel, om in McLaughlans gezelschap in een café te zitten na alles wat er eerder was gebeurd. Doheny wist nauwelijks wat hij tegen hem moest zeggen, en McLaughlan leek niet geïnteresseerd in het geprat over koetjes en kalfjes waarmee Doheny hem geleidelijk aan naar de meer belangrijke onderwerpen wilde loodsen. Wat hij zei was zo onverwacht, dat Doheny niet zeker wist hoe hij moest reageren.

'Op weg hiernaartoe ben ik geschaduwd.'

'Robbie,' zei Doheny, 'ontspan je een beetje –'

Maar McLaughlan zei het opnieuw, zijn stem verheffend in een poging meer indruk op Doheny te maken: 'Ik zég je, ik werd geschaduwd.'

Doheny pakte McLaughlans glas op, evenals het zijne, en zette die neer op het tafeltje bij de stoel waar hij eerder zijn jack overheen had gehangen, en zei: 'Ga zitten.'

McLaughlan ging gehoorzaam zitten, maar keek daarbij Doheny niet aan, die plotseling zat opgezadeld met een pak chips waar hij niet om had gevraagd – gekregen van een meisje aan de bar dat nu al een paar maanden lang probeerde hem te versieren door precies te weten wat hij het liefste dronk en welke soort chips zijn voorkeur had; de ouderwetse waarin het zout nog verpakt zat in een dichtgedraaid donkerblauw stukje papier.

Doheny had een minuutje nodig om na te denken voor hij iets zou zeggen, dus maakte hij het pak chips open en rekte hij tijd door met twee vingers naar het dichtgedraaide pakje zout op zoek te gaan. 'Als jij Ormes advies opvolgt en bij die psycholoog op bezoek gaat, zul je ontdekken dat het voor mensen in jouw situatie heel gewoon is om te denken dat ze gevolgd worden.'

'Wat moet ik doen om jou zover te krijgen dat je me gelooft?'

'Het is een syndroom,' reageerde Doheny.

'Ze houden het huis in de gaten.'

Wel verdómme, dacht Doheny.

'Ik ben op weg hierheen gevolgd.'

Doheny was niet van plan om McLaughlans angsten opzij te schuiven, maar hij was ook niet van zins om eraan toe te geven. 'Robbie –'

'Een motorfiets – niet al te groot, een soort crossmotor – het is me niet gelukt het ding van me af te schudden.'

Zijn stem had nu iets manisch en klonk ook steeds schriller. Enkele mensen keken hun kant uit, en Doheny wilde niet dat algemeen bekend zou worden dat McLaughlan in de problemen zat. Hij stond plotseling op, greep McLaughlans arm beet en trok hem overeind. 'Laten we even een luchtje gaan scheppen,' merkte hij op.

Hij nam hem mee naar buiten, waar hij de inhoud van de zak chips op de grond gooide, om de zak zelf vervolgens aan McLaughlan te overhandigen met de mededeling: 'Adem hierin eens heel diep in en uit.'

McLaughlan, die wist dat dit de standaardmethode was om iemand op te laten houden met hyperventileren, probeerde het, maar hij had er enige ogenblikken voor nodig om het voor elkaar te krijgen. 'Rustig aan maar,' zei Doheny tegen hem, en ze leunden met hun rug tegen de muur van de pub op zo'n beetje dezelfde manier zoals ze dat hadden gedaan in het steegje, enkele ogenblikken voordat Orme opdracht had gegeven in actie te komen.

McLaughlan ademde in de zak en zoog de koolmonoxide vervolgens naar buiten, en terwijl er enkele seconden verliepen voelde hij hoe zijn hartslag iets minder snel werd en hoe zijn hoofd weer wat opklaarde.

Hij haalde de zak voor zijn mond vandaan en boog wat naar voren, waarbij hij zijn handen op zijn knieën liet steunen. Doheny keek bezorgd toe. 'Oké?'

McLaughlan wilde iets zeggen, Doheny nadrukkelijk zeggen dat hij zich die dingen echt niet verbeelde. Maar hij zei niets, bang dat de stem die uit hem zou komen dezelfde manische stem zou zijn die Doheny al in de pub had gehoord, die Claire had gehoord toen hij haar achterna was gehold om haar te smeken niet bij hem weg te lopen. Hoe dacht hij hen te kunnen overtuigen als hij dat probeerde met een stem die voor hetzelfde geld de stem van een waanzinnige zou kunnen zijn?

Doheny stelde hem nu vragen, maar de wand van de luchtbel was weer dikker geworden. Het dempte het geluid van zijn stem, en reduceerde die tot een monotone klank in de verte.

Toen boorde zich iets met het gemak van een kogel in de huid van de luchtbel. Een crossmotor, met daarop een in het zwart geklede berijder, terwijl er op zijn kleding geen enkel logo te zien was.

Doheny zei iets, maar de luchtbel kaatste zijn woorden terug de lucht in en ze drongen dan ook niet tot McLaughlan door. Hij had nog een laatste keer in de zak geblazen, maar toen hij de crossmotor zag had hij nog niet opnieuw ingeademd. In plaats daarvan had hij de zak dichtgeknepen en kon de lucht erin geen kant meer uit. De kleur van de zak, het feit dat hij aan de binnenkant was bekleed met aluminiumfolie – al deze dingen herinnerden hem aan de zilverkleurige, ronde ballon.

Hij wilde een waarschuwing schreeuwen, maar merkte dat hij door datgene wat er zou gaan gebeuren, waarvan hij wíst dat het zou gaan gebeuren, geen woord kon uitbrengen. Hij ramde zijn vuist tegen de zak en de lucht daarin explodeerde met een *plop* die nog het meest leek op een kogel die werd afgeschoten.

Doheny viel op de grond, zijn schedel uiteengereten door de kracht van de kogel. En toen was de crossmotor verdwenen, en bleef McLaughlan alleen achter.

Doheny, die nu op zijn knieën zat en zijn handen voor zijn gezicht had geslagen, was stervende. De bovenkant van zijn schedel was weggeslagen en geen enkele hulp, van welke kant dan ook, kon hem nog redden. Zijn heen en weer bungelende hoofd, de nagenoeg geluidloze schreeuw – het waren de bezweringen van een man die in feite al dood was.

Het geluid van het schot zorgde ervoor dat er mensen de straat op kwamen rennen – een stuk of wat bezoekers van een restaurant een eindje verderop, maar toch voornamelijk mannen uit de pub waar Doheny en McLaughlan hadden afgesproken. Ze dromden om Doheny heen, de meesten te geschrokken om iets te kunnen doen, terwijl weer anderen probeerden hem zo goed mogelijk te helpen. Maar het volgende ogenblik viel Doheny voorover, alsof hij tot Allah bad. En toen was hij stil.

26

Orme stond voor het hek van het prestigieuze buitenhuis van de Swifts in Berkshire. Hij was, net als het arrestatieteam dat hij had meegebracht, gekleed alsof hij rekening hield met een grootschalige schotenwisseling.

Nadat de beveiligingscamera onklaar was gemaakt gaf hij enkelen van zijn mannen opdracht om tegen de zware smeedijzeren hekken te klimmen. Anderen werkten zich over de muur, die aan de bovenkant van uiterst scherpe mesjes voorzien was, en sprongen vervolgens in de tuin. Calvin, bedacht Orme, zou niet bepaald onder de indruk zijn als hij zag hoe zijn dobermannpinchers hun tanden zouden ontbloten, om even later mokkend weg te lopen voor de ultrasone geluidsgolven die de politie tegen hen inzette, alsof het ging om de een of andere hightech-staf waarmee het vee de goede kant uit gedreven werd.

Ze blaften, maar ondanks het feit dat er licht in het huis brandde kwam er niemand poolshoogte nemen, en Orme woog zijn mogelijkheden af: hij kon de elegante voordeur van dit Georgian-buiten in laten rammen, of hij kon van de klopper gebruikmaken. De omstandigheden bepaalden in feite dat hij zou kloppen, maar de moord op Doheny had hem zo woedend en tegelijkertijd zo triest gemaakt, dat hij opdracht gaf de hydraulische ram te gebruiken.

Hij merkte dat het hout van de deur massief was. Er waren drie stoten van de ram voor nodig om de deur van de scharnieren los te slaan, scharnieren die hem honderdvijftig jaar lang stevig op zijn plaats hadden gehouden. Er waren nog enkele punten waar agenten zich toegang tot het huis verschaften – via twee achterdeuren en een venster – maar het team kwam nagenoeg gelijktijdig binnen.

De elegante hal baadde plotseling in het licht, alsof er op diverse plaatsen neonstrips waren ontstoken, en Sherryl stond met knipperende ogen op de overloop. Ze had geslapen, dat was duidelijk te zien, maar ze schudde haar verwarring van zich af en kreeg zichzelf weer onder controle op een manier waar – daar was Orme van overtuigd – Ray trots op zou zijn geweest. 'Wat willen jullie, godverdómme?'

Orme wilde heel wat: hij wilde de Swifts naar het bureau Tower Bridge overbrengen en net zo lang vasthouden als de wet maar toestond. En hij was van plan om hen, terwijl ze daar in hechtenis zaten, in te prenten dat als hij ook maar érgens hoorde fluisteren, nu of wanneer dan ook, dat ze op énige manier voor de dood van Doheny verantwoordelijk waren, hij ze vanaf nu tot het graf zou blijven achtervolgen, net zo lang tot ze voor hun daden terecht zouden staan. Hij zou ze geen enkel moment van rust gunnen. Hij zou geen enkele deal met ze sluiten. Hij zou ervoor zorgen dat ze zouden creperen, mocht dat nodig zijn. 'Waar zijn ze?' wilde hij weten.

Sherryl trok een ochtendjas aan. 'Waar zijn wíe?'

Orme was in drie stappen de trap al op en stond twee tellen later op de overloop. Dat was tevens het signaal voor zijn mannen om zich door het huis te verspreiden en op zoek te gaan naar Calvin, Ray, of wie ze verder nog in de boeien konden slaan. Het doorzoeken van de vertrekken ging gepaard met een mate van behoedzaamheid die van mannen die er voortdurend rekening mee moesten houden dat er op hen geschoten zou kunnen worden, verwacht kon worden.

'Ik wil ze,' zei Orme. 'En ik wil ze nú!'

Alsof ze absoluut niet onder de indruk was van het feit dat het huis enige ogenblikken geleden door een gewapende politie-eenheid was bestormd, antwoordde Sherryl doodkalm: 'Nou, dan zul je even moeten wachten,' en voegde er op een zelfvoldaan toontje aan toe: 'Ze zijn er niet.'

Orme had met alle liefde haar lip opnieuw gespleten, maar zag daar toch van af. Hij moest moeite doen zich te beheersen.

'Ze hebben een korte vakantie genomen,' zei ze. 'Spanje. Ze zijn naar Spanje afgereisd. Ooit wel eens in Spanje geweest? Het is rond deze tijd van het jaar héérlijk weer daar.'

Orme, die razend werd van haar onbeschaamdheid, zei: 'Wanneer zijn ze vertrokken?'

'Eergisteravond.' Haar stem verhardde nu, en ze vervolgde: 'En als je me niet gelooft dan vraag je het maar na op Heathrow!'

Hij duwde haar opzij en beende langs haar heen om met een handvol van zijn mannen de kamers op de eerste etage te doorzoeken. Hij hoefde helemaal niets op Heathrow na te vragen, noch ergens anders, om te weten wat hij zou aantreffen: als er een ernstig misdrijf had plaatsgevonden en alle vingers wezen in de richting van de Swifts, toonden de documenten steeds weer aan dat ze ten tijde van de misdaad ergens op het continent zaten. Het was een gemakkelijk en effectief alibi, vooropgesteld dat je over de financiële middelen beschikte om een paar mensen die sterke gelijkenis met jou vertoonden bereid te vinden met gebruikmaking van jouw paspoort naar het buitenland te vliegen. Orme was er heilig van overtuigd dat de Swifts nog steeds in Engeland waren. Maar hij was er even heilig van overtuigd dat de mogelijkheid hen thuis aan te treffen uiterst klein was. Hij had dat geen moment verwacht, maar voor alle zekerheid had hij toch een inval moeten organiseren.

Hij en zijn mannen doorzochten elk vertrek van het huis, en meer nog, en als zij het daarbij noodzakelijk achtten om een paar stukken antiek meubilair omver te gooien, waardoor er nogal wat krassen op kwamen en er zelfs stukjes van af werden gestoten, kon Orme daar onder de gegeven omstandigheden alleen maar begrip voor opbrengen.

Sherryl stond vanuit de deuropening toe te kijken. 'Klootzakken,' zei ze, waarna Orme haar adviseerde uit te kijken wat ze zei. Hij had het niet als een letterlijke bedreiging bedoeld, maar ze nam het wel als zodanig op; ze bracht een hand naar haar mond omhoog en tastte naar de korst die zich daar had gevormd, het gevolg van de confrontatie die hij met haar had gehad ten tijde van zijn laatste bezoekje hier.

Ze beende driftig weg, en terwijl Orme haar nakeek vroeg een van zijn mannen: 'Wat nu?'

Verdomd goeie vraag, vond Orme.

Hij was vrij van dienst en thuis geweest toen het nieuws van de moord op Doheny hem bereikte. Hij was linea recta naar de plaats des onheils gegaan, en van daaruit naar Doheny's huis, waar hij zijn vrouw had verteld wat er was gebeurd.

Uiteindelijk had hij Doheny's vrouw en kinderen achtergelaten onder de hoede van familie en vrienden, en was hij naar het bureau gereden om een team samen te stellen dat het buiten van de Swifts kon doorzoeken. Maar dat was in feite een voorspelbare reactie op de moord geweest. Hij had iets positiefs willen doen, het idee willen hebben dat hij iets deed, iets deed waardoor de Swifts helemaal door het lint zouden gaan, hoewel voor hem vaststond dat ze, als hij ze toch thuis aan mocht treffen, een en al de verbaasde onschuld zouden spelen. *Een moord, Leonardo? Een van jullie eigen mensen? Lieve hemel – het moet ook niet veel gekker worden in deze wereld, toch? Als ik tijd heb moet ik eens een briefje naar mijn parlementslid sturen.*

Er was nog een andere reden waarom hij zo snel in actie was gekomen: in haar shock en ongeloof had Doheny's vrouw hem twee uiterst simpele vragen gesteld. De eerste was: *Wie*? En de tweede vraag was: *Waarom*? En Orme had haar geen antwoord kunnen geven. Hij had automatisch aangenomen dat de Swifts achter de moord op Doheny zaten, want dat was hetgeen hij wilde geloven. Of, liever gezegd, hij wilde geen geloof hechten aan het alternatief, en dat was dat Doheny was doodgeschoten door McLaughlan. Desalniettemin moest hij met die mogelijkheid rekening houden: vaststond dat ze enkele ogenblikken vóór de schietpartij samen waren geweest; een stuk of wat politiemensen die geen dienst hadden gehad hadden gerapporteerd dat ze ze samen in de pub hadden gezien. Diezelfde politiemensen hadden gemeld dat ze hadden gezien hoe Doheny McLaughlan mee naar buiten had getrokken, waardoor de indruk werd gewekt dat er tussen beide mannen problemen waren gerezen. Maar of dat probleem nou had geresulteerd in een McLaughlan die het vuur had geopend op Doheny? Wie het wist mocht het zeggen. Dat was iets waarover Orme niet eens wílde nadenken. Het was mogelijk dat McLaughlan gelijk had gehad toen hij zei dat hij vermoedelijk werd gevolgd, en het was mogelijk dat Doheny per ongeluk was neergeschoten, dat McLaughlan het beoogde doelwit was geweest. Maar als McLaughlan niets te verwijten viel, waarom was hij er dan vandoor gegaan?

Wie de moordenaar ook mocht zijn, het was een zelfverzekerde, nauwkeurige schutter geweest. Hij had slechts één schot afgevuurd, want meer was niet nodig geweest. Een amateur zou een hele kogelregen in het rond hebben gesproeid, maar deze moordenaar had één enkele kogel in de achterzijde van Doheny's schedel gepompt. Meer dan al het andere bewees dit dat het hier om een professional ging. Maar huurmoordenaars waren dan ook meestal uitstekend getraind in het hanteren van vuurwapens, bedacht Orme.

Hij wilde er niet van uitgaan dat McLaughlan Doheny had doodgeschoten, en toch diende hij het feit onder ogen te zien dat ook McLaughlan een professionele schutter was – alleen was hij getraind door en in dienst van de politie. En er was nog iets anders, bedacht Orme: Doheny was een meter zeventig lang, wat kleiner was dan de gemiddelde politieman bij de Metropolitan Police. McLaughlan daarentegen was met zijn bijna een meter vijfennegentig het tegenovergestelde. Zo gemakkelijk was het ook weer niet om de verkeerde persoon neer te schieten als je doelwit bijna dertig centimeter langer was dan de knaap die naast hem stond.

Het zag er weinig rooskleurig uit.

Het leek al een hele tijd geleden dat hij en zijn mannen het huis van McLaughlan waren binnengedrongen om hem het geweer met afgezaagde loop afhandig te maken. Maar dat was nog geen twaalf uur geleden, en nadat McLaughlan naar het bureau was overgebracht had Claire ervoor gekozen om naar haar moeder in Radnage te gaan.

Zodra ze was vertrokken was McLaughlans huis grondig doorzocht. Er werden geen andere wapens gevonden, maar McLaughlan had wél kans gezien de hand te leggen op een geweer met afgezaagde loop op een moment dat hij meende zo'n ding nodig te hebben, wat betekende dat hij ergens een contactman moest hebben – iemand die hem aan dat wapen had kunnen helpen. Zou hij na het verlaten van het politiebureau opnieuw naar dat contact zijn gegaan om een nieuw wapen te halen?

Orme zat met nog een probleem opgezadeld: zijn eigen superieuren zouden ongetwijfeld willen weten wat hem had bezield om McLaughlan toestemming te geven het bureau te verlaten nadat hij nog maar enkele uren daarvoor door een heel team gewapende agenten uit zijn huis was gehaald.

Orme was van plan met het argument te komen dat hij hem – afgezien dan van de mogelijkheid een aanklacht wegens illegaal wapenbezit tegen hem in te dienen, wat in feite het einde van zijn loopbaan bij de politie tot gevolg zou hebben – moeilijk vast had kunnen houden. Achteraf bezien en geredeneerd mocht dan duidelijk zijn wat hem te doen had gestaan, op het moment dat hij de situatie had geëvalueerd was hij tot de conclusie gekomen dat McLaughlan geen enkel gevaar voor zijn omgeving of zichzelf vormde.

Orme hoopte dat zijn superieuren uiteindelijk begrip zouden kunnen opbrengen voor zijn verlangen 'een van hun eigen mensen' in bescherming te nemen, met name nadat hij hun had verteld dat McLaughlans angst dat de familie van de overledene wel eens een huurmoordenaar zou kunnen inzetten om hem naar de andere wereld te helpen, niet helemaal uit de lucht was gegrepen: de Swifts vormden een familie die berucht was vanwege hun zucht naar wraak – je hoefde alleen maar te kijken naar wat Calvin volgens de geruchten met zijn voormalige vriendin had gedaan om dat te beseffen. En waar was Calvins vrouw gebleven? Die werd al bijna tien jaar vermist.

Het zag er voorlopig naar uit alsof iemand binnen het korps uit de school had geklapt en had verteld dat Ash Stuart erbij had gelapt, dus wie durfde er met zijn hand op zijn hart te zweren dat McLaughlan of een van zijn gezinsleden niet de volgende zou zijn? En McLaughlan had er ook niemand mee bedreigd. Hij had een vuurwapen geregeld omdat hij zijn gezin wilde beschermen. Zo onredelijk was dat niet, vond Orme.

Maar het wás een misdaad, en het wás genoeg om hem er bij de politie uit te gooien. En als ik me nu eens heb vergist? bedacht Orme. Als McLaughlan nou eens helemaal de weg kwijt is en ergens iemand met een AK-47 bedreigt?

Hij zou morgenochtend eerst naar de gevangenis rijden waar Leach in voorarrest zat en hem nog eens stevig de duimschroeven aandraaien, eens kijken of híj misschien enig licht kon doen schijnen op de verblijfplaats van de Swifts. Erg waarschijnlijk was dat niet – maar je kon nooit weten.

Ondertussen had hij de politie van Thames Valley op de hoogte gebracht van het feit dat de echtgenote van een van zijn mannen momenteel op een adres in Radnage verbleef, dat zich rond de vrouw misschien een precaire situatie zou kunnen ontwikkelen en dat het verstandig was om dat adres door een mannetje in de gaten te laten houden. Wellicht was het ook aan te raden om een overvalwagen in de buurt te hebben.

Nadat hij bij Leach langs was geweest zou hij bij Claire op bezoek gaan. Hij wilde haar zelf vertellen wat er met Doheny was gebeurd, en hij wilde er zeker van zijn dat alle voorzorgsmaatregelen betreffende haar veiligheid waren getroffen. Het was nu al te laat om dat nog te doen. Orme had het gevoel dat hij momenteel niets meer kon doen, en hij was hard aan wat slaap toe. McLaughlan echter, waar hij ook ergens mocht zitten, had een koude nacht voor de boeg, tenzij hij vrienden had tot wie hij zich kon wenden. Hij vroeg zich af waar hij ergens zat. Hij vroeg zich af wat hij had gedaan. Alstublieft, God, dacht Orme. Laat het Swift zijn, en maak dat het McLaughlan niet is.

27

Orme zal naar je op zoek gaan. Hij weet dat je een afspraak met Doheny had. Hij zal willen weten waarom je bent verdwenen toen de politie en het ambulancepersoneel massaal ten tonele verschenen. Misschien had je nóg wel een wapen? Misschien heb jíj Doheny wel neergeschoten?

Voor de allereerste keer in je leven realiseer je je hoe het is om op de vlucht te zijn, en daardoor moet je weer aan je vader denken. Onwillekeurig denk je dat hij je misschien wel zou willen helpen als hij zou weten in welke situatie je verkeert.

De laatste keer dat je hem zag was hij net uit de gevangenis ontslagen. Je was om hem te vinden naar de Gorbals gegaan, en je was ernaartoe gegaan in de verwachting dat je niets meer voor dat oord zou voelen. Maar daar aangekomen merkte je dat niemand zelf kan beslissen waar hij ergens thuishoort. Mensen worden door een bepaalde plaats opgeeist. Niet andersom. En een wijk als de Gorbals stroomt door de aderen als een erfelijke ziekte. Je bent er geboren. Je hebt je eerste jaren daar doorgebracht, kruipend over het een of andere binnenplaatsje, net als je broer en je vader vóór jou. Dus sprak je omgeving je toe op een manier waaruit de dreiging sprak dat men je nooit zou laten gaan. Je ademde de lucht in die proefde naar de rivier, naar roestend staal, naar bekenden, dus voor het eerst in je leven begreep je wat hem had gedreven na zijn vrijlating hier naartoe terug te keren.

De oude huurwoningen waren verdwenen, en in hun plaats stonden nu torenflats van wel twintig etages hoog. Je had een adres van hem en het leidde je naar een van die flats. Om er binnen te komen moest je door een stalen deur waarvan het raampje van veiligheidsglas kapot was geslagen. Je hoefde niet naar de lift te kijken om te weten dat die het niet zou doen, dus nam je de trap naar de twintigste verdieping, een kale betonnen trap terwijl de penetrante stank van urine tot diep in je longen doordrong.

Je bonsde op de deur van een van de flats, en hij deed open, terwijl er een flikkering van verrassing op zijn gezicht verscheen, om direct daarna de pupillen van zijn ogen te sluiten.

Het was net alsof hij je buitensloot. Hij maakte aanstalten om de deur weer dicht te doen, maar je stak je voet achter de drempel, je hoofd zo dicht bij zijn gezicht dat je zijn zweet kon ruiken. Hij gaf het op. Hij ging terug naar binnen en je liep achter hem aan.

Je was er nog nooit eerder geweest. Je kende die kamer helemaal niet. Maar je kende wél elk meubelstuk dat in dat vertrek stond, en op de een of andere manier stoorde het je om zulke vertrouwde spullen in zo'n onbekende omgeving te zien. In de loop der jaren hadden mensen hun bekers met hete vloeistof op zo'n beetje elk houten oppervlak geplaatst, op de tafels, op de armleuningen van stoelen, zodat er een heel samenstel van lichtbeige ringen tegen een achtergrond van goedkoop fineer was ontstaan.

Aan een van de wanden hingen foto's van Jimmy, plus nog een paar van Iris en Elsa, maar niet eentje van jou. Er was maar één enkel kiekje van Tam, en toen je die foto wat beter bekeek, duurde het even voor je besefte wie het was. Je wilde opmerken dat hij er heel anders uitzag, dat je je hem zo niet herinnerde, maar toen realiseerde je je dat je herinnering in de loop der jaren had gelogen. Het had een beeld van Tam opgebouwd dat niets met de waarheid te maken had. Hij had op Iris geleken, eenvoudig en sterk, en niemand wilde geloven dat jullie broers waren.

George stond bij het venster, zo ver mogelijk bij je vandaan als in deze kamer maar mogelijk was. Hij leunde tegen de vensterbank, met zijn rug naar torenflats gekeerd die zich zo ver uitstrekten als het oog reikte. Hij vroeg waar hij je bezoek aan te danken had, en je vertelde hem dat je was gekomen om een boodschap af te geven.

'Kom maar op dan,' zei hij, dus kwam je met je boodschap op de proppen. Je liep naar hem toe, bleef op een halve meter voor hem staan en gaf uiting aan je gevoelens door een serie stoten recht op de maagstreek. 'Je bent de meest waardeloze vader die er ooit bestaan heeft voor een kind. We hebben hele nachten wakker gelegen, biddend dat de politie aan de deur zou komen om te vertellen dat je dood was – en als je ook maar één vinger uitsteekt naar Jarvis, of mijn moeder –'

De kracht achter die stoten zou een kleiner iemand moeiteloos hebben doen neergaan. Je vader sloeg geschrokken dubbel, maar ging niet neer, en toen hij in de tegenaanval ging kreeg je een beetje het idee hoe het geweest moest zijn om klappen van Jimmy te krijgen – alsof je van een erg hoog gebouw afsprong. Een ongelooflijke dreun, waarbij al je inwendige organen van het ene op het andere moment vloeibaar werden.

Het was Iris geweest die je redde, Iris die het vertrek binnenstapte en je liggend op de vloer aantrof terwijl je vader je weer overeind trok om je vervolgens weer tegen de vloer te slaan. Ze vloog op hem af, haar vuisten als ijzeren ballen. Ze stuiterden af tegen zijn rug en hadden evenveel invloed op hem als een stelletje knikkers. Maar hij hield op.

Je wilde de flat uit lopen met nog iets van waardigheid, maar het lukte je niet eens overeind te komen, en daar lag je dan, happend naar adem, met bloed op je handen, op je gezicht, op de vloer. Hij ramde een hoge schoen tussen je ribben, een uiterst pijnlijke trap, zo'n soort trap die een rib kon doen breken, die dan je long doorboorde. 'Sta op,' zei hij, maar dat lukte je niet. Je spuwde bloed, maar je kon niet overeind komen, en het laatste waartoe je nu in staat bent is hem opnieuw aanvliegen.

Dus loop je door de straten en ben je op zoek naar een portiek waar je je die nacht kunt verschuilen. Misschien dat Orme je al voor het aanbreken van een nieuwe dag weet op te sporen, en als hij het niet is, bestaat de kans dat Swift of een van zijn mannen de honneurs zullen waarnemen. De kogel die Doheny heeft gedood was voor jou bedoeld. De afgelopen keer hadden ze de verkeerde te pakken. De volgende keer zullen ze die fout niet maken.

28

De ochtend na Doheny's dood ging Orme bij Leach op bezoek. Hij kwam tot de conclusie dat Leach wat gewicht had ingeleverd sinds hij hem voor het laatst had gezien, maar dat was niet ongewoon bij dit traject: mensen in voorlopige hechtenis verloren altijd meer gewicht dan de gemiddelde bajesklant. Mensen die hun rechtszaak achter de rug hadden en tot een gevangenisstraf waren veroordeeld, hadden de neiging om zich na verloop van tijd bij hun situatie neer te leggen. Ze wisten hoe hun toekomst eruitzag en zaten hun tijd uit. Maar mensen in Leach' positie maakten zich over het algemeen voortdurend zorgen.

Orme was ernaartoe gegaan met de intentie zo min mogelijk te doen om Leach' zorgen te verminderen. 'Gisteravond is een van mijn mannen doodgeschoten.'

Een ogenblik lang maakte Leach een doodsbange indruk, alsof Orme op het punt stond hem daarvoor persoonlijk verantwoordelijk te houden. Hij zei iets waardoor Orme aan het lachen gebracht had kunnen worden als het slachtoffer geen Doheny had geheten: 'Ik heb de hele nacht in m'n cel gezeten.'

'Vinny,' zei Orme, en zijn toon zorgde ervoor dat er een koude rilling over Leach' ruggengraat liep, 'toen ik je voor de eerste keer verhoorde, vertelde je me dat je was ingehuurd om wat onderhoudswerkzaamheden voor Calvin te verrichten.'

'Hoezo?' reageerde Leach.

'Wat was het adres van dat pand?'

Leach was iemand bij wie angst zijn gelaatstrekken zó aanstuurde dat hij van het ene op het andere moment op een doodsbange hond leek. Zijn lip krulde half omhoog en zijn stem was niet veel meer dan een jammerend gefluister. 'Dat kan ik me niet meer herinneren.'

Orme vervolgde: 'De man die is doodgeschoten – Doheny – was een van mijn beste mensen, maar meer dan dát, was hij iemands man en iemands vader, dus als ik ontdek dat de Swifts achter deze moord zitten, zal ik er persoonlijk voor zorgen dat als jouw zaak voorkomt, de jury dondersgoed weet dat jij hebt geprobeerd hun verblijfplaats voor ons te verzwijgen.'

'Ik weet niet waar ze ergens zitten.'

'Maar je weet wél waar dat pand ergens was.'

'Alstublieft, meneer Orme, u weet dat ik niet kan vertellen waar dat ergens is. Ik heb óók kinderen.'

'Je hebt vierentwintig uur,' zei Orme. 'Als ik vóór die tijd niets van je gehoord heb, dan beloof ik je, Vinnie, dat ik een manier zal vinden om ervoor te zorgen dat jouw naam in verband met de moord op Doheny zal worden gebracht.'

Met die woorden om over na te denken liet Orme hem achter, en terwijl hij bij de gevangenis wegreed realiseerde hij zich dat hij dus nóg een sessie met Leach zou moeten hebben, een sessie die ongetwijfeld zou beginnen of eindigen met een in tranen uitbarstende Leach. Het was niet bepaald het soort gedrag dat de meeste mensen in verband brachten met de gemiddelde overvaller, maar het was bij gevangenzittende roofovervallers niet ongewoon om af en toe wat overdreven te reageren.

Er moesten toch aanzienlijk minder zware, stressvolle beroepen bestaan, bedacht Orme.

Hij keerde naar het bureau terug, waar hij een rapport van de technische recherche op zijn bureau vond. Het bevatte de informatie dat Doheny was gedood door een 9mm-kogel, en dat het schot was afgevuurd van een afstand van circa tweeënhalve meter. Het bevatte ook een lijstje van de verschillende wapens waarmee een 9mm-kogel kon worden afgeschoten: een Smith & Wesson Model 10, een Browning en een Heckler & Koch MP5, om er maar eens een paar te noemen.. Maar de jongens van de technische recherche staken dit keer hun nek uit en kwamen met de bewering dat het in dit specifieke geval zeer waarschijnlijk om een Glock 17 ging.

Op dit soort informatie zat hij niet bepaald te wachten, en al helemaal niet omdat hij maar al te goed wist dat de Glock het favoriete wapen van McLaughlan was: zoals de meeste agenten die getraind waren in het gebruik van vuurwapens, had hij in het verleden deel uitgemaakt van een bemanning van een overvalwagen, en het standaardwapen aan boord van die overvalwagens was meestal de Smith & Wesson Model 10.

Dat waren revolvers van het kaliber .38 waarmee zes schoten konden worden afgevuurd, en die in de handen van een gemiddelde schutter tot op een afstand van vijfentwintig meter nauwkeurig waren. In handen van een goede schutter als McLaughlan waren ze tot op nóg grotere afstanden accuraat, en toch had McLaughlan het nooit een prettig wapen gevonden. Een specifieke reden daarvoor was er niet. Wat wapen betreft was het een van de beste revolvers ter wereld. Maar McLaughlan had toestemming gevraagd om een Glock te mogen dragen, een zelfladende automatic met een magazijn waar zeventien patronen in konden.

Iedereen zijn favoriete wapen, bedacht Orme, die zelf de voorkeur gaf aan de Model 10. Maar toch, hoewel hij geoefend was in het gebruik van vuurwapens, kon je McLaughlan niet echt een scherpschutter noemen, een *hitman*.

Tijdens de afgelopen jaren was de Glock 17 het standaardwapen geworden, maar ze werden alleen verstrekt als dat noodzakelijk leek, en dan alleen maar in opdracht van een bevelvoerend officier. En de mannen die zo'n ding uitgereikt hadden gekregen, leverden hem na gebruik weer in bij de politieman die voor die wapens verantwoordelijk was, en die ervoor moest zorgen dat alle Glocks uiteindelijk weer naar de wapenkamer terugkeerden. Het was daarom weinig waarschijnlijk dat McLaughlan kans had gezien de gebruikelijke veiligheidsmaatregelen te omzeilen: als de mannen het bureau binnenstapten of vertrokken, moesten ze door detectiepoortjes van het soort dat ook op vliegvelden werd gebruikt. Als iemand een wapen bij zich had, zou dat onmiddellijk het alarm doen afgaan. Als hij had geprobeerd een pistool te stelen, zou hij ongetwijfeld gepakt zijn.

En toen besefte hij plotseling dat het helemaal niet zo zeker was dat McLaughlan daarbij gepakt zou zijn. Juist hij, als redelijk hoge politieman, zou toch moeten weten dat als iemand erop gebrand was een misdaad te begaan, zo iemand buitengewoon creatief kon zijn. Als

McLaughlan een Glock van de politie had willen ontvreemden, dan zou hij daarin hoe dan ook geslaagd zijn.

Maar dat zou al die moeite niet eens waard zijn geweest, bedacht Orme, laat staan het risico, want McLaughlan zou ongetwijfeld weten wie er momenteel in illegale wapens handelde. De markt werd overspoeld door Glock 17's, en hoewel ze niet bepaald goedkoop waren, bracht het illegaal aankopen van zo'n ding heel wat minder risico's met zich mee dan te proberen er een door een detectiepoortje op het bureau te smokkelen.

Hij probeerde niet langer langs deze lijnen te denken, maar het feit bleef dat hij er nog steeds niet van overtuigd was dat Doheny was gedood door een huurmoordenaar, en er was nog iets anders: hoe je deze zaak ook bekeek, Orme kon nog steeds niet geloven dat een professionele hitman Doheny en McLaughlan door elkaar zou halen. Ze hadden een totaal andere lichaamsbouw. En hij kon ook niet om het feit heen dat McLaughlan na de schietpartij ervandoor was gegaan.

De vraag was, dacht Orme, wáár was hij naartoe gegaan? Niet naar huis. Dat was duidelijk. Orme had om te beginnen opdracht gegeven zijn huis in de gaten te houden, voor het geval hij alsnog zou komen opdagen. Het feit dat hij niet had laten blijken dat hij had aangenomen dat het in de gaten werd gehouden – zo niet door een van Swifts mannetjes, dan wel door de politie.

Het was zinloos om mankracht te spenderen aan het laten observeren van een huis als de bewoner daarvan wel beter wist dan zich te vertonen, dus maakte hij daar een einde aan en zei hij tegen zijn mensen dat ze hun energie maar moesten concentreren op het zoeken naar McLaughlan zelf. De man was een meter vijfennegentig. Wáár hij ook ergens mocht zitten, in elk geval niet in iemands plantenkas, opgerold onder een fuchsia. De knaap kon niet over het hoofd worden gezien. Je móest hem wel opmerken. Hij was *vínd*baar, vond Orme.

Toen Orme Claire belde om haar te vertellen dat hij op weg naar haar toe was, zei ze: 'Er staat sinds gisteravond een politiewagen voor het huis.'

'Dat is alleen maar een voorzorgsmaatregel,' zei Orme.

'Tegen wát?'

'Dat leg ik je uit als ik bij je ben.'

Hij verliet het bureau en reed Londen uit. Hij had het adres waar Claire verbleef, maar geen enkel idee in wat voor soort huis hij haar zou aantreffen. Onder de gegeven omstandigheden – een van zijn mensen doodgeschoten en een ander verdwenen – had hij nog geen tijd gehad om daar over na te denken.

Als hem ernaar gevraagd was, zou hij waarschijnlijk hebben geantwoord dat de moeder van Claire een twee-onder-een-kapwoning ergens in een voorstad bewoonde, dus het was nogal een verrassing voor hem toen hij zijn auto voor een voormalige pastorie tot stilstand bracht. Voor hem was Claire altijd een meisje uit een arbeidersmilieu geweest dat met een politieagent was getrouwd, maar uit het huis bleek iets heel anders. Dat moest behoorlijk wat centen hebben gekost, bedacht Orme. Elke vrijstaande woning hier, gebouwd op eigen terrein, op nog geen vijf kwartier rijden van Londen verwijderd, moest een fortuin waard zijn.

Hij parkeerde zijn wagen achter de patrouilleauto, liet zijn legitimatie aan de mannen op de voorbank zien en sprak heel even met ze. Ze hadden een eerdere ploeg afgelost die sinds de vorige avond had dienstgedaan. Voor zover ze wisten was er op de rustige weg die naar de voormalige pastorie leidde de afgelopen uren geen auto of loslopend iemand gezien. Ze maakten een verveelde indruk, vond Orme, alsof de landelijke rust van deze bovenmodale buurt, diep begraven op het platteland, nog nooit verstoord was geweest.

Hij liep over het tuinpad naar een huis dat ontworpen was om ook onderdak te bieden aan huispersoneel, maar hij betwijfelde of er nu nog personeel aanwezig was. Hij betwijfelde of daar geld voor was. Het was een groot, mooi huis, maar het was ook een tikkeltje armoedig, een armoedigheid die aan het oog onttrokken werd door klimop die niet alleen de muren bedekte, maar ook een groot deel van het dak.

De tuin, merkte hij op, was typisch Engels. Er waren lichte plekken, waar zonminnende planten zodra de zomer aanbrak in volle bloei zouden staan. Maar het overgrote deel ervan was donker, deels ommuurd, terwijl de muur zelf door de vele bomen niet te zien was.

Nu hij de omgeving met eigen ogen zag wenste hij dat hij om meer patrouilles had gevraagd. Het was erg moeilijk om een huis van dit type goed in de gaten te houden en twee geüniformeerde mannen konden onmogelijk voorkomen dat iemand ongezien het huis zou binnendringen. Hoe eerder hij Claire hier weg had, hoe beter.

Een al wat oudere vrouw die een onmiskenbare gelijkenis met Claire vertoonde, verscheen in de deuropening. Orme stelde zich voor en werd uitgenodigd mee te lopen naar een zitkamer.

Net als de tuin had ook de zitkamer zijn lichte plekken. Maar het overgrote deel van het meubilair en de stoffering was donker en zwaar, en het leek een passende plek om Claire te vertellen dat gisteravond, op een Londense straat die zó ver van haar huidige omgeving verwijderd was dat hij wel tot een heel andere wereld leek te behoren, Doheny was doodgeschoten.

Hij betwijfelde of ze erger geschokt had kunnen zijn als het haar echtgenoot had betroffen, in plaats van zijn partner. Maar Orme besefte dat ze Doheny goed had gekend. De afgelopen jaren waren de Doheny's en de McLaughlans met elkaar bevriend geraakt, en waren zelfs een keer samen op vakantie geweest. En toen kwamen de vragen – dezelfde vragen die Doheny's vrouw had gesteld.

Waar was hij?

Wat deed hij daar?

Heb je enig idee wie hem neergeschoten kan hebben?

Orme antwoordde dat Doheny met Robbie had afgesproken iets te gaan drinken nadat laatstgenoemde was vrijgelaten in afwachting van de beslissing of hij al dan niet in staat van beschuldiging zou worden gesteld betreffende illegaal wapenbezit. 'Hij wilde proberen hem zover te krijgen dat hij eens goed over zijn positie na zou denken,' zei Orme. 'Robbie had geweigerd zich door een psycholoog te laten evalueren, en dat zou het onderzoek naar zijn gedrag niet bepaald gunstig beïnvloeden. Doheny hoopte hem zover te krijgen dat hij zich alsnog zou laten onderzoeken, zodat zijn gedrag geweten kon worden aan de shock die hij opliep bij het neerschieten van Swift.'

'Maar je zei dat ze buiten stonden.'

'Volgens ooggetuigen heeft Doheny Robbie plotseling mee naar buiten getrokken. We weten niet waarom. Het enige dat we weten is dat Robbie geagiteerd leek, terwijl Doheny de indruk wekte hem op de een of andere manier te willen helpen.'

'En toen hij naar buiten kwam, werd hij neergeschoten?'

Ze kon zich de loop der gebeurtenissen niet precies voorstellen. Orme nam het haar niet kwalijk. Het kostte hem zelf ook moeite de gebeurtenissen daar op een rijtje te zetten. 'Ze waren de pub uit gelopen. Een paar minuten verstreken. Mensen ín de pub hoorden een schot. Ze holden naar buiten. Doheny was duidelijk ernstig gewond, terwijl Robbie daar maar stond.'

Orme vertelde er niet bij dat niet één van de aanwezige agenten – stuk voor stuk mannen die geen dienst hadden – eraan had gedacht McLaughlan op een wapen te fouilleren. Waarom zouden ze? Ze kenden hem. Hij zat bij de politie. Het was simpelweg bij niemand opgekomen hem te fouilleren, hoewel sommigen van hen de straat hadden afgezocht voor het geval de moordenaar vóór hij de plaats des onheils had verlaten het wapen had weggegooid.

Als Claire tussen de regels door had gelezen bij de woorden 'daar maar stond', dan liet ze dat niet merken. Ze liet zich op een paardenharen bank zakken, waarvan de notenhouten rugleuning zwart van ouderdom was. De wand tegenover haar werd nagenoeg helemaal in beslag genomen door een verschoten schilderij van een kastanjebruine ruin die hooi at uit een ruif die baadde in het zonlicht. Ze bleef haar blik op het schilderij gericht houden terwijl ze zei: 'Die kogel was voor Robbie bedoeld.'

Orme reageerde daar niet op. Misschien was dat zo. Misschien ook niet. Kon de kogel ook uit McLaughlans wapen gekomen zijn?

Claire vervolgde: 'Staat er daarom een politieauto voor het huis – vanwege Swift?'

Mogelijk, had Orme willen antwoorden, maar hij hield zijn mond.

'Robbie had gelijk, hè? We wérden in de gaten gehouden.'

Opnieuw gaf Orme geen antwoord. Misschien werden ze inderdaad door een mannetje van Swift geobserveerd. Misschien ook niet. Als McLaughlan Doheny had doodgeschoten, had Claire niets van Swift te vrezen, maar zou ze zich wel eens in een heel ander soort gevaar kunnen bevinden.

'Wat moet hij wel van me denken?' zei Claire. 'Zal hij ooit nog in staat zijn me te vergeven voor het feit dat ik Doheny heb gebeld en hem heb verteld dat hij een wapen had? Terwijl hij ons alleen maar tegen Swift probeerde te beschermen.'

Orme zag liever niet dat ze zich helemaal zou fixeren op het idee dat het gevaar alleen van de kant van Swift te verwachten was. Als dat zou gebeuren, zou het straks des te moeilijker voor haar worden als zou blijken dat haar man Doheny had gedood. 'Claire,' zei hij, 'ik wil dat je met me mee terug naar Londen gaat – jij en Ocky.'

Ze keek op. 'Waarom?'

'Het is vrij moeilijk om iemand in dit soort omgeving bescherming te bieden, vooral als er sprake is van een huis en een tuin die zo groot en complex zijn als deze. Je moet naar een onderduikadres.'

'Ik blijf liever hier. Kun je niet een paar mannen ín het huis posteren?'

'Het zou voor ons een stuk makkelijker zijn als je naar een huis gaat dat minder moeilijk af te schermen is.'

Ze luisterde niet. Er was haar zojuist iets te binnen geschoten, iets dat ze onmiddellijk had moeten vragen nadat Orme haar het nieuws over Doheny had verteld. 'Waar is Robbie?'

Orme wilde liever niet toegeven dat hij dat niet wist, en als hij vervolgens ook nog zou bekennen dat de politie overal naar hem op zoek was, bestond de mogelijkheid dat Claire zou gaan denken dat ze precies wist hoe de vork in de steel zat. Maar voor hetzelfde geld ging McLaughlan helemaal vrijuit, en in dat geval was het onverantwoord om haar onnodig nog meer van streek te maken. Hij beantwoordde haar vraag daarom met een tegenvraag: 'Heeft hij iets van zich laten horen?'

'Nee, maar ik heb een boodschap op het antwoordapparaat achtergelaten om hem te vertellen waar ik naartoe was.'

Zelfs als ze dat níet had gedaan, bedacht Orme, zou McLaughlan er uiteindelijk wel achtergekomen zijn waar ze ergens was. Het maakte Orme nóg vastbeslotener haar hier weg te halen en naar een veilig onderduikadres over te brengen. Hij zei: 'Nou, zoals ik al zei, ik wil dat je met me mee naar Londen gaat – nú – en dat je Ocky meeneemt.'

'Ik blijf toch liever hier.'

In de wetenschap dat hij haar onmogelijk kon dwingen naar een onderduikadres te verhuizen, antwoordde Orme: 'Ik zie toch liever dat je met me meegaat.'

'Waarom?'

Hij verwoordde zijn antwoord uiterst behoedzaam om te voorkomen dat hij de indruk zou wekken dat er met McLaughlan problemen waren. 'Als Doheny inderdaad door een huurmoordenaar is doodgeschoten, is er geen enkele garantie dat dezelfde moordenaar het niet ook op jou heeft voorzien.'

Maar zijn poging had geen enkel resultaat. Ze reageerde onmiddellijk. 'Je had het over "als Doheny door een huurmoordenaar is doodgeschoten". Wat bedoel je precies met als?'

Een ogenblik lang keken ze elkaar aan. Orme overwoog hoe hij die verspreking het beste kon neutraliseren en besefte uiteindelijk dat dat onmogelijk was. Hij had geen enkele keus meer – hij moest open kaart met haar spelen:

'Er bestaat een mogelijkheid dat Robbie Doheny heeft neergeschoten. Momenteel zijn we er niet zeker van dat hij het níet heeft gedaan. Hij is na de moord verdwenen. We weten niet waar hij is.'

Ormes woorden brachten haar even effectief als welke kogel ook tot stoppen. Een minuut lang kon Claire van verbijstering geen woord uitbrengen. Hij verwachtte half en half snel een stap naar voren te moeten doen om haar op te vangen, want ze zag eruit alsof ze elk moment flauw kon vallen. Maar het enige dat ze zei toen ze haar stem weer teruggevonden had was: 'Eruit.'

'Claire,' zei Orme.

'Eruit!'

Ze schreeuwde de woorden, en het geluid maakte dat haar moeder in de deuropening verscheen. Daar bleef ze staan, met een zachtgele ochtendjas in haar door werken ruw geworden handen, en ze maakte een nerveuze indruk, alsof het huis niet langer van haar was, maar van iemand die haar alleen maar in dienst had genomen om af te stoffen, te strijken en de was te doen: 'Is alles goed?'

Claire huilde nu. 'Hoe durf je ook maar te dénken dat hij Doheny wel eens doodgeschoten zou kunnen hebben?'

Haar moeder schoot op haar af toen Ocky de kamer binnen kwam gehold. Hij keek Claire een ogenblik lang aan en barstte prompt in huilen uit.

Zo is het genoeg! vond Orme, die Claires moeder toebeet: 'Ontfermt u zich over Ocky. Ik neem Claire voor m'n rekening.'

'Nou, ik weet niet zeker of –'

'Dóe het nou maar,' zei Orme, en deed de deur achter haar dicht toen ze Ocky met zich mee de kamer uit had genomen. Het volgende moment richtte hij zijn aandacht op Claire. Ze bleef met haar rug naar hem toe gekeerd staan, woedend door hetgeen hij had gezegd, en Orme kwam in de verleiding haar te herinneren aan het feit dat hij haar, nog niet zo heel erg lang geleden, had gered uit een situatie waarin haar echtgenoot in de badkamer van hun huis een vuurwapen op haar gericht hield.

Om de een of andere reden interesseerde het Orme geen donder of ze hem nu wel of niet aankeek. Ze zou hem uitstekend kunnen verstaan, en daar ging het om. 'Oké, en nu luister je eens goed...'

Ocky rende roepend om zijn moeder de tuin in. Het was een veel grotere tuin dan die bij hun nieuwe huis. Niet zo'n reusachtige modderpoel waarin hij zich slechts met grote moeite kon voortbewegen, maar het terrein liep aan de zijkant van het huis door en ging daar over in bos.

Hij holde helemaal naar achteren, zijn kin samengetrokken vanwege de moeite die hij deed om zijn tranen te bedwingen. Oma had hem gezegd dat hij een grote jongen moest zijn en buiten mocht spelen, terwijl zij aan de deur zou luisteren om te horen wat de man tegen mammie zei. Hij probeerde een grote jongen te zijn. Maar als hij mammie zag huilen, moest hij zelf ook huilen.

Helemaal achter in de tuin stonden bomen, en daarachter zag Ocky een muur. Maar hij zag ook nog iets anders, iets dat hem bang maakte...

Een gestalte die geen gestalte was, maar eerder een schaduw, een schaduw die met zijn rug tegen de muur stond die door de bomen nagenoeg aan het oog was onttrokken.

'Hallo, Ocky,' zei de schaduw. 'Ik heb iets voor je.'

En toen stak de schaduw hem een cadeautje toe.

Een zilverkleurige ballon in de vorm van een wereldbol.

29

Jarvis merkte dat de ontdekking van een menselijk hoofd op het terrein van een van de meer bekende kostscholen in Engeland voorpaginanieuws was, terwijl de moord op een politieman die op dat moment niet eens dienst had slechts goed was voor een éénkoloms kopje op bladzijde twee.

Hij vond het maar niks.

Zoals veel van zijn generatiegenoten bij de politie kon Jarvis zich nog precies herinneren waar hij was geweest en wat hij had gedaan op die dag in 1966, toen er in Shepherd's Bush drie politieagenten waren doodgeschoten. Vóór deze moord had men het nooit nodig geacht om agenten te trainen in het gebruik van vuurwapens, en de eenheid die uiteindelijk bekend zou worden onder de naam 'Gewapende Eenheid', was het directe resultaat van deze moordpartij geweest.

Wat Jarvis betrof was de moord op Doheny schokkender dan het feit dat het ellendige gezicht van Ash hem vanonder het een of andere schoolpetje aanstaarde. Het probleem was alleen dat het voor de meerderheid van het publiek een stuk minder interessant was. Sensationeel voorpaginanieuws, dáár verkocht je veel kranten mee, en het loshangende hoofd van Ash sprak zeer tot de verbeelding van een land dat werd verveeld met politiek, belastingvoorstellen en de armzalige resultaten van het Engelse cricketteam bij een wedstrijd tegen Sri Lanka.

De iets minder populistische kranten hadden nogal wat ruimte besteed aan enkele vragen die bij de politie waren gerezen, en dan met name het feit dat de technische recherche nog steeds niet had ontdekt hoe het hoofd op de plaats was verzeild waar het uiteindelijk was gevonden. Inderdaad, er zaten zoontjes van prominente personen op school, maar kidnapping werd als een uiterst onwaarschijnlijke mogelijkheid gezien – dit was per slot van rekening Engeland, geen Italië – maar het zou natuurlijk altijd kunnen, zodat de veiligheidsmaatregelen op school nog eens werden aangescherpt.

Elke vierkante meter werd bestreken door een of meerdere bewakingscamera's, van de diverse gangen tot aan de slaapzalen. Zelfs in de douches en toiletten hingen camera's, evenals in de kamers van het personeel, de binnenplaats en de sportterreinen, en omdat de videobanden drie maanden werden bewaard voordat ze opnieuw werden gebruikt, had de politie met bijna honderd procent zekerheid kunnen vaststellen dat er niemand met een hoofd onder zijn arm het schoolterrein op was gewandeld. Om een politieman in een leidende functie te citeren: 'Het lijkt wel alsof het hoofd uit de lucht is komen vallen en in een boom is blijven hangen.'

Terwijl dat hoofd helemaal niet in een boom was blijven hangen. Twee jongens hadden het aangetroffen aan de voet van een geïmporteerde Canadese den, en hadden het in de loop van enkele dagen aan elke leerling van de school laten zien die bereid was geweest voor dit privilege vijf pond te betalen.

Ondanks het feit dat de veiligheidsmaatregelen op school waren aangescherpt, hadden de sensatiekranten toch kans gezien de hand te leggen op de namen van de jongens in kwestie. Een van hen, Devereaux, had geprobeerd de journalist die hem interviewde ervan te overtuigen dat het luminescente groen van zijn ogen het gevolg was van radiotherapie, en had vervolgens Figgis ervan beschuldigd het hoofd op een van de takken van de den te hebben gestoken.

Figgis had wraak genomen door te verklaren dat het Devereaux was geweest die het hoofd van een Hitlersnorretje had voorzien, maar geen van beide jongens wilde zeggen wie de sigaret tussen de lippen had gestoken.

Het hoofd was uiteindelijk van school verwijderd, evenals Figgis en Devereaux, waarbij het eerstgenoemde wachtte op formele identificatie, terwijl de twee leerlingen in afwachting waren van een beslissing met betrekking tot hun toekomst op deze school.

Jarvis was minder geïnteresseerd in hoe het hoofd was terechtgekomen op de plaats waar het uiteindelijk gevonden was, dan in wat de jongens die het hadden aangetroffen ermee hadden gedaan, want plotseling was er wat hem betrof een abstracte maar potentiële link tussen dat wat er met Ash was gebeurd en de verdwijning van Tam McLaughlan.

Het was nu bijna dertig jaar geleden dat Tam spoorloos was verdwenen, en in de loop van die jaren was Jarvis regelmatig geplaagd door de vraag wat er met hem was gebeurd. Hij had alle mogelijkheden vanuit elke denkbare hoek bekeken, maar de enige mogelijkheid die hem recht in zijn gezicht keek was hem tot nu toe ontglipt.

Tot vandaag.

Zowel Figgis als Devereaux was niet écht een boosaardig knaapje. Wat zij hadden gedaan zou door duizenden andere jonge jongens in hun situatie ook zijn gedaan: ze hadden - in eerste instantie althans - hun macabere vondst geheimgehouden. Ze waren er naar teruggekeerd, steeds weer, om te zien hoe het eruitzag en te kijken of de vogels al kans hadden gezien om naast de ogen ook met de tong aan de haal te gaan.

Maar uiteindelijk hadden ze de verleiding niet kunnen weerstaan er indruk mee te maken en hadden ze hun vondst aan anderen laten zien. Ze hadden daarbij wel duidelijk gemaakt dat het hún hoofd was, want zij hadden het per slot van rekening gevonden. Daarom mochten zíj bepalen wíe het te zien kreeg en hoeveel daarvoor geschoven moest worden.

Het feit dat bijna elke leerling had betaald om het hoofd te mogen bekijken, zei Jarvis iets dat hij zich eigenlijk al lang geleden had moeten realiseren. De meeste jongens waren duidelijk meer gefascineerd door dit soort dingen, dan dat ze er geschokt door waren.

Hij dacht terug aan het onttakelde industriegebied waar Crackerjacks lichaam was gevonden en plotseling schoot er een gedachte door hem heen: als Tam en Robbie nou eens hadden geweten waar hun vader het lijk had gedumpt? Als de reden voor hun reis naar Glasgow niet het vinden van George was geweest, maar dat ze alleen maar wilden weten hoe het lijk eruitzag nadat het een paar weken in een greppel had gelegen? En als Tam daarbij nou eens iets ernstigs was overkomen?

Het verklaarde nog steeds niet waarom Robbie hun niet wilde vertellen wat er was gebeurd, maar Robbie was dan ook een complex kind geweest, een gevoelig kind dat weinig zei. Je kon onmogelijk weten wat er in het hoofd van zo'n kind omging.

Er waren gelegenheden geweest dat Jarvis op het punt had gestaan voor te stellen er een kinderpsycholoog bij te halen, maar het waren toen andere tijden geweest. Alleen het zinspelen al op het feit dat iemand wel eens een psycholoog nodig zou kunnen hebben, of andere professionele hulp bij een psychische stoornis of het verwerken van emotionele trauma's, was vaak al voldoende om die mensen – en vaak ook de rest van het gezin – voor hun hele verdere leven als geestelijk onevenwichtig te brandmerken. Het gevolg daarvan was dat Elsa er niet van wilde horen, en aan Jarvis was dan ook de taak toegevallen wat meer inzicht in de jongen te krijgen.

Dat was hem niet gelukt. Dat was hij zich maar al te bewust. Hij had wat kleine succesjes geboekt, maar in het algemeen was hij er niet in geslaagd tot de kern van Robbies probleem door te dringen. En wat dat probleem ook mocht zijn, het was iets bijzonder ernstigs, daarvan was hij overtuigd.

Er hadden zich talrijke gelegenheden voorgedaan waarbij het Elsa te veel was geworden, waarbij ze zich tot Jarvis had gewend om hulp. Hoewel ze niet meer met elkaar omgingen, had ze hem enkele weken na de vondst van Crackerjacks lichaam toch nog een keertje thuis gebeld, en had ze door de telefoon gesnikt: 'Mike, ik heb je hulp nodig voor Robbie. Mike, leg alsjeblieft niet neer.'

Dit is het dan, dacht Jarvis. Hij kan er niet meer tegenop. Hij gaat ons vertellen wat er is gebeurd. 'Wat is er aan de hand?'

Hij had verwacht dat ze hem één van de misschien wel tien mogelijke antwoorden zou geven, maar Elsa's reactie kwam niet eens in de buurt ervan: 'Ik krijg hem de kelder niet meer uit.'

Jarvis had op het punt gestaan om te vragen wat hij sowieso in de kelder deed, en wat ze bedoelde met 'hem niet meer uit de kelder kunnen krijgen', maar de verbinding werd verbroken, en omdat hij niet wist wat zich daar afspeelde besloot hij toch naar het huis te rijden om te proberen erachter te komen. Zijn gezonde verstand schreeuwde hem toe dat vooral toch níet te doen, had hem verteld dat hij haar beter terug kon bellen om haar te vertellen dat er organisaties en hulpgroepen bestonden die zich tot taak hadden gesteld kinderen en vrouwen van gevangenen te helpen – maar ze had zo wanhopig geklonken, dat hij dat niet had gekund. *Je bent een dwaas,* zei zijn gezonde verstand. *Bel haar terug en zeg haar dat dit jouw probleem niet is.*

Direct nadat hij bij het huis was aangekomen deed ze deur open – deze keer hoefde hij niet op de stoep te wachten tot ze eindelijk alle sloten had geopend en alle grendels opzij had geschoven. Nu George in de gevangenis zat hoefde ze zich niet langer zorgen te maken over het feit dat hij zijn sleutel in het slot kon steken en zomaar binnen kon wandelen. Hij knikte haar toe en liep achter haar aan naar een van de kamers beneden. 'Praat jij eens met hem, Mike, misschien luistert hij naar jou. Zeg hem dat hij uit de kelder moet komen.'

Er leek een bepaalde geur in het huis te hangen – een geur die hij hier nog nooit eerder had gemerkt. Misschien had ze de afgelopen weken helemaal niet schoongemaakt, bedacht Jarvis – en merkte toen nog iets anders: hij had de indruk dat er nogal wat meubelstukken ontbraken. Een leunstoel. Een tafel. Een lamp. Eigenlijk viel het alles bij elkaar wel mee, maar het was toch voldoende om op te vallen. 'Je halve meubilair lijkt verdwenen – wat gebeurt hier allemaal?'

Ze maakte een wegwuivend gebaar om aan te geven dat dat het minst grote van haar problemen was. 'Praat met hem, Mike,' smeekte ze hem bijna. 'Kijk eens of je hem zover kunt krijgen dat hij eruit komt.'

Jarvis liet zijn vraag over het ontbrekende meubilair voor wat hij was, liep de gang in en voelde aan de kelderdeur. Die was van binnenuit afgegrendeld, en hij bulderde terwijl hij gelijktijdig op de deur bonsde: 'Hé, Robbie, wat dacht je ervan als je eens opendeed?'

Er was zacht geritsel te horen, alsof er een muis achter een plint verdween. Maar de deur bleef dicht, en Jarvis zei: 'Als je niet meteen opendoet, dan –'

Dan wát? dacht hij. Hij kon moeilijk dreigen de deur in te trappen. Hij betwijfelde of hem dat zou lukken, zelfs al zou hij het proberen. George had het huis zo geconstrueerd dat het, mocht hij plotseling het hazenpad moeten kiezen, een behoorlijke tijd zou duren voordat ongewenste lieden kans zouden zien er binnen te dringen. Om deze deur in te beuken was er op z'n minst een hydraulische ram nodig, en Jarvis had niet eens een hamer bij de hand.

'Robbie,' zei hij, 'óf je doet die deur open, óf ik ben vertrokken. Het spijt me, maar zo ligt het nu eenmaal.'

Deze keer was er helemaal geen geluid te horen, en Jarvis zei: 'Je zoekt het maar uit.'

Hij deed net alsof hij wegliep, en Elsa riep angstig: 'Mike, alsjeblieft!'

'Dit is mijn probleem niet,' zei Jarvis.

De grendels werden opzijgeschoven.

Een ogenblik lang schoot het door hem heen dat als hij ook maar een greintje verstand had, hij gewoon door bleef lopen, maar draaide zich toen naar Robbie om, die in de deuropening van de kelder stond.

In al die jaren dat Jarvis hem nu kende, had hij hem nog nooit in zo'n staat aanschouwd. Hij was smerig, en het vuil was van het soort dat zich over een periode van dagen of weken samenklontert. 'Dit is niet míjn schuld,' zei Elsa, alsof ze half en half verwachtte erop aangesproken te worden. 'Ik mocht niet bij hem in de buurt komen.' Met een paar passen was ze bij Robbie, en voegde eraantoe: 'Je stinkt.' Ze draaide zich half naar Jarvis om. 'Hij stinkt, hè, Mike? Zeg hem dat hij stinkt.'

Gezien het feit dat Robbie had gedaan wat van hem gevraagd werd, vond Jarvis dat hij nu niet zomaar weg kon lopen. Hij liep naar hem toe, voorovergebogen, zijn handen op zijn knieën steunend terwijl hij een bewuste poging deed zijn stem wat zachter te laten klinken. 'Wat deed je in die kelder?'

Voor de tweede keer die middag kreeg Jarvis een antwoord dat hij niet verwacht had.

'Ik hield me voor Jimmy schuil.'

De woorden waren gehaast uit zijn mond gekomen, en mét die woorden een overvloed aan tranen. Dat had ervoor gezorgd dat ook Elsa moest huilen, en Jarvis had toen het enige gedaan wat hem op dat moment te binnen schoot: hij had ze beiden in de woonkamer geparkeerd en was toen naar de keuken gegaan om daar een fluitketel met water op te zetten. Wat hij nu vooral nodig had was tijd om even na te denken.

Hij had een blik met losse theebladen gevonden – Typhoo, gek hoe dat soort details je door de jaren heen bijbleef – maar de suikerpot was leeg geweest, en toen hij in een kast had gekeken of daar nog een zak stond waaruit hij de pot zou kunnen bijvullen, had hij ontdekt dat die kast leeg was, op een pak rijst en een half brood na.

Hij deed de koelkast open. Geen melk, geen boter, geen enkele basisbenodigdheid, op een stukje cornedbeef na dat in vetvrij papier was gewikkeld.

Hij deed de koelkast weer dicht en liep de kamer in, waar hij Robbie zittend op het tapijt en Elsa op de bank aantrof. Geen van beiden keek op toen hij ze vertelde dat hij even naar de overkant liep om daar wat etenswaren te halen.

Vijf minuten later was hij terug met genoeg voedsel voor een paar dagen en kwam hij tot de conclusie dat hij zijn best had gedaan, dat hij nou zou kunnen vertrekken zonder wroeging te hoeven hebben, maar toch bleven Robbies woorden nog steeds in zijn hoofd rondzingen: *Ik hield me voor Jimmie schuil.*

Hij ging op het kleed naast hem zitten en vroeg: 'Waarom hield je je voor Jimmie schuil?'

'Hij zit achter me aan,' zei Robbie, en Jarvis begreep wat hij bedoelde. Een geliefd ouder familielid kon nadat hij of zij was overleden in de verbeelding van een kind in een afgrijselijke engerd veranderen. Hoeveel erger kon het voor een kind worden als de overledene al tijdens zijn leven zeer gevreesd werd?

Zonder Elsa zelfs maar aan te kijken zei hij: 'Heb je ook foto's van Jimmy?'

'Wat voor foto's?' reageerde ze.

Jarvis had zich verplicht gevoeld uiterst specifiek te zijn. 'Foto's die zijn genomen vóórdat Jimmy zijn handen kwijtraakte.'

Ze was naar een la gelopen en had daar een plastic zak vol foto's uitgehaald, waarvan er sommige duidelijk in de knel hadden gezeten.

Jarvis had ze snel door zijn handen laten gaan en het was geen onverdeeld genoegen geweest om steeds weer oog in oog te staan met een nóg jongere, sterkere en goed uitziende George. Er zaten foto's bij van George en Elsa toen ze nog niet getrouwd waren. George met Tam en Robbie vlak na hun geboorte. George op een boot. George in een auto. George in de Schotse Hooglanden met Elsa in een jurk met een blauw motiefje. Hij had graag gezien dat er ook een foto bij zat van George in zijn cel in Barlinnie. *Goh, George, je ziet er hier een stuk minder aantrekkelijk uit. En ook duidelijk minder aanmatigend.*

Op een gegeven moment vond hij waarnaar hij op zoek was, en hij zei tegen Robbie: 'Kom eens hier.'

Robbie was overeind gekomen, was naar hem toe gelopen en was op de bank op zijn knie gaan zitten. En Jarvis had hem een foto van zichzelf met zijn oom Jimmy laten zien.

Robbie was nog maar een kleuter geweest, net oud genoeg om op Jimmy's schouders te kunnen zitten zonder zijn evenwicht te verliezen. Maar Jimmy had geen enkel risico genomen. Hij had hem stevig vastgehouden, waarbij zijn handen als een enorme draagstoel hadden gefungeerd.

'Soms,' zei Jarvis, 'overkomen mensen bepaalde dingen – dingen waarmee ze niet kunnen omgaan. Het zorgt ervoor dat die mensen veranderen. Dan wordt het moeilijk om met die mensen verder te leven.' Hij gaf de foto aan Robbie. 'Je hebt altijd te horen gekregen dat je je nooit met drugs in moet laten.'

Robbie hield zijn blik op de foto gericht, maar knikte.

'Dat is omdat juist déze familie beter weet dan wie ook, wat voor een ellende daarvan kan komen. En je oom Jimmy is in aanraking gekomen met enkele héél slechte mensen, Robbie.'

'Ik weet het. Dat heeft mijn vader al eens gezegd.'

'Hij heeft iets heel doms gedaan. Hij heeft van hen gestolen.' Jarvis vertelde hem dingen die hij allang wist, maar hij voelde dat het geen kwaad kon als hij hem nog eens met alle feiten zou confronteren. 'Omdat hij de man was die hij was, dacht hij dat ongestraft te kunnen doen.'

'Omdat hij een beroemde bokser was?'

'Iets dergelijks,' zei Jarvis. Hij was niet van plan te gaan vertellen wat de dealers met Jimmy hadden gedaan toen ze hem eenmaal in handen hadden gekregen. Robbie wist heel goed wat ze met hem hadden gedaan. Het had geen zin daar nader op in te gaan. Hij zou het daarbij hebben gelaten, maar het was bijna alsof Robbie de behoefte had gehad om het helemaal uit te praten, zodat hij het vervolgens uit zijn hoofd zou kunnen bannen.

'Ze hebben met een kettingzaag zijn handen afgehakt,' zei Robbie, en Jarvis zag Elsa huiveren. Robbie keek van de foto op. 'En daarna kon hij nooit meer boksen.'

'Robbie – ' zei Jarvis.

Hij klonk nu bijna hysterisch. 'Daarom is hij gek geworden. Hij kon niet meer boksen.'

Jarvis nam de foto van Robbie over en bekeek hem wat beter. Jimmy en George hadden bepaalde eigenschappen gemeen. Geen van beiden had ook maar enig respect voor autoriteiten, maar misschien kon je dat verwachten van de zoons van een man die in een werkkamp gestorven was – hij wist het niet. Hij wist alleen maar dat beide broers zich onder en boven de wet vonden staan, dat beiden zo buitengewoon sterk waren dat je bijna de indruk kreeg dat ze zich als onkwetsbaar, onsterfelijk beschouwden.

Maar geen van beiden was uiteindelijk onkwetsbaar gebleken, en Jimmy was zelfs vermoord, mogelijk door dezelfde mensen die eerder al zijn handen hadden afgezaagd. Een duidelijke boodschap naar elke kleine drugsdealer in het land: je mag besodemieteren wie je wilt, maar probeer dat niet bij Libanezen.

Jimmy was bij de haven aangetroffen met tourniquets rond zijn armen. Ze hadden hem duidelijk niet willen doden. Ze hadden alleen maar een punt willen maken.

'Hij hield van je,' zei Jarvis, en gaf hem de foto terug. 'Bewaar hem goed. Elke keer als je denkt dat hij uit de dood is teruggekeerd, kijk je naar die foto en vraag je jezelf af of jij, als je een neefje had op wie je heel erg was gesteld, zou willen dat hij moet doormaken wat jíj hebt doorgemaakt.'

Het was logisch. Het klonk zinnig. Jarvis hoopte dat het zou werken.

Hij stond op om weg te gaan, en Elsa stond tegelijkertijd op. En toen, terwijl hij op het punt stond te vertrekken, zei ze: 'Mike, wil jij het schip meenemen?'

Een ogenblik lang had Jarvis absoluut geen idee waar ze het over had. Het leek een hele tijd geleden dat hij met lucifers en lijm bij het huis was gearriveerd, maar nadat Tam de verbrijzelde romp op miraculeuze wijze had weten te herstellen, had het schip alleen maar stof staan te verzamelen op een tafeltje in een van de kamers.

Hij had gevraagd waarom ze wilde dat hij het met zich meenam, en ze vertelde hem dat ze op korte termijn zouden gaan verhuizen en dat ze maar weinig spullen met zich mee kon nemen.

Jarvis had zich voorgehouden dat Elsa's verhuizing zijn probleem niet was, maar op een gegeven moment had zijn nieuwsgierigheid het toch van hem gewonnen, en had hij gevraagd waar ze naartoe ging.

Ze antwoordde dat ze uit het huis werden gezet omdat ze een grote huurachterstand hadden. De sociale dienst had het op zich genomen om voor een dak boven hun hoofd te zorgen, maar het beste wat die op korte termijn voor hen kon regelen was een bed-and-breakfast. Ze had de naam van het etablissement genoemd, en Jarvis had die herkend als een van de adressen die van tijd tot tijd de aandacht van de politie trokken. Het was veel te ver van de diverse Londense universiteiten verwijderd om onderdak te kunnen bieden aan studenten, en de eigenaar ervan spekte zijn portemonnee dan ook door de kamers te vullen met een mengsel van probleemgezinnen, drugsgebruikers en alcoholisten.

Hij begreep nu ook waarom er al zoveel meubels waren verdwenen. Het waren moeilijke tijden en Elsa had al zoveel mogelijk geprobeerd te verkopen. Bovendien, als de sociale dienst je aan tijdelijk onderdak hielp, was het zelden mogelijk om meer mee te nemen dan een stuk of wat persoonlijke eigendommen: in een gecombineerde zit/slaapkamer was nu eenmaal nooit ruimte voor de meubels uit het oude huis.

Onder normale omstandigheden zou hij dat schip zonder ook maar één moment te aarzelen hebben meegenomen, maar hij beschouwde zijn relatie met Elsa als beëindigd en hij wilde niets meer in zijn bezit hebben dat haar eventueel een excuus zou kunnen geven om later nog eens contact met hem op te nemen. Maar vervolgens besefte hij dat als hij zou weigeren het schip mee te nemen, dat wel eens kapot zou kunnen gaan of gestolen zou kunnen worden, en het ding was voor haar van onschatbare waarde. Tam had het gemaakt, en als Tam, zoals Jarvis vermoedde, niet meer leefde, zou het schip wel eens het enige kunnen zijn dat Elsa nog had dat aan hem herinnerde – het zelfgemaakte schip en een paar oude foto's. En wat ze ook gedaan mocht hebben, hij wilde niet dat ze ervan beroofd zou worden, en hij zei dan ook: 'Ik ga wel even een doos halen.'

Hij was naar de winkel teruggegaan voor een kartonnen doos. Die nam hij mee naar het huis, zette het schip er voorzichtig in en vulde de lege ruimte op met tot proppen gemaakt krantenpapier.

Terwijl hij daarmee bezig was liep Elsa afwezig naar boven. Ze maakte plotseling een nogal versufte indruk, alsof ze niet meer precies wist waar ze was, en nadat hij de proppen krantenpapier rond het schip had gestopt en de doos met plakband had dichtgeplakt, ging Jarvis op zoek naar haar.

De drie bedden waren al uit de slaapkamers verdwenen, samen met de kleerkast, de gevlochten poef en een radio-grammofooncombinatie die om de een of andere Jarvis onbekende reden altijd in een achterkamertje uit het zicht had gestaan. 'Wat heeft dit allemaal te betekenen?' vroeg hij haar.

'We moeten hier morgen weg zijn.'

Ze zouden hun laatste nacht hier op de vloer moeten slapen, bedacht Jarvis. George beschikte in Barlinnie over meer comfort dan zijn vrouw en kind hier.

Hij was naar beneden gegaan en Elsa was achter hem aan gekomen, om even later in de keuken naar het voedsel te kijken dat hij voor hen had gekocht. 'Veel is het niet,' zei Jarvis, 'maar het is voldoende voor vanavond en voor het ontbijt morgenochtend.' Hij had er niet aan toegevoegd: *En dan moet je het verder zelf allemaal maar regelen*, maar de woorden hingen in de lucht en ze ving ze wel degelijk op.

'Ik heb er niet om gevraagd dat het zo zou lopen, weet je. Mijn schuld is het niet.'

Er was een tijd geweest dat Jarvis van mening was dat ze het bij de opvoeding van haar jongens – als je de omstandigheden in ogenschouw nam – fantastisch had gedaan. Maar dat was vóór hij haar wat beter was gaan leren kennen. Ze had de gevolgen van haar daden kalm ondergaan, maar had geen kans gezien zich uit de misère te werken, ook niet toen haar beide zoons ten gevolge van haar instelling duidelijk schade begonnen te ondervinden, en plotseling verloor hij zijn geduld. 'Jazeker,' zei hij, 'dat is het wél.'

Ze had hem aangekeken als een klein kind dat zojuist ernstig gekwetst is, dus behandelde hij haar als zodanig. 'Elsa,' zei hij, 'wat heb je met de giro gedaan?'

'Zoveel stond er niet op.'

'Waar moet Robbie van eten?'

'Ik kan niet toveren, Mike.'

En plotseling had hij de ervaring alleen met haar in een vertrek te moeten zijn buitengewoon irritant gevonden. Ze had toenadering tot hem gezocht, zoals hij al vermoed had dat ze zou doen, en hij had gereageerd door haar te vertellen dat het beeld waarmee hij begroet werd toen Whalley's mannen de deur hadden ingebeukt, een beeld was dat hem de rest van zijn leven bij zou blijven. Hij had verwacht dat zijn uitval een norse verontschuldiging tot gevolg zou hebben, maar Elsa had zich niet verontschuldigd op de avond dat George was gearresteerd, en ze was ook duidelijk niet van plan om daarvoor vandaag haar excuses aan te bieden. 'George is mijn man,' had ze alleen maar gezegd, en Jarvis had zich langs haar heen gewerkt, was de achterkamer in gelopen en had daar de doos met het schip gepakt.

Hij droeg die naar de hal en wilde het liefst zo snel mogelijk weg om te voorkomen dat hij alsnog naar haar toe zou worden getrokken, en om aan de vragende blikken van Robbie te ontkomen. *Kom je nog terug?* Maar hij was niet van plan te vertrekken zonder nog op te merken: 'George weet van ons af.'

Dat ontkende ze niet.

'Wie heeft hem dat verteld?'

Ze durfde hem niet aan te kijken.

'Dat dacht ik al,' zei Jarvis. 'Waaróm heb je het hem verteld?'

'Ik was bang dat hij er anders toch achter zou komen.'

'Je was bang, en je dacht dat de beste manier om daarmee om te gaan was het hem allemaal maar te vertellen? Daar kan ik absoluut geen logica in ontdekken.'

'Ik heb hem gezegd dat ik het met jou heb aangelegd omdat jij degene was die achter hem aanzat. Ik heb hem beloofd dat ik alles wat ik van je zou horen aan hem door zou geven.'

'En heb je dat inderdaad gedaan?' wilde Jarvis weten.

'Nee!'

'Wat gaat er door jou heen bij het besef dat hij er blijkbaar geen probleem mee had dat jij je door een ander liet neuken teneinde hém uit de gevangenis te houden?'

Geen antwoord.

'Ik geloof niet dat ik ooit woorden zal weten te vinden om te zeggen hoe ík me voel.'

Nog steeds geen antwoord.

'Elsa – kijk nou eens naar jezelf.'

Ook daar kwam geen enkele reactie op, en plotseling barstte Jarvis los: 'Kijk eens in wat voor een toestand jij je gemanoeuvreerd hebt! Kijk eens hoe het huis eruitziet. Kijk eens hoe Robbie eraan toe is – hoe denk je dat zíjn toekomst eruit zal zien?'

Op de voet gevolgd door Robbie was ze achter hem aan gelopen terwijl Jarvis de doos naar zijn auto had gebracht. Zonder hulp van Elsa of Robbie zette hij hem op de achterbank. Ze keken alleen maar toe, waarbij Elsa een woedende indruk had gemaakt en Robbie zo te zien beledigd was. Vervolgens was Jarvis de auto ingestapt, had de motor gestart en had hem vervolgens in de eerste versnelling gezet –

– en de versnellingspook direct daarna weer in z'n vrij gezet.

Zo was hij blijven zitten, met de motor zachtjes stationair draaiend. En meer dan alles zou hij het liefst weggereden zijn. Dat besefte hij nu. Maar het is altijd gemakkelijk om dit soort dingen terugblikkend te beseffen, bedacht Jarvis. Op dat moment wist hij niet dat hij op het punt stond zijn enige kans op echt geluk om zeep te helpen, de enige kans die hij ooit zou krijgen, want als hij was weggereden had hij wellicht een vrouw ontmoet die hem de kinderen zou schenken waarnaar hij zo verlangde, de rust die hij verdiende, het thuis dat hij in feite nooit had gehad. Maar in plaats van weg te rijden reikte hij naar achteren en opende het portier dat zich het dichtst bij het trottoir bevond. 'Stap in,' riep hij tegen Robbie.

Robbie klom de auto in en was nog net klein genoeg om naast de doos te kunnen zitten, maar Elsa kwam niet achter hem aan, en Jarvis keek haar kant uit met een blik alsof hij haar tartte zijn aanbod te weigeren. 'En hoe zit het met jou?'

Ze keek hem niet eens aan, maar ze had Robbie niet tegengehouden en hij wist dat zij het enige aanbod voor hulp dat ze waarschijnlijk zou krijgen niet af zou slaan. 'Ik doe je dit aanbod geen tweede keer.'

Ze kwam naast hem zitten. Had ze eigenlijk wel een keuze? En Jarvis had hen naar de flat gebracht waar hij toentertijd woonde. Hij had zichzelf wijsgemaakt dat hij het voor Robbie deed, maar dat was een leugen, net als de verklaring dat hij dit deed omdat hij het niet over zijn hart kon krijgen hen beiden de nacht te laten doorbrengen in een huis zonder verwarming, zonder meubilair en nauwelijks iets te eten.

Hij hield zichzelf voor dat hij volwassen genoeg was om haar te vergeven, dat nu George veilig opgeborgen zat zijn relatie met Elsa de kans zou krijgen die het nooit had gehad met George eeuwig en altijd op de achtergrond. Maar zodra ze bij hem ingetrokken was had hij duidelijke voorwaarden gesteld: hij zou een paar maanden lang de huur voor een fatsoenlijk onderkomen betalen, en ondertussen een verzoek om overplaatsing indienen – Sussex, Cardiff, Yorkshire – een plek waar niet de geringste kans bestond dat iemand op de hoogte was van het feit dat je de vrouw bent van iemand die veroordeeld was wegens een gewapende roofoverval. Ze zouden daar leven als man en vrouw. Zij zou zichzelf daar mevrouw Jarvis noemen. Ondertussen zou zij een officieel verzoek tot echtscheiding indienen, en zodra die scheiding was uitgesproken, zouden ze trouwen. Als George een beetje meewerkte, zou Jarvis Robbie formeel adopteren. Verder zou de naam George in zijn aanwezigheid niet meer uitgesproken worden. Over deze voorwaarden kon niet onderhandeld worden. Ze kon ze accepteren, of ze kon weigeren er zich bij neer te leggen, maar er kon níet over worden gediscussieerd.

'Jij mag het zeggen,' zei Jarvis. 'Dus wat gaat het worden?'

Als een klein meisje had ze instemmend geknikt. Een snel knikje, een nerveuze, op- en neergaande beweging van het hoofd, alsof ze blij was dat ze er zo gemakkelijk van afkwam. 'Zeg het dan,' zei Jarvis, en Elsa had opnieuw geknikt, haar lippen op elkaar geknepen en haar ogen wijd opengesperd. 'Zég het dan,' herhaalde Jarvis. 'Zég dan dat je ermee akkoord gaat.'

'Ik ga ermee akkoord,' mompelde ze, en hoewel het niet bepaald de meest enthousiaste intentieverklaring was die Jarvis ooit had gehoord, had hij toen geloofd dat ze het oprecht meende.

Alleen hoorde hij ergens in zijn achterhoofd steeds weer de stem van George McLaughlan, die hem bij zijn arm greep en zei: 'Hou haar warm voor me, Mike.'

30

De canvas boodschappentas waarin ze de doos met documenten had gestopt begon aan de randen rafelig te worden. Margaret Hastie was al een tijdje van plan een nieuwe aan te schaffen. Als echtgenote van een advocaat zou van haar verwacht worden dat ze wat meer aandacht besteedde aan de manier waarop ze sprak, zich gedroeg en zich kleedde – en een vrouw zou nooit als goedgekleed worden beschouwd als haar accessoires van slijtage bijna uit elkaar vielen.

Maar momenteel viel niet alleen haar canvas boodschappentas van ellende uit elkaar. Ze was een lunchafspraak met Edward misgelopen, en Edward zou ongetwijfeld willen weten waarom.

Hij zou ook willen weten waarom hij zo lang had moeten wachten op de documenten waarnaar hij had gevraagd, en als hij haar die vraag zou stellen, zou ze hem antwoorden dat ze de hele middag nodig had gehad om haar gedachten op een rijtje te zetten nadat ze met haar verlovingsring naar een juwelier was geweest om die vanwege de verzekering te laten taxeren.

De juwelier had de steen, die in achttienkaraats wit goud was gevat, nauwkeurig onderzocht en hem vervolgens met een meewarige glimlach teruggegeven. 'Deze ring is het verzekeren niet waard.'

Margaret Hastie had gevoeld hoe de vloer van de juweliersaak heel even onder haar weg leek te vallen toen de man haar vervolgens uitlegde dat de steen een kubische zirkoon was. 'Heel mooi,' zei hij. 'Heel realistisch – maar nauwelijks een cent waard, dat moet u echt van me aannemen –'

Ze had de winkel verlaten in de overtuiging dat de juwelier zich vergiste. En vervolgens was ze boos geworden, maar niet op Edward: de juwelier had op het punt gestaan haar geld aan te bieden voor de ring. Nadat hij haar verteld had dat hij nauwelijks iets waard was, had hij geprobeerd haar zover te krijgen dat ze afstand van de ring zou doen en dat ze er de dagprijs voor kon krijgen, nadat hij haar eerder had verteld dat het gewicht van de witgouden zetting zodanig was dat die zijns inzien de waarde vertegenwoordigde van zo'n tachtig pond sterling, en dat hij bereid was om een certificaat met die strekking uit te schrijven, hoewel hij nog steeds van mening was dat het vanwege alle rompslomp nauwelijks de moeite waard was.

Té geschokt om nog iets uit te kunnen brengen had ze de winkel verlaten, de ring met zich meenemend en hem met een ruk terug om haar vinger schuivend, alsof hij bijna van haar gestolen was. Nadat ze de winkel uit was gebeend was ze op weg gegaan naar het restaurant dat Edward had voorgesteld, maar was een halte eerder uit de ondergrondse gestapt en Regent's Park in geglipt.

Ze was op een bank gaan zitten en had de ring rond haar vinger gedraaid, waarbij haar kwaadheid dan weer opvlamde, om even later weer weg te zakken, om uiteindelijk helemaal te verdwijnen.

Iemand – een vrouw – was blijven staan en had gevraagd of alles in orde met haar was en had haar een papieren zakdoekje aangeboden, terwijl ze bij haar was gebleven terwijl Margaret haar gezicht, haar kin en haar blouse had afgedept. 'Met mij is alles goed,' had ze gezegd. 'Niets aan de hand,' en even later was de vrouw verdwenen.

Maar Margaret was blijven zitten. Ze was in Regent's Park blijven zitten totdat de twee uur flexitijd die ze voor haar lunch mocht uittrekken allang voorbij waren. Het was al laat in de middag. Nog eventjes en de rest van het personeel zou met graagte uitkijken naar het moment waarop de wijzers van de klok halfvijf zouden aanwijzen, aangezien het weekend op de afdeling traditioneel vrij vroeg werd ingezet. Ze zouden zich ongetwijfeld afvragen waar ze ergens zat. Of liever gezegd, ze zouden zich afvragen waarom ze die middag nog niet op kantoor was teruggekeerd.

Het gras van Regent's Park had een mat olijfgroene kleur aangenomen, waarbij de zware bewolking er nog eens extra voor zorgde dat de lichtgevende eigenschap die het 's zomers vaak had totaal verdwenen was. Een struik die tijdens de vroege lente vol zat met dieprode bloemen was nu weinig meer dan een kluwen kale takken. Het blokkeerde haar uitzicht op een pad waarop op dat moment een man van begin dertig aan kwam lopen, in het gezelschap van een collega. Ze hadden beiden een kostuum aan, wat er de reden van was dat ze in eerste instantie dacht dat het twee bankemployés waren. Maar geen van beiden was bij een bank werkzaam.

De oudste van de twee benaderde haar als eerste. 'Margaret?' vroeg hij, en het drong niet eens tot haar door dat het eigenlijk wel vreemd was dat hij wist hoe ze heette. Hij stak zijn hand naar haar uit – niet met de bedoeling dat ze die aan zou nemen en zou schudden, maar meer met de bedoeling om haar tas aan te nemen, en die gaf ze dan ook, ondertussen van de bank overeind komend, terwijl hij de tas opende en de documentendoos eruit haalde.

'Hoe heeft u het ontdekt?' vroeg ze.

'Je wordt al enige tijd in de gaten gehouden,' zei hij haar, en ze knikte alleen maar even ten teken dat ze het begrepen had, en zei toen: 'Tot ik die ring liet taxeren heb ik het nooit beseft.'

Hij had geen flauw idee waar ze het over had.

'Het doet er niet toe,' zei ze en liep met hen mee naar de uitgang van het park, waar ze in een auto stapten die op hen stond te wachten. De auto was zwart en gestroomlijnd, van het soort dat ze vroeger altijd met James Bond-films associeerde. 'Ik zal u alles vertellen. Hem blijven beschermen heeft geen enkele zin.'

De jongste van de twee – de man die zich had verontschuldigd toen hij haar pols door middel van een stel handboeien aan de zijne had vastgemaakt – keek haar glimlachend aan en gaf een klopje op haar hand, en ze merkte dat zijn handpalmen koel waren en zijn huid erg zacht aanvoelde. 'We zijn blij dat je het op deze manier bekijkt. Dat scheelt ons allen een heleboel moeite.'

31

McLaughlan had de nacht doorgebracht in een tuin van een huis dat zo te zien niet bewoond werd. De binnenverlichting werd aangestuurd door een tijdklok. Dat wist hij omdat hij vóór hij de tuin in was gestapt – en in de siervijver Doheny's bloed van zijn gezicht, handen en kleding had gewassen – het huis een tijdje in de gaten had gehouden.

De geur van het bloed had twee Koi-karpers met hun macabere belangstelling zijn kant uit doen glijden. Hij sloeg zachtjes in het water en ze trokken zich weer terug, terwijl hun bekken de dood gretig naar binnen slokten en ze de beschutting van een miniatuurversie van een Japanse brug opzochten.

Hij had in de tuin geslapen, bij een muur die het terrein scheidde van de erlangs lopende weg. Hij wist dat dit veiliger was dan de nacht in een portiek door te brengen. Tenzij de bewoners van het huis, of de buren, hem alsnog zouden ontdekken, zou niemand hem hier in de gaten hebben. En bij het aanbreken van de ochtend stond hij vóór het volledig licht werd op en wandelde in de richting van de hoofdstraat van het voorstadje om daar een ochtendkrant te kopen. De straatverkoper die hem de krant verkocht bekeek hem aandachtig en McLaughlan kreeg de indruk dat de man hem herkende, en voor het eerst in zijn leven besefte hij hoe het moest zijn om in zijn vaders schoenen te staan, om steeds achterom te moeten kijken, of niet-bestaande bedreigingen te zien in zelfs de meest terloopse blik van een voorbijganger. Met zijn een meter vijfennegentig besefte hij maar al te goed dat hij een opvallende verschijning was. Hij kon worden opgepakt door de bemanning van elke per ongeluk passerende patrouillewagen. Er zat niets anders op dan dat risico te nemen:

hij kon de rest van zijn leven niet in iemands tuin blijven zitten.

Hij nam de krant mee naar een parkje en ging op een bank zitten om hem te lezen. Het eerste dat hij zag was de kop die betrekking had op het ontdekken van een los hoofd. De technische recherche had bevestigd dat het het hoofd van Gerald Ash was, en onder andere omstandigheden zou McLaughlan door het artikel gefascineerd zijn geweest. Maar momenteel lukte het hem niet eens om het hele stuk aandachtig door te lezen. Hij liet zijn blik over de belangrijkste details glijden, en ging toen op zoek naar het nieuws over de moord op Doheny: 'De politie is op zoek naar een man die aan het volgende signalement voldoet... Getuigen hebben gezien dat hij enkele minuten voor de schietpartij nog met de overledene wat stond te drinken, maar is direct na aankomst van het ambulancepersoneel verdwenen.'

Dat is net wat ik nodig heb, bedacht McLaughlan. Hij was er al bang voor geweest dat men hem van de moord op Doheny zou verdenken, en wie kon je dat kwalijk nemen? Per slot van rekening was hem nog maar enkele uren eerder door zijn eigen team een geweer met afgezaagde loop afhandig gemaakt. Het was voldoende om hem te doen geloven dat zijn instincten van de vorige avond klopten. Hij kon zich onmogelijk tot Orme wenden. Hij zou niet worden geloofd.

Hij bracht de dag door met het lopen door voorsteden waarvan hij wist dat ze over het algemeen rustig waren, voorsteden waar minder door de politie gepatrouilleerd werd dan in de wat rumoeriger wijken van Londen. Laat in de middag liep hij een café binnen en dronk een kop koffie die ervoor zorgde dat zijn hart als een gek tekeerging. Het was er erg warm – warm op de manier zoals het ook warm was geweest in dat buffet op het station van Glasgow. Net als toen had hij ook nu nauwelijks geld bij zich, en ook geen warme kleding, en de kou die door de ochtendkrant was voorspeld begon zich al door de donker wordende Londense straten te verspreiden.

Hij zat bij het raam en keek naar buiten, maar sloeg zijn blik neer toen er een patrouilleauto voorbijreed. Die stopte niet, maar reed gewoon door, en hij zou zich op dat moment enigszins hebben kunnen ontspannen, ware het niet dat hij iets zag dat ervoor zorgde dat zijn maag zich in zijn lijf omdraaide: een kind met een zilverkleurige ballon passeerde het café. Hij was ouder dan het jongetje dat bij de bankoverval korte tijd gegijzeld was geweest. Dit was een jongen van een jaar of negen, tien, maar de ballon was volkomen identiek.

Wat waren die ballonnen populair, bedacht McLaughlan. Hij had nooit beseft hoe veelvuldig ze in het straatbeeld te zien waren.

Hij dronk zijn koffie op en verliet het café, en direct nadat hij naar buiten was gestapt beet de koude wind dwars door zijn kleding heen.

De vorige nacht was koud geweest. Vannacht zou de temperatuur zakken tot een niveau dat levensbedreigend kon zijn, maar tegen het vooruitzicht de nacht opnieuw buiten door te moeten brengen was hij niet opgewassen. Hij durfde ook geen beroep te doen op een van de gebruikelijke instellingen voor daklozen: de hospitiums, de tehuizen, de plaatsen die door de politie werden gecontroleerd. Hij móest een plek zien te vinden waar hij de nacht kon doorbrengen, of iemand die bereid was hem te helpen, en hij overwoog contact op te nemen met Claire, maar besloot vrijwel onmiddellijk dat toch maar niet te doen. Hij liep niet alleen het risico dat het telefoontje werd afgeluisterd, maar Claire had de afgelopen paar dagen toch al een paar grote schokken te verwerken gekregen: wát hij haar ook zou vertellen, ze zou niet weten wat ze moest geloven.

Hij liep de andere kant op, weg van de richting die door het kind met de ballon was ingeslagen. Hij kon die ballon niet meer zíen, dobberend boven de hoofden van de mensen die op het trottoir liepen.

32

Op de auto's die beneden langs de flat stonden geparkeerd begon zich een dun laagje ijs te vormen. De lucht was van een koel donkerblauw – geen wolken die warme lucht tussen het plaveisel en de sterren vast konden houden. Het zou vannacht verdomde koud worden, bedacht Jarvis.

Hij trok de gordijnen dicht, draaide de centrale verwarming nog wat hoger en ging toen zitten om naar de laatste paardenraces op Aintree te kijken. De paarden leken in elkaar te schrompelen zodra de wollen dekens van hun zadels werden gerukt en de jockeys de teugels inkortten alsof ze houvast probeerden te vinden aan linten van ijs.

Hij genoot van het kijken naar de paarden, hoewel hij er zelden op gokte. En dat was maar goed ook, vond Jarvis, want áls hij er eens eentje als winnaar tipte, kwam het dier steevast als allerlaatste binnenhinken. Hij was berucht voor het geven van de kus des doods aan de uitgesproken favoriet. In die mate zelfs dat Hunter, de meest enthousiaste gokker die hij kende, het team eens had voorgehouden: 'Als we Jarvis ooit een keertje door het hoofd geschoten in een greppel mochten vinden, richt je onderzoek dan niet op de plaatselijke boeven, maar bel gewoon alle trainers in Lambourn af en je weet binnen de kortste keren wie hem heeft vermoord.'

Hunter, bedacht Jarvis. Je moest er eigenlijk om lachen. Hij had in de rechtszaal een zekere zwier tentoongespreid, het soort hooghartigheid dat ervoor zorgde dat de pers erop zinspeelde dat de man misschien wel knettergek was. Hij had, nadat hij uit de gevangenis was ontslagen, een boek geschreven over enkele van de meer beruchte boeven met wie hij in het verleden te maken had gehad. Het had uitstekend verkocht. Jarvis bezat ook een exemplaar, een eerste druk waarin Hunter de opdracht had geschreven: 'Voor een oude dwaas, van een oude boef'.

George werd in het boek omschreven als een van de mannen die op het centraal station van Glasgow hadden gestaan toen het gerucht de ronde deed dat de Kray's op weg waren.

Volgens de legende zouden de gebroeders Kray van plan zijn geweest aanspraak te komen maken op het gebied ten noorden van de grens, maar zouden ze geen rekening hebben gehouden met een ontvangstcomité waarin lieden zaten als George. Nadat de trein het station was binnengelopen hadden ze het ontvangstcomité heel even aangekeken en hadden vervolgens niet eens de moeite genomen uit te stappen. Uiteindelijk had de trein hen weer terug naar Londen gebracht, waar ze waren gebleven.

Heel verstandig, vond Jarvis. Je stapt niet graag uit een trein om vervolgens tegen iemand als George McLaughlan aan te lopen. En Glasgow zat vol met lieden als hij: groot, sterk, wreed, mannen die in het verre verleden over de muur van Hadrianus waren geklommen om de Romeinen een pak rammel te geven.

De race was begonnen, een race waarin een jonge kastanjebruine hengst waarvan Jarvis nogal wat verwachtte een bocht naar links maakte waar de rest van het veld naar rechts draaide. Nadat de hengst er niet in was geslaagd zich te profileren als een nieuwe Vasco da Gama onder de paarden, ontdeed het zich van zijn jockey, kwam even later met een schok tot stilstand en ging toen op z'n gemak staan grazen. Het was het oude liedje, bedacht Jarvis, die daar zo om moest glimlachen dat het even duurde voor hij in de gaten had dat er iemand aan de deur was.

Rond dit tijdstip kwam er zelden bezoek, en zijn eerste reactie was er dan ook een van behoedzaamheid. Hij was bekend met alle trucs die boeven konden uithalen om toegang te krijgen tot het huis van een al wat ouder iemand.

Hij keek door het kijkgaatje in de voordeur, maar de bezoeker stond er met zijn rug naartoe. Jarvis probeerde de ketting om er zeker van te zijn dat die goed vastzat, en terwijl hij de deur opendeed draaide de bezoeker zich om.

'Mike,' zei McLaughlan, en Jarvis' eerste gedachte was dat er iets met Elsa aan de hand moest zijn. Wat kon hem anders na al die jaren hierheen brengen? Misschien was Elsa wel ziek.

'Ik wil graag even binnenkomen – eventjes maar. Ik moet met je praten –'

Jarvis opende de deur helemaal en McLaughlan stapte de flat binnen die hij jaren geleden voor het laatst had gezien. Een iets ander decor wellicht, maar in feite nog hetzelfde goedkope, opgewekte en comfortabele onderkomen dat hij zich nog kon herinneren. En bij die gelegenheid had Jarvis hem – beleefd weliswaar – gevraagd hem in de toekomst alsjeblieft met rust te laten. 'Het is niet persoonlijk bedoeld hoor,' had hij gezegd. 'Maar ik wil graag definitief met het verleden breken – en dus ook met jou.'

En hier ben ik dan, bedacht McLaughlan, een tastbare herinnering aan een verleden dat hij liever zou willen vergeten.

Hij ging zitten terwijl Jarvis de televisie uitzette en vervolgens bleef staan. Hij wist niet wat hij tegen Robbie moest zeggen. Wat zei je tegen mensen die na zoveel jaar plotseling op je stoep stonden, en dan met name mensen aan wie je de laatste keer dat je hen had gezien met klem had gevraagd nooit meer langs te komen?

Onder andere omstandigheden zou hij misschien in staat zijn geweest het gesprek te openen door te zeggen dat Robbie er goed uitzag, om daarna te vragen wat de reden was van zijn bezoek. Maar hij merkte dat hij niet in staat was om deze openingszin te gebruiken, en wel om de simpele reden dat Robbie er allesbehalve goed uitzag. Hij leek zich de afgelopen paar dagen niet geschoren te hebben en zijn kleren zagen eruit alsof hij daar de laatste dagen in geslapen had. Hij rook naar de straat, het verkeer en de cafés, naar lucht die vol vuil zat. En nu Jarvis hem had binnengelaten, leek hij ook nauwelijks genegen iets te zeggen. Hij zat daar maar, verwilderd.

'Wil je iets drinken?' bood Jarvis aan.

'Thee,' zei McLaughlan. 'Ik zou best een kop thee lusten.'

Jarvis liep naar de keuken, half en half verwachtend dat Robbie achter hem aan zou komen, maar hij bleef zitten waar hij zat. Terwijl hij wachtte tot het water kookte keek hij een paar keer zijn kant uit, maar hij zat daar maar, alsof hij, nu hij eenmaal een comfortabele plek had gevonden, niet van plan was om snel weg te gaan.

'Wil je misschien ook iets eten?' vroeg Jarvis, en McLaughlan knikte. 'Heb je zin in iets bepaalds? Moet ik iets voor je bakken? Of heb je zin in soep?'

McLaughlan schudde zijn hoofd.

Dat wordt dus iets bakken, concludeerde Jarvis. Robbie had altijd een voorkeur gehad voor gebakken voedsel.

Er was niet veel veranderd, bedacht Jarvis, terwijl hij de bacon en eieren uit een koelkast haalde die altijd barstensvol voedsel zat. Hij had het gevoel dat hij een groot deel van zijn leven bezig was geweest met het klaarmaken van voedsel voor Robbie. Het leek bijna de normaalste zaak van de wereld om enkele ogenblikken nadat hij onverwacht uit de lucht was komen vallen al direct iets voor hem klaar te maken. Robbie en eten – het was zo'n beetje het allereerste verband waarmee Jarvis werd geconfronteerd nadat hij Elsa had leren kennen.

Hij zou toch op z'n minst verwachten dat hij over Elsa zou beginnen, concludeerde Jarvis. Hij had eigenlijk helemaal geen zin om naar haar te vragen, maar besefte dat het misschien erg vreemd zou lijken als hij dat níet zou doen, dus nadat hij de bacon in de koekenpan had gelegd, stak hij zijn hoofd om de hoek van de deur en vroeg: 'Hoe gaat het met Elsa?'

Hij zat er nog steeds, starend naar een zwart televisiescherm. 'Ik zou het niet weten.'

Jarvis vroeg zich af wat hij daarmee bedoelde. Misschien hadden ze ruzie. Dat zou kunnen betekenen dat ze nog steeds in leven was. Ze moest wel oud zijn geworden, bedacht Jarvis. Ik zou haar waarschijnlijk niet eens meer herkennen.

En toch was dat niet waar. Hij zou Elsa altijd en overal herkennen, hoe oud ze ook mocht zijn. Het was onmogelijk om van iemand te houden zoals hij van haar had gehouden, en haar dan niet onmiddellijk te herkennen als je haar jaren later toevallig weer tegen het lijf liep.

Hij had alleen geen zin meer om haar nog eens terug te zien, dát was het. Hij had niet eens naar haar willen vragen. Nou ja, hij hád naar haar gevraagd, en Robbies 'Ik zou het niet weten' had een einde gemaakt aan de noodzaak tot verder navragen of uiteenzetting. Jarvis had het gevoel dat hij daardoor wat meer afstand schiep. Hij kon Robbie om zich heen verdragen zolang hij niet over het verleden zou beginnen. Als hij alleen maar wat te eten wilde hebben, of misschien nog wat geld, kon hij hem wel helpen. Als hij méér wilde, zoals een verklaring waarom Jarvis hem en Elsa zonder duidelijke reden in de steek had gelaten, zou hij daar niet aan kunnen voldoen.

Maar alleen het feit al dat Robbie daar zat was voldoende om herinneringen naar boven te halen die zonder meer pijnlijk genoemd mochten worden, concludeerde Jarvis. En toen besefte hij dat hij niet eerlijk was: jarenlang had hij bij het verleden stilgestaan. Dat was niet iets van de laatste tijd geweest. Elke keer dat hij bij een begrafenis aanwezig was, over een overval las of een politieauto zag, moest hij denken aan de tijd dat Elsa een rol in zijn leven had gespeeld.

Uiteraard had hij verwacht dat Elsa zich aan haar deel van de afspraak zou houden, zoals hij ook had verwacht dat Georges opsluiting zou resulteren in een merkbare verbetering van hun relatie. En in bepaalde opzichten werd aan zijn verwachtingen wel degelijk voldaan: na de verhuizing had Elsa haar achternaam veranderd in Jarvis, en ze had ook de naam George nooit meer in de mond genomen. Maar soms verviel ze in een stilzwijgen dat af en toe wel uren kon duren.

'Waar zit je aan te denken, Elsa?'

'Ik dacht aan niets specifieks.'

Op dat soort momenten had hij de aanwezigheid van George even sterk gevoeld alsof de man zojuist de deur binnen was komen stormen. Maar erger nog waren de keren dat hij met Elsa had gevreeën, enkel om te ontdekken dat ze met haar gedachten totaal ergens anders was, in elk geval níet bij hem. Op dat soort momenten waren haar reacties mechanisch geweest, de seks niets meer dan pure routine, een serie lichamelijke handelingen die alleen uitgevoerd leken te worden om hem aan zijn gerief te helpen, iets waarvan ze wist dat ze het zou moeten blijven doen om hem gelukkig te houden.

'Hou je van me, Elsa?'

'Waarom vraag je dat?'

En dan waren er de keren dat ze niet thuis was, een afwezigheid die nooit werd toegelicht, de weekends die ze in Glasgow doorbracht onder het voorwendsel dat Iris niet erg lekker was. 'Ik ga even aan paar dagen naar Iris. Die kan best een beetje hulp gebruiken.'

Soms bleef Robbie bij Jarvis achter, maar het gebeurde ook dat Elsa hem met zich meenam. En bij de gelegenheden dat Elsa hem met zich meenam, vertoonde Robbie bij terugkeer alle symptomen van een kind dat verscheurd werd door schuld.

'Heb je ergens zin in?'

'Ik heb wat van die chocolaatjes gekocht die u zo lekker vindt.'

Jarvis had hem dan ook nooit gevraagd te bevestigen wat hij altijd al vermoed had: dat Elsa niet naar Glasgow was afgereisd om bij Iris op bezoek te gaan, maar enkel en alleen naar het noorden was gegaan om bij George op bezoek te kunnen. Waar de bevestigingen van het gevangenisbezoek naartoe werden gestuurd, wist hij niet. Misschien naar hetzelfde adres als Georges brieven? Hij had nog nooit een brief van George aan Elsa gevonden. Hij had geen enkel bewijs dat er sowieso ooit brieven waren geschreven en verstuurd. Maar soms had een mens niet eens bewijs nodig, bedacht Jarvis. Soms wíst je bepaalde dingen gewoon.

Hij had gehoopt dat Elsa's liefde voor George langzaam maar zeker zou verdwijnen. Vijftien jaar was een lange tijd om van iemand te houden die er niet was, en Jarvis had haar een goed leven gegeven. Voor het eerst van haar leven woonde ze in een fatsoenlijk huis en had ze een man die een fatsoenlijk salaris verdiende. Dat moest toch íets te betekenen hebben? Dat moest toch meer te betekenen hebben dan haar verlangen naar een schurk als George?

'Ik móet weten of je me toegewijd bent, Elsa. Ik móet weten dat je niet alleen bij me bent ingetrokken omdat je verder nergens heen kon.'

'Wat moet ik doen om je dat te bewijzen?'

'Dien een verzoek in om van George te kunnen scheiden.'

'Dat kán ik niet, Mike – niet zolang hij nog in de gevangenis zit.'

'Je hebt het me beloofd.'

'Ik heb er niet voldoende over nagedacht toen ik je dat beloofde. Ik beloof je nu dat ik het zal doen zodra hij vrij is.'

Hij had haar zo wanhopig graag willen geloven. En als je iets maar graag genoeg wilt, dwing je jezelf het te geloven. Dus had Jarvis zichzelf ervan overtuigd dat haar weigering om van George te scheiden veroorzaakt werd door een misplaatst gevoel van compassie, totdat hij op een dag iets uit een oude koekjestrommel nodig had gehad. Hij zag het ding nog duidelijk voor zich – een grote rode trommel waar ooit spritsen in hadden gezeten. Die spritsen waren al lang geleden opgegeten en nu bood de trommel onderdak aan een heel assortiment geboorte-, trouw- en overlijdenskaarten, samen met een certificaat waaruit bleek dat Tam in de St Mungo-kerk zijn eerste communie had gedaan. Ónder die papieren bevond zich een veelheid aan knopen, veiligheidsspelden en een rolletje plakband – en daar was hij naar op zoek geweest: het plakband. Hoeveel keren had hij in de loop der jaren die trommel niet geopend? Hij had geen flauw idee. Hij wist alleen maar dat hij, terwijl hij de papieren eruit haalde, plotseling besef had dat er iets van buitengewoon belang aan ontbrak.

De koekjestrommel had twaalf jaar lang op een plank in een keukenkastje gestaan. Had hij maar eerder beseft wat er was verdwenen. Maar dat was niet het geval geweest. Met als gevolg dat hij zich twaalf jaar lang voor de gek had gehouden, twaalf jaar lang had gedacht dat de flat in Brighton met het grote balkon en op slechts vijf minuten lopen van de boulevard verwijderd Elsa's leven had gevuld, zoals het langzaam zíjn leven was gaan vullen.

Tijdens die periode was Robbie volwassen geworden. Hij was tweeëntwintig en woonde nog thuis. Jarvis had eigenlijk verwacht dat hij allang op zichzelf zou wonen, maar het was eropuit gedraaid dat Jarvis het huis als eerste had verlaten. Wie had zich kunnen voorstellen dat ík degene was die zou vertrekken? Wie had kunnen denken dat er een dag zou aanbreken waarop ik zonder ook maar één woord uitleg zou verdwijnen?

Hij had weglopen altijd iets voor kinderen gevonden. Hij was er altijd van overtuigd geweest dat volwassen mannen, mannen die er prat op gingen dat ze in staat waren om hun gevoelens onder woorden te brengen, een relatie in stand konden houden, niet zomaar zonder uitleg weg zouden lopen. Die trokken niet zomaar hun jas aan, om vervolgens nog even om zich heen te kijken en daarna hun gezin en hun baan te laten voor wat ze waren.

Nu begreep hij hoe sommige mannen simpelweg konden verdwijnen. *Ik ben even een pakje sigaretten halen.* En dat was het dan.

Hij was naar Londen teruggekeerd, naar straten die hij kende, naar boeven die hij kende, en de enige plaats waar hij zich ooit echt thuis had gevoeld.

Robbie had hem uiteindelijk weten op te sporen, hoewel hij daar wel een paar maanden voor nodig had gehad. 'Waarom ben je bij ons weggelopen?'

'Het is niets persoonlijks, Robbie. Het is echt jouw schuld niet – het is alleen dat ik definitief met het verleden wil breken.'

'Ze probeert van alles om aan je adres te komen. Ze is er volkomen van over haar toeren.'

'Nee, dat is niet zo – maak je over haar maar geen zorgen. Nog even en dan komt George weer vrij.'

'Ze gaat nooit meer naar hem terug.'

'O nee? Moet je eens opletten.'

Hij had uiteraard gelijk gekregen. Teruggaan naar George was exact datgene wat Elsa had gedaan, precies datgene wat ze altijd van plan was geweest. En nadat George uit Barlinnie was vrijgelaten waren ze samen bij Iris ingetrokken. De huurwoning waar ze haar zoons had opgevoed waren neergehaald, eerst door de storm en vervolgens door de dienst Stadsontwikkeling van de gemeente Glasgow. Waar het huis ooit had gestaan stond nu een hoge flat.

Soms had Jarvis zich voorgesteld hoe Elsa vanuit die flat naar buiten stond te kijken. Het beeld dat zich voor haar uitstrekte moest er als een maanlandschap hebben uitgezien, en zeker niet als een aards landschap, concludeerde hij. Geen gras. Alleen maar kuilen en diepe voren, waaruit als oeroude monolieten torenflats omhoog rezen. Hij vroeg zich af of ze, vanuit die flat naar buiten kijkend, ooit nog eens terug zou denken aan die woning met een tuin in Brighton. En als dat inderdaad het geval was, zou ze dan wel eens spijt voelen? En zo ja, had die dan betrekking op datgene wat ze was kwijtgeraakt, of op het feit dat ze twaalf jaar lang gelogen had, niet alleen tegen hem maar ook tegen zichzelf?

Waarschijnlijk op het eerste, bedacht Jarvis.

In de jaren die daarop volgden had hij op de een of andere manier kans gezien zijn leven weer een beetje op de rails te krijgen. Hij was vervroegd met pensioen gegaan en had een baantje aangenomen als beveiligingsman bij een casino in het West End. Hij had niet slecht geboerd. En hij had af en toe zelfs overwogen alsnog te trouwen. Maar na Elsa was hij er om de een of andere reden nooit meer in geslaagd iemand tegen het lijf te lopen voor wie hij desnoods door het vuur zou willen gaan. En dit, dacht Jarvis, in zijn flat om zich heen kijkend, is het resultaat van dit alles: geen foto's van kleinkinderen, van uitstapjes, van familiefeestjes. Je bent een stommeling, bedacht hij. Dit is je verdiende loon.

Hij bracht de gebakken bacon en eieren naar Robbie, die het bord op zijn knie liet balanceren en het naar binnen werkte alsof hij de afgelopen weken niet had gegeten. Vreemd, bedacht Jarvis, hoe ook dát niet was veranderd: op de dag dat Elsa was gevraagd de kleding te identificeren, was hij naar de Spar gelopen om daar iets te eten te halen, dat Robbie naar binnen had geschrokt alsof hij elk moment van de honger dood kon gaan. Misschien dat hij toen, net als nu, inderdaad op het punt had gestaan de hongerdood te sterven. Dat was een van de dingen die Jarvis nooit had begrepen: Elsa was in staat gebleken om wekenlang zonder eten te kunnen. Ze was een van die vrouwen die nauwelijks iets aten. Ze leek het niet te merken als ze een maaltijd oversloeg, of maar één keer per dag iets at. Zolang ze haar sigaretten en haar glas wijn 's avonds maar had was ze tevreden: voedsel had voor haar nooit belangrijk geleken. Maar voor een opgroeiende jongen was het wél belangrijk, en voor de volwassen man die nu voor hem zat was het ook belangrijk. 'Zo te zien heb je ervan genoten,' zei Jarvis terwijl hij het lege bord van hem aannam.

'Mike,' zei McLaughlan, 'ik zit behoorlijk in de problemen.'

Hij had Jarvis' eten naar binnen gewerkt, had gebruikgemaakt van zijn gastvrijheid. En toch kostte het hem moeite om de gebeurtenissen te beschrijven die ervoor hadden gezorgd dat hij nu hier zat. Hij besloot te beginnen met te vertellen dat hij nadat hij en Jarvis elkaar voor het laatst hadden gezien bij de politie was gegaan. Jarvis begroette dit nieuws met ongeloof, en McLaughlan liet hem zijn legitimatie zien: 'Ik neem aan dat je een neplegitimatie van een echte kunt onderscheiden.'

'Ongelooflijk,' zei Jarvis. 'Waarom heb je dat gedaan?'

Dat is een goede vraag, bedacht McLaughlan. Hij had zich al vaak afgevraagd waarom hij de beslissing had genomen bij de politie te gaan. Veel mensen zouden ongetwijfeld aannemen dat het enkel was om zijn vader te irriteren, of te bewijzen dat hij absoluut niet op hem leek. Maar dat was het niet: hij wist niet eens zeker of hij het Jarvis uit kon leggen, maar het had iets te maken met het feit dat op een avond, een paar maanden voordat hij vermoord werd gevonden, Jimmy vanuit Glasgow bij hem op de stoep had gestaan, op zoek naar een plaats waar hij een paar nachten kon slapen.

McLaughlan had de deur opengedaan, en toen hij zag dat het Jimmy was had hij naar zijn moeder geschreeuwd en geprobeerd de deur weer dicht te doen.

Maar Jimmy had zijn schouder tegen de deur gegooid, met als gevolg dat McLaughlan door de gang werd geslingerd. En vervolgens had

Jimmy hem tegen de muur van de hal gedrukt, om hem met zijn stinkende adem toe te bijten: 'Wat is er nou, Robbie? Ben je niet blij je oom Jimmy weer eens terug te zien?'

Jarvis was uit het niets komen opdoemen en had zijn politielegitimatie onder zijn neus gedrukt: 'Opsodemieteren, Jimmy, of ik zorg ervoor dat je een paar dagen op het bureau Tower Bridge mag doorbrengen.'

Jimmy had de boodschap begrepen. Hij was weer naar buiten gegaan en Jarvis had de grendels voor de voordeur en de vensters geschoven.

Die legitimatie had voor McLaughlan iets magisch geleken. Alles waarmee je Jimmy uit de buurt kon houden móest wel over bovenmenselijke kracht beschikken. Zelfs tóen al had hij geweten dat hij later bij de politie in dienst zou treden, maar besefte ook dat hij daarvoor zou moeten liegen. Er was niet één enkel korps in het land dat de zoon van een crimineel aan zou nemen. Dus had hij dienst genomen bij het politiekorps van Sussex, waar de naam McLaughlan niemand iets zei. Geen van de politiemannen daar had ooit het genoegen mogen smaken de deur in te trappen, zijn vuist door de romp van het van lucifers gemaakte schip te rammen of zijn vader het huis uit te slepen, die daarbij onder schot wordt gehouden, terwijl zijn moeder huilend op de gang staat, om in het voorbijgaan nog snel even van oom agent te horen te krijgen of ze misschien 'zin in een stevige beurt' heeft, zodat ze toch nog een fijne dag heeft. Geen van hen wist hoe het was om voor een rechter de eed af te leggen in de wetenschap dat ze onder heel andere omstandigheden voor deze zelfde rechter zouden kunnen staan. Zijn hele leven was één lang bestaan op het randje geweest, en het feit dat hij zich nog steeds aan de goede kant van de lijn bevond, had hij nagenoeg geheel aan Jarvis te danken.

'Hoe ben je aan je referenties gekomen?'

'Eentje van school. En eentje van de leiding van de plaatselijke scoutinggroep,' antwoordde McLaughlan.

En geen nationaal computersysteem dat zijn naam op het bureau van de rekruteringsmensen kon uitspuwen om ze te vertellen dat het hier om de zoon van George McLaughlan ging.

'En wat is het probleem dan?' vroeg Jarvis, en McLaughlan begon te vertellen, het zo kort mogelijk houdend, ter zake blijvend.

Naar alle waarschijnlijkheid heeft Swift Ash vermoord.

Naar alle waarschijnlijkheid heeft degene die Swift over Ash' identiteit heeft ingelicht, hem ook mijn naam doorgegeven.

Ik wist dat ik in de gaten werd gehouden, maar ze wilden me niet geloven.
En toen werd Doheny doodgeschoten.

Nadat Jarvis hem had aangehoord liet hij zich achterover in zijn stoel zakken, terwijl McLaughlan zich voorbereidde op een spervuur van vragen dat nooit kwam.

Je komt hierheen, dacht Jarvis, duikt zomaar uit mijn verleden op, en je vertelt me dat je in je voormalig ouderlijk huis hebt ingebroken. Je hebt de vrouw die daar nu woont de stuipen op het lijf gejaagd, en je hebt je eigen vrouw en kind de stuipen op het lijf gejaagd. Je collega's hebben je opgebracht alsof je een echte crimineel was, en je vriend en partner is voor je ogen doodgeschoten. Je vertelt me dit alles en verwacht dan van mij dat ik in staat ben iets te doen om je te helpen. Maar ik kan niets voor je doen, Robbie. We leven in een volwassen wereld, waar de mensen de waarheid van hun situatie geacht worden onder ogen te zien.

'Wat denk je dat ik het beste kan doen?' vroeg McLaughlan, en Jarvis dacht: Ik zal je één ding vertellen, Robbie, ik sta helemaal niet zo te kijken dat het zo gelopen is. Niemand met jouw achtergrond kan zijn verleden eeuwig verborgen houden – vroeg of laat móet de waarheid aan het licht komen. Hij stak een hand in zijn binnenzak, haalde zijn portefeuille te voorschijn en haalde er tweederde van zijn pensioen uit. 'Hier – neem dit maar,' zei hij.

'Vijftig pond? Nee.'

'Betaal me maar terug als je weer geld hebt. Hiermee kun je misschien wat tijd kopen, iets te eten en een bed voor vannacht.'

'Wat denk je dat ik het beste kan doen?' herhaalde McLaughlan.

Jarvis dacht: ik denk dat je me eindelijk eens zou moeten vertellen wat er met Tam is gebeurd. Ik denk dat ik het verdien dat te weten. Ik was de vader die je nooit hebt gehad. Ik heb je gekleed, ik heb je gevoed, ik heb je onderdak gegeven. Ik heb van je gehouden, heb je behandeld alsof je mijn eigen vlees en bloed was. En het enige dat je gedaan hebt is tegen me liegen. Je wist wat er uit de koekjestrommel was verdwenen, maar je hebt er nooit met ook maar één woord over gerept. Je wist wat er met Tam was gebeurd, maar je hebt me dat nooit verteld. Je wist dat toen ik je zei dat ik je gezicht nooit meer wilde zien; ik smeekte je bij wijze van spreken om me te helpen, om tussen de regels door te lezen, om een fractie van datgene wat ik voor jou had gedaan terug te doen. Maar je bent gewoon weggelopen, en je bent twintig jaar lang door blijven lopen, Robbie – totdat je hulp nodig had. En nu ben je terug –

'Ik denk dat je contact met Orme op moet nemen,' zei Jarvis. 'Geef jezelf aan, vertel ze over je achtergrond, vertel ze hoe en waar je aan dat vuurwapen bent gekomen, en geef ze vervolgens de kans je te helpen.'

'Dat kan ik niet doen.'

'Je moet het zelf weten.' En terwijl hij de vijftig pond in zijn zak steekt, vertel je hem nog iets anders, iets dat hij allang weet maar momenteel probeert te ontkennen: 'Het is afgelopen met je, Robbie – bij de politie blijven werken kun je wel vergeten.'

En nu loopt hij weg.

Vóór zijn vertrek wilde McLaughlan eerst een douche nemen, maar Jarvis wenste aan dat verzoek niet te voldoen – en met reden. Hij had hem herinnerd aan iets dat hij blijkbaar was vergeten: als hij onschuldig was, zoals hij beweerde, zou de technische recherche niets kunnen vinden op zijn kleding, in zijn haar of op zijn huid waaruit zou blijken dat hij degene was geweest die Doheny had doodgeschoten, want als er een vuurwapen wordt afgeschoten laat dat niet alleen sporen op het slachtoffer achter, maar ook op degene die het schot heeft afgevuurd.

Hij droeg dezelfde kleren waarin hij de vorige avond de straat op was gegaan. Direct nadat hij zich had aangegeven zou hij gedwongen worden zich uit te kleden en zouden zijn kleren worden opgestuurd voor onderzoek. De technische recherche zou op zijn huid en kleren bloedspetters aantreffen, waarvan sommige zó klein dat ze voor het menselijk oog onzichtbaar waren, en het patroon waarin die bloedspettertjes werden gevonden zou aangeven waar hij had gestaan toen Doheny werd doodgeschoten. De mensen van de technische recherche zouden vervolgens kijken naar de hoek waaronder Doheny was beschoten, en zouden concluderen dat daartussen discrepantie bestond, dat McLaughlan het niet gedaan kón hebben.

Geef jezelf aan, had Jarvis gezegd, en McLaughlan had geantwoord: 'Ik moet nadenken.'

Goed, hij had nu nagedacht en wist dat Jarvis gelijk had. Hij zou zichzelf aangeven. Precies zoals Jarvis had gezegd, zou hij zich moeten uitkleden en uiteindelijk zou een van zijn collega's naar McLaughlans huis gaan om daar schone kleren te halen ter vervanging van de kleding die naar het laboratorium was gestuurd. Maar tot dat tijdstip zou hij iets moeten dragen dat nog het meest op ziekenhuiskleding leek – en daarna zou hij een reeks sessies moeten ondergaan waarin hij door Orme meedogenloos zou worden verhoord.

Het was altijd goed om iemand te verhoren als die op de een of andere manier in een psychologisch nadeel verkeerde. Hem zijn kleren afnemen, ervoor zorgen dat hij zich daardoor onbeholpen en kwetsbaar voelde, was een goede manier om dat te bereiken, maar McLaughlan was absoluut niet van plan om zich in het nadeel te laten manoeuvreren. Hij zou naar huis gaan, schone kleren pakken en zich daarna pas aangeven.

Hij nam een taxi naar huis en zei tegen de chauffeur dat hij aan het eind van de straat moest stoppen, nadat ze eerst langs het huis waren gereden. Daar was het zo te zien helemaal donker, wat inhield dat Claire nog niet was teruggekeerd. Hij was trouwens niet van plan om het huis via de voordeur te betreden, want je wist maar nooit of het nog in de gaten werd gehouden.

Hij betaalde de taxichauffeur en liep toen langs de zijkant van het rijtje huizen naar een steegje dat de scheiding vormde tussen de tuinen van het rijtje waarin híj woonde en die van de woningen áchter hem. Ooit was het een openbare doorgang geweest, maar de bewoners hadden de gemeenteraad zover gekregen dat er een hek werd geplaatst, een metalen hek met scherpe punten erbovenop. Iemand moest daar de sleutel van hebben, maar McLaughlan wist niet wie.

Hij klom tegen het hek op, en had op die manier heel even uitzicht op de tuinen naast de zijne. Alles maakte een rustige indruk. Met name zijn eigen tuin, waarvoor hij, om er binnen te komen, opnieuw over een hek zou moeten klimmen.

Even later stond hij aan de achterkant van zijn eigen huis, om vervolgens via een bovenraampje naar binnen te klimmen en te ontdekken dat hij in een opslagruimte vol rotzooi stond.

De deur kwam uit op de overloop. Was het nog maar gisteren geweest dat hij met zijn gezicht tegen de vloer van deze overloop was gedrukt? Was het inderdaad nog maar gisteren geweest dat hij naar het gezicht van zijn vrouw had opgekeken en daar zó'n angstige uitdrukking op had gezien dat hij zich ervoor had geschaamd? Het enige dat hij had willen doen was de mensen beschermen die voor hem alles op deze wereld betekenden. Wat zouden ze denken als ze hem zó konden zien, inbrekend in zijn eigen huis, de trap afdalend waarlangs het team waarvan hij zelf zo'n onlosmakelijk onderdeel vormde, hem onder dwang en met de handen op zijn rug geketend naar beneden had geduwd?

Zijn ogen waren nu wat meer aan het duister gewend. Er klopte iets niet – hij wist alleen niet precies wát. De familie had altijd beweerd dat George in staat was te ruiken of er een vreemde in huis was. In feite was het een uiterst primair iets – het instinct om de aanwezigheid van een vijand te ruiken. Zijn huis was ontwijd.

Misschien rook hij de zoektocht die onder Ormes leiding had plaatsgevonden, want die zou ongetwijfeld naar verdere wapens hebben laten zoeken.

Nee, bedacht McLaughlan. Niet Orme. Het is niet Orme die ik hier ruik.

Bij de deur was een vorm te zien. Iets op de mat. Een grote, dikke envelop. Hij bukte zich en pakte hem op. Er zaten geen postzegels op. Buiten de gewone postdienst om afgeleverd en met alleen zijn naam erop – het handschrift herkende hij niet. Wat hij wél zag was het feit dat het veel te groot was voor de brievenbus. Wie deze envelop had afgeleverd, moest daarvoor het huis hebben betreden en het zelf op de mat hebben neergelegd.

De wetenschap dat degene die de envelop hier had achtergelaten nog weleens in de buurt zou kunnen zijn, zorgde ervoor dat zijn zintuigen nog scherper gingen functioneren. Hij nam de envelop mee naar de woonkamer en hoorde op dat moment een uiterst zachte plof. Hij draaide zich om en haalde uit, terwijl de kat miauwend protesteerde toen zijn vuist nét de staart van het dier miste. Ze schoot onder de bank, waar ze vervolgens bleef zitten, hem ondertussen aankijkend met een mengeling van verrassing en een milde vorm van minachting.

Hij liep alle kamers van het huis na en controleerde ze vervolgens nóg een keer. Er was niemand. En nu trok hij de gordijnen dicht – dat was niet gemakkelijk als je uit de buurt van het raam wilde blijven. Maar nadat ze eenmaal dicht waren nam hij bewust een risico en deed het licht aan. Het eerste dat hij zag was de envelop.

Hij bekeek hem van alle kanten en kwam tot de conclusie dat het een geelbruine standaard A4-envelop was van het soort dat gewoonlijk door juristen en aanverwante beroepen werd gebruikt. Hij ging op de bank zitten, stak zijn duim onder de flap en scheurde hem open.

Iets dat hij herkende, iets waarvan hij niet wilde dat het het zou zijn, werd voor een klein gedeelte zichtbaar. Hij trok het er nu helemaal uit en spreidde het uit op zijn schoot. Het waren het kleine T-shirt en de korte broek van een kind.

McLaughlan kon er alleen maar naar kijken en begreep er in eerste instantie niets van. En toen drongen de implicaties van dat waarnaar hij keek uiteindelijk tot hem door en stortte hij in. Hij drukte de kleuterkleding tegen zijn gezicht en begon er in te schreeuwen. Pas toen de telefoon begon te rinkelen stopte hij daarmee.

Het rinkelen hield op, en begon toen weer opnieuw. Het hield op, en begon toen weer opnieuw. Uiteindelijk liet hij zich van de bank glijden en kroop over de vloer, zich maar al te bewust van het feit dat als hij rechtop door de kamer zou lopen, zijn silhouet, afgetekend tegen de gordijnen, weleens voor iedereen buiten te zien zou zijn. En er wás iemand buiten. Daarvan was hij nu overtuigd. Iemand met een mobiele telefoon, iemand die hem een minuut de tijd had gegeven om de envelop te openen, om vervolgens zijn nummer in te toetsen. Hij nam de telefoon van de haak.

'Je hebt er wel de tijd voor genomen, hè,' zei Calvin.

'Wat wil je?' vroeg McLaughlan.

Er zat een spottende ondertoon in Calvins stem, de suggestie dat McLaughlan misschien niet helemaal goed nadacht. 'Wíl, Robbie? Wat ik wíl? Wat dénk je dat ik wil?'

'Dat mag jíj zeggen,' reageerde McLaughlan.

'Ik wil jóu,' zei Swift.

33

De vrouw die tegenover Orme zat mocht zonder twijfel een van de meest aantrekkelijke vrouwen worden genoemd bij wie hij ooit dicht in de buurt had vertoefd. Hij had ze uiteraard wel gezien, maar dan van een afstandje: vrouwen die door Knightsbridge wandelden terwijl ze kleine hondjes uitlieten aan felgekleurde riemen, hooggehakt, hun benen even lang als hun ochtenden. Vrouwen die lunchten, om vervolgens klachten in te dienen over mannen die hun huizen waren binnengedrongen op zoek naar wapens.

'Waarom komt u nu pas aangifte doen als die inbraak al drie dagen geleden heeft plaatsgevonden?'

'Hij is politieman. Ik wist niet zeker of u me zou geloven.'

Dat was niet onredelijk, vond Orme. Want afgezien van een paar van z'n plaats gehaalde bakstenen was er maar weinig bewijs dat haar in de kelder iets onbetamelijks was overkomen. En er waren bij haar ook geen sporen van geweld te zien – althans, niet uitwendig, maar ze trilde terwijl ze sprak, en dat was niet de enige reden waarom Orme de neiging voelde haar te geloven: hij was langzamerhand gaan geloven dat McLaughlan tot alles in staat was.

Orme twijfelde er niet aan dat hij onder valse voorwendselen het huis van deze vrouw had betreden. Het stond ook voor hem vast dat hij had geweten dat er een vuurwapen in de kelder verborgen had gezeten. Daarom lag het voor de hand om ervan uit te gaan dat hij over connecties met de onderwereld beschikte, wat een kant van McLaughlan liet zien waarvan Orme het bestaan nooit had kúnnen vermoeden. Hij had *connecties*. Hij beschikte over *inside-informatie*.

Was die vrouw maar een dag eerder komen opdagen, bedacht hij. In dat geval zou hij McLaughlan op het bureau hebben geconsigneerd, waardoor Doheny's leven misschien gespaard zou zijn gebleven. Dan zou Orme ook eerder bij Claire op bezoek zijn gegaan dan hij nu had gedaan, en dan zouden zij en Ocky vanmiddag nog op een veilig onderduikadres hebben gezeten. Maar nu was Orme de meest traumatische vierentwintig uur van zijn loopbaan bezig geweest met het eerst troosten van Doheny's vrouw, en vervolgens van Claire, die er momenteel van overtuigd was dat ze Ocky nooit meer zou terugzien.

Orme had nauwelijks iets voor haar kunnen betekenen, hoewel hij haar overtuiging niet deelde.

Nadat hij haar zover had weten te krijgen dat ze akkoord ging met de verhuizing naar een onderduikadres, had hij de deur van de zitkamer geopend, om daar haar ietwat schuldig kijkende moeder aan te treffen.

'Waar is Ocky?'

'Die is in de tuin.'

Ze waren samen de tuin in gelopen, waarbij Claire Ocky's naam riep, maar Orme als aan de grond genageld op de stenen treden van het trapje dat van de keukendeur naar de iets lager gelegen tuin leidde was blijven staan. Ze moest nog ontdekken wat hij al had gezien, of misschien moest ze alleen nog registreren welke betekenis dat voorwerp inhield.

Hij was met grote passen door de tuin gebeend, had zich een weg tussen de bomen door gebaand en had vervolgens omhoog gereikt. Daar, vastgebonden aan een van de takken, was een zilverkleurige ballon in de vorm van een globe zichtbaar, en het enige dat Claire had kunnen uitbrengen toen ze het ding zag was: 'Waar komt dát vandaan?'

En toen pas drongen langzaam de implicaties tot haar door, en ze was dieper de tuin in geheld, de naam schreeuwend van het kind van wie Orme op dat moment had geweten dat het al kilometers ver weg was. Hij was naar zijn auto gelopen en had via de radio doorgegeven wat er was gebeurd, maar hij kon geen signalement geven van de man die Ocky had ontvoerd, en ook niet van de gebruikte auto en ook niet zeggen in welke richting die verdwenen was.

Orme had Claire teruggebracht naar het bureau, samen met haar moeder. Van daaruit waren ze overgebracht naar een onderduikadres, maar het laatste dat Claire tegen hem had gezegd was: 'Ik weet niet wat er aan de hand is, maar ik kén Robbie, en ik weet dat je het bij het verkeerde eind hebt – hij hééft Doheny niet doodgeschoten.'

'Ik heb ook nooit gezegd dat hij het wél heeft gedaan.'

'Je hebt toegegeven dat je rekening hield met de mogelijkheid.'

'Dat is nu eenmaal mijn taak,' zei Orme. 'Ik word betaald om elke mogelijkheid vanuit elke denkbare hoek te bekijken.'

Hij kon alleen maar hopen dat Claires vertrouwen in McLaughlan uiteindelijk terecht zou zijn. Als ze gelijk had, zou hij toch de toekomst onder ogen moeten zien, een toekomst die tevens inhield dat van een verdere carrière bij de politie geen sprake meer kon zijn. En als ze ongelijk had, dan verdíende hij deze vrouw niet eens, en zou hij op een gegeven dag wel eens tot de ontdekking kunnen komen dat hij niet langer meer op haar kon steunen. Karaktertechnisch was ze aanzienlijk sterker dan Orme in eerste instantie had gedacht, en Orme, die zich wel eens had afgevraagd waardoor een man als McLaughlan zich tot deze eenvoudige, nogal stille vrouw aangetrokken had gevoeld, besefte plotseling dat juist dát wel eens de grote bekoring van deze vrouw zou kunnen zijn.

Hij was teruggekeerd naar het bureau en was nauwelijks voorbereid geweest op de tweede grote schok van die dag, een schok die tot hem was gekomen in de vorm van dit schepsel uit een wereld die wat Orme betrof alleen maar in tijdschriften bestond. Deze vrouw, net als de bladzijden met interieuropnames van het soort huizen waarin ze woonde, zag er glimmend en gepolijst uit, en ze rook heel in de verte naar Cheltenham en nagellak.

'Wat zei hij toen hij u beetpakte.'

'Dat hij me zou neuken, als ik dat met alle geweld wilde, maar dat ik dan wel eerst dood moest zijn.'

Wat charmant gezegd toch, dacht Orme. Het klonk alsof McLaughlan langzaam maar zeker aan het doorslaan was. Maar het idee dat dat wel eens het geval zou kunnen zijn, bestond al langer bij hem. Momenteel stond vast dat McLaughlan een vuurwapen had gestolen, en dat de omstandigheden waaronder hij dat had gedaan op z'n minst gewelddadig mochten worden genoemd. Hij was er een vrouw voor aangevlogen. Doheny was doodgeschoten. Misschien had híj Doheny wel doodgeschoten – Orme wist het niet. Het zorgelijke was dat hij op dit moment ook niet wist waar Ocky ergens zat. Als Swift achter deze ontvoering zat, dan bevond de jongen zich duidelijk in groot gevaar: een kidnapping liep maar al te vaak uit op moord. Maar als McLaughlan daarentegen zélf zijn zoon had ontvoerd, zou de jongen dan wél veilig zijn? Of veiliger? Of juist níet?

Hij sprak met Levinson, de psycholoog met wie McLaughlan niet had willen praten: 'Waarom zou hij zijn eigen zoon ontvoeren?'

'Je zegt dat zijn vrouw hem heeft verteld dat ze behoefte heeft aan ruimte?'

Orme bevestigde dat, maar hoewel hij eraan toevoegde dat Claire haar man volledig steunde, zei Levinson: 'Hij kan momenteel onmogelijk weten dat ze achter hem staat. Misschien denkt hij wel dat ze op het punt staat bij hem weg te gaan, en mannen die vermoeden dat hun huwelijk op het punt staat op de klippen te lopen, kunnen bij het vooruitzicht van hun kinderen gescheiden te worden soms uiterst gewelddadig reageren. Misschien is hij wel van plan een nieuw leven te beginnen, ergens anders, misschien wel in het buitenland, maar kan hij zijn zoontje onmogelijk achterlaten.'

'Is dat in dit geval waarschijnlijk?' vroeg Orme.

'Het is zeker mogelijk,' reageerde Levinson behoedzaam. En toen, alsof hij er behagen in schiep met slecht nieuws te komen, voegde hij eraan toe: 'Heb ik al gezegd dat, in extreme gevallen, een persoon die aan een posttraumatisch stresssyndroom lijdt, er soms van overtuigd kan raken op korte termijn te zullen overlijden?'

Orme, die dat ook al eens uit een andere bron had gehoord, antwoordde: 'Hij leek er inderdaad heilig van overtuigd dat hij ten dode was opgeschreven.'

'Dat is typerend voor zijn toestand – en gezien zijn toestand mag het nieuws dat hij wellicht zijn zoon heeft ontvoerd een zorgelijke ontwikkeling worden genoemd.'

Zoiets hoefde tegen Orme, die al veel meer zorgen had dan hem lief was, niet te worden gezegd.

'Het geeft aan dat zijn toestand een plotselinge verslechtering heeft ondergaan.'

'En wat betekent dat?'

'Dat betekent dat je hem moet zien te vinden vóór zijn toestand nog verder verslechtert.'

'Waarom?'

'Er zijn gevallen bekend van mensen – voornamelijk mannen – die onder deze omstandigheden zelfmoord hebben gepleegd, maar wel nadat ze eerst hun gezin hadden omgebracht.'

Dat was wel het laatste waar Orme behoefte aan had. *Alstublieft, God, laat deze knaap het bij het verkeerde eind hebben.*

'We kunnen zelfs niet met énige mate van zekerheid zeggen waarom ze dat doen, maar uit analyses van hun afscheidsbrieven kan worden afgeleid dat ze de gedachte hun geliefden achter te moeten laten in een wereld die zo vol pijn is, niet konden verdragen.'

Met die opmerking had Orme grote moeite. Hoewel de situatie voor McLaughlan er momenteel slecht uitzag, kon hij onmogelijk geloven dat de man in staat was Ocky ook maar één haar te krenken. Het joch was zijn lust en zijn leven! Maar dat was wellicht precies datgene waarop Levinson doelde. Misschien zorgde alleen het feit dat Ocky zijn lust en zijn leven was, er nu voor dat hij in groot gevaar verkeerde.

Nee, dacht Orme. Dat zou McLaughlan nooit doen. Hij zou zijn kind nooit iets aandoen. En toen staken de twijfels de kop weer op. *Als hij volledig de kluts kwijt is, zou hij er best eens toe in staat kunnen zijn, Leo.* Maar waarom zou hij een zilverkleurige ballon aan een boom in de tuin vastbinden? Die vraag stelde hij aan de psycholoog, die antwoordde: 'Misschien probeert hij jou ervan te overtuigen dat die ballon door Swift is achtergelaten, dat hij op die manier kenbaar wil maken dat hij het jongetje in z'n macht heeft.'

'Wat is de zin daarvan?'

'Daardoor creëert hij meer tijd, en het leidt de aandacht van hem af. Als jij ervan overtuigd bent dat je naar Swift op zoek moet, zul je veel minder snel achter hém aan gaan.'

Dat klonk zinnig, vond Orme. Het klonk verdómde zinnig. Maar het was voor McLaughlan niet gemakkelijk om zich verborgen te houden – niet voor langere tijd althans. Een man van een meter vijfennegentig valt nogal snel op. En een man van een meter vijfennegentig met een kind bij zich is nóg opvallender.

En toen herinnerde hij zich dat niet alleen McLaughlan spoorloos was: ook de Swifts waren nergens te vinden. Zelfs Sherryl leek van de aardbodem verdwenen. Het huis in Berkshire lag er verlaten bij. Iemand had door de ramen naar binnen gekeken en had gemeld dat Sherryl was verdwenen zonder ook maar de moeite te nemen op te ruimen, want de politie had er tijdens de huiszoeking toch een redelijke puinhoop van gemaakt. Hij vertelde dat aan Levinson, en voegde eraantoe dat de Swifts toch niet verdwenen zouden zijn zonder daarvoor een goede reden te hebben.

'Het feit dat je herhaaldelijk door de politie wordt lastiggevallen is volgens mij al reden genoeg,' zei Levinson. 'De kans is groot dat ze ergens zijn ondergedoken.'

Levinson was er duidelijk van overtuigd dat McLaughlan een loslopende tijdbom was, een gevaar voor zichzelf en voor zijn omgeving. En Orme was dat niet. Hij moest er goed over nadenken, maar hij kon onmogelijk zeggen dat hij overtuigd was. Hij kende de Swifts maar al te goed, en hij besefte ook dat veel van wat er nu was gebeurd het stempel droeg van een onvervalste gruwelcampagne uit de Swift-koker.

Hadden ze inderdaad Ash vermoord?

Vermoedelijk wel, dacht Orme.

Werd McLaughlan inderdaad in de gaten gehouden?

Mogelijk, dacht Orme.

Maar hij wist het niet zéker, dat was de ellende. En als je het niet zeker wist, kon je geen risico's nemen.

Elk politiekorps in het land keek naar McLaughlan uit, en iedereen wist dat hij al dan niet een kind bij zich zou kunnen hebben. Tot het tijdstip dat vaststond dat hij ongevaarlijk was, werd zowel de politie als het publiek geadviseerd bij hem uit de buurt te blijven.

Hij zou volkomen onschuldig kunnen zijn. Maar dan opnieuw... bedacht Orme.

Hij richtte zijn aandacht weer op de mondaine vrouw vóór hem. 'U moet wel heel erg geschrokken zijn.'

Hij had heel even het idee dat er een ogenblik lang een glinstering in haar ogen opvlamde. 'Ik dacht dat ik op het punt stond vermoord te worden,' zei ze.

En ze glimlachte op een manier die Ormes testosteronspiegel van het ene op het andere moment omhoog joeg.

34

De Gorbals uit jouw jeugd zijn definitief verdwenen, maar toch stap je uit de trein en ga je op weg naar de plaats waar nu de torenflats staan. Je hoeft aan niemand de weg te vragen. Iets in je bloed trekt je automatisch naar je roots, naar je oorsprong.

Je klopt op de deur van de flat waar Iris haar dagen slijt. Niemand reageert, hoewel je weet dat er iemand thuis moet zijn – de wanden zijn zo verdomde dun dat je de mensen haast kunt hóren denken.

Je trapt de deur uit de scharnieren en het volgende moment staat George voor je, met je moeder pal achter hem. Ze dacht dat je van de politie was. Het is triest dat ze zelfs nu nog steeds bang is voor de politie, bang voor het feit dat ze elk moment de deur in kunnen trappen en als een etterende infectie het huis doorzoeken. Ze probeert iets tegen je te zeggen, maar je hebt geen tijd voor beleefdheden en je baant je een weg naar binnen. Hij zegt tegen haar dat ze naar de achterkamer moet en dat doet ze zonder ook maar één enkele tegenwerping.

Een jongere George zou je allang zijn aangevlogen. Maar dit is de al wat oudere George. Groot en meedogenloos als altijd, maar lang niet meer zo sterk als vroeger. Dus hij bedenkt zich wel twee keer voor hij je te lijf gaat, en het enige dat hij zegt is: 'Dat was me een binnenkomst.'

Het eerste dat je ziet is het scheepsmodel. De lucifers zijn in de loop der jaren donkerder geworden. Hier en daar is het staande want kapot, maar het neemt nog steeds een prominente plaats in. En langs een van de wanden hangt dezelfde serie oude foto's. Jimmy met zijn promotor. Jimmy met zijn trainer. Jimmy en George met Elsa en Iris en nog enkele andere familieleden. Je kent van de helft van deze mensen de naam niet eens. Maar het waren stuk voor stuk criminelen. Niet één ervan bewandelde het rechte pad. Zelfs als kind al wist je dat het boeven waren. Je herinnert je deze foto's nog uit je jeugd, de manier waarop je ze als kleuter probeerde vast te pakken, omhoog reikend zoals een kind omhoog reikt

naar een foto van elk willekeurig familielid, waarbij korte, dikke vingertjes de muur vol-
smeerden met jam, op zoek naar vertrouwde contouren waaruit zou moeten blijken dat dit
je stam was, dat dit op de een of andere manier de mensen waren bij wie je hoorde.

En die je nooit wist te vinden.

George zit op een bank die vroeger van Iris was geweest. Ervoor staat een salontafel,
met daarop een langwerpig blik dat evenzeer tot je jeugd behoorde als de nachtmerries
waarin Jimmy uit het rijk der doden terugkeerde. Hij doet het blik open, haalt er een beetje
tabak uit en voert er een eenhandige truc mee uit die Tam nooit meester is geworden, en
steekt het resulterende kunstwerk tussen zijn lippen. Klein. Strak. Keurig afgewerkt.

'Je hebt wél lef.'

Een rookwolk kringelt als een ectoplasma omhoog, een blauw lint dat zó dicht is dat je
het gevoel krijgt dat je het om je lichaam zou kunnen winden. En de geur van de tabak
brengt je terug naar een tijd waarin je hem automatisch van je problemen vertelde. Problemen op school. Problemen op straat. Problemen die veel te groot waren voor een kind
van tien om alleen opgelost te kunnen worden.

Je herinnert je weer dat hij eens heeft gezegd dat als iemand je het leven moeilijk drei-
de te maken, dat binnen de kortste keren geregeld zou worden. En plotseling ben je bang –
maar niet voor hem. Waar je bang voor bent is het feit dat hij wellicht zal zeggen dat hij je
niet kan helpen, dat Swift daarvoor een té grote crimineel is, en als iemand als híj je niet
kan helpen, kan niemand je meer helpen.

'Ik zei dat je wél lef had –'

Je vertelt hem dat je een wapen nodig hebt.

Hij laat je in elk geval uitpraten – dat moet je hem nageven. Hij laat je uitspreken en
vraagt dan waarom je niet met je problemen naar Orme gaat. Je vertelt hem waarom je
dat niet doet, en hij zwijgt even, maar begint dan dezelfde flauwekul te spuien die je al zo
vaak van andere criminelen hebt aangehoord – hoe gemakkelijk mensen die er altijd prat
op gaan dat ze zich altijd aan de wet houden, die wetten overtreden zodra ze van mening
zijn dat dezelfde wetten hen in de steek laten. Waarom zou hij je helpen als je je hele leven
alleen maar minachting hebt getoond?

Je haalt de kleren van Ocky te voorschijn en vertelt hem dat je een deal met Swift hebt
gemaakt – jouw leven in ruil voor dat van Ocky. Het tijdstip en de plaats zijn afgesproken.
Swift pikt je op, en zal Ocky later op een veilige plaats afzetten.

Je had geen keus, je moest ermee akkoord gaan, maar je bent niet van plan om zo'n
soort scenario in je eentje binnen te stappen. Als Swift of een of meer van zijn handlangers
komt opdagen, wil je toch proberen een vorm van gevecht te ontketenen, proberen iemand

te gijzelen, een vuurwapen tegen het hoofd van deze of gene te planten, een van hen te dwingen te vertellen waar je Ocky kunt vinden.

'Je hebt nog nooit ene moer voor ons gedaan. Nou, dit is je kans – de enige kans om je leven nog een béétje te beteren.'

Hij draait de kleren om en om in zijn handen, brengt ze omhoog naar zijn gezicht alsof hij aan de geur alleen al kan vaststellen of het kind dat deze kleding heeft gedragen een echte McLaughlan is. Hij mag je dan haten als de pest, maar Swift heeft zijn kleinzoon ontvoerd, en dat is iets waardoor zijn meest primaire instincten ontwaken. Desalniettemin stelt hij één voorwaarde. 'Vertel jij me dan wat er met Tam is gebeurd?'

Afgesproken. Een halfuur later ben je ook in het bezit van een vuurwapen, een auto en een lijfwacht.

Je bent op weg naar een rendez-vous met Swift.

Hij kent elke weg van Glasgow naar Londen. Hij steekt 's nachts de grens over, te voet of per auto, met of zonder koplampen, en altijd in de verwachting dat uit het niets een onopvallende personenauto kan opdoemen die hem tot stoppen zal dwingen.

Hij is absoluut niet van plan om uit de auto te stappen en vervolgens op zijn buik met zijn enorme handen gespreid op het asfalt te gaan liggen. Hij is absoluut niet van plan om zich tegen te laten houden, en zijn garantie is een onopvallende auto die hij uiterst behoedzaam bestuurt. Dus je laat hem rijden, maar je vraagt hem z'n voet op het gaspedaal te houden, en zijn enige reactie bestaat uit de vraag: 'Waarom al die haast?'

Waarom al die haast – als het enige dat je wacht een langzame, trage dood is, misschien met een kogel om er een einde aan te maken als je het punt hebt bereikt dat je niet langer meer in staat bent te begrijpen wat deze mensen met je aan het doen zijn? Jouw gebrek aan bevattingsvermogen, aan pijn, zal hen gaan vervelen. En dan pas zullen ze je doden.

Je zegt hem dat je je erbij hebt neergelegd. Dat je een deal met Swift hebt gesloten. Dat je jouw leven inruilt voor dat van Ocky. En dat Swift zich aan zijn deel van de overeenkomst zal houden, vooropgesteld dat je geen stap verkeerd zet. Doe je dat wel, dan betekent dat dat je zoon het gevaar loopt vermoord te worden. Er zijn maar weinig criminelen die bereid zijn een kind iets aan te doen. Maar Swift is iemand die daarmee geen enkele moeite zal hebben. Hij zal zich met het grootste plezier terugtrekken als hij vermoedt dat er problemen op komst zijn. En als Ocky eenmaal gevonden zal worden, zal uit niets blijken dat Swift hem ooit in handen heeft gehad. Je zult nooit kunnen bewijzen dat Swift jou daadwerkelijk heeft gebeld toen je thuis was om schone kleren te halen. En om iemand veroordeeld te krijgen zijn harde bewijzen nodig. En Swift is er een meester in om nooit ergens sporen achter te laten.

Je wilt slapen. Over een tijdje zul je voor eeuwig slapen. Je probeert beelden van waar Ocky zou kunnen zijn en wat hij moet doorstaan uit je gedachten te bannen. Je probeert ook klaarwakker te zijn voor de belangrijkste gebeurtenis uit je leven.

Je eigen dood.

35

Het nieuws dat op het hoofdkwartier van Scotland Yard een belangrijke medewerker op heterdaad was betrapt bij het doorspelen van uiterst vertrouwelijke informatie aan de lievelingsadvocaat van de media, verspreidde zich als de tyfus door de City. De implicaties daarvan waren niet te overzien, besefte Orme.

Hij wist nog niet of het ook consequenties had voor politieoperaties die onder zijn leiding stonden, hoewel hij hoopte dat het uiteindelijk zou verklaren hoe Calvin Swift aan de informatie was gekomen dat Ash zijn zoon had verklikt. Hij zou er uiteindelijk wel achter komen. Maar momenteel had hij dringender zaken te doen: Leach had laten weten dat hij hem wilde spreken, en Orme was naar de gevangenis afgereisd in de hoop dat hij zou vertellen waar de Swifts ergens uithingen.

Toen hij er arriveerde trof hij een enigszins bevende Leach aan, als iemand die aan de ziekte van Parkinson lijdt, maar als Orme gehoopt mocht hebben dat de man op het punt stond te vertellen waar het huis zich ergens bevond, dan was hij in voor een teleurstelling. 'Dat heb ik je al gezegd, dat weet ik niet.'

'Waarom heb je me me dan helemaal hierheen laten komen? *Waarom verdoe je m'n tijd?*'

'Er is iets anders – iets dat ik je nog niet eerder heb verteld. Als ik je vertel wat het is, reken je het me dan niet aan dat ik niet wil zeggen waar de Swifts ergens zitten?'

'Vertel maar op, dan hebben we het daar later nog wel over,' zei Orme, en omdat hij geen keus had, wel met zijn voorwaarde akkoord móest gaan, stortte Leach zijn hart uit.

'Op de dag dat we naar dat huis gingen, werden we bij Waterloo Station door Calvin opgepikt.'

'Wie bedoel je met "we"?' wilde Orme weten.

'Ik en Carl.'

Orme knikte.

'We werden geblinddoekt en kregen opdracht om achter in een bestelwagen te gaan liggen. Vervolgens werden we naar de klus gereden. Na het werk werden we opnieuw geblinddoekt en werden we weer teruggereden naar de plek waar we waren opgestapt. Daar werden we toen weer afgezet.'

'Hoe lang nam die trip in beslag?'

'Een uur of twee.'

Twee uur, bedacht Orme.

Zijn gezonde verstand zei Orme dat Calvin niet de moeite zou nemen om iemand op te pikken en er twee uur mee te rijden om een lekkende leiding te repareren. Er moest een specifieke reden zijn waarom hij daarvoor Leach had uitgekozen. Maar wat die reden ook mocht zijn, het had te maken met de reden waarom Leach doodsbang was, en hij vroeg: 'Waar bestond die klus eigenlijk uit?'

Leach wekte de indruk verpletterd te worden door zijn eigen angst. 'Op een bepaald gebied mag ik mezelf wel een soort deskundige noemen,' bekende hij.

'En welk specifieke gebied is dat dan wel?'

'Toiletten,' antwoordde Leach.

'Wat?'

'Rioleringen in het algemeen. Dat soort werk deed ik voor...'

Voor hij auto's begon te stelen, om vervolgens over te stappen op het beroven van banken, bedacht Orme. 'Ga verder.'

'Calvin wilde dat er een modern rioleringssysteem werd aangelegd.'

'Wat was er dan met het oude aan de hand?'

Leach schudde zijn hoofd bij de herinnering aan wat hij uit de beerput naar boven had gehaald. 'Dat kwam uit in een sceptic tank,' antwoordde hij. 'En Calvin wilde dat die tank werd leeggemaakt.'

'Zo moeilijk is dat niet,' zei Orme. 'Je belt een gespecialiseerd bedrijf. Dat stuurt dan een tankwagen die de heleboel leegzuigt, waarna de inhoud wordt afgevoerd. Je haalt voor zo'n klus niet iemand helemaal uit Londen.'

Alsof hij er rekening mee had gehouden dat Orme zo wel eens zou kunnen reageren, voegde Leach eraan toe: 'Er lag iets in die beerput – iets dat moest worden weggehaald, vóór die put professioneel kon worden leeggezogen.'

Orme begon er iets van te begrijpen, begreep waar Leach naartoe wilde. Hij kende de Swifts per slot van rekening al jaren. Hij kon zich goed voorstellen wat er in de tank moest hebben gelegen, en besefte ook dat het daar misschien al jaren op de bodem had gerust.

'Hij dwong me erin af te dalen en erop de tast naar op zoek te gaan,' zei Leach, en Orme, die Leach nu ook redelijk goed meende te kennen, herkende alle tekens: hij kon nu elk moment in huilen uitbarsten.

Leach barstte in tranen uit. 'Zíj was het,' zei hij. 'Barbara.'

'Haar lichaam?'

Leach slikte moeizaam iets weg en haalde diep adem. 'Nee, niet haar lichaam – haar hoofd. Haar schedel, bedoel ik.'

'Hoe weet je dat het háár hoofd was?'

Leach snikte nu. 'Hij nam het van ons aan, hield het omhoog om het beter te kunnen zien en zei toen: "Stuarts ma zei altijd dat hij meer op haar leek dan op mij. Dat zou ze niet meer zeggen als ze zichzelf nu eens zou kunnen zien, hè?"'

Als Calvin had gehoopt dat die opmerking goed voor een lach zou zijn, dan moest hij duidelijk teleurgesteld zijn geweest, dacht Orme. Leach was alleen al door de herinnering doodsbang, maar misschien had hij zichzelf gedwongen heel even te glimlachen, al was het alleen maar om ervoor te zorgen dat hij in leven bleef.

In zijn verbeelding zag hij hoe Calvin de schedel van zijn voormalige echtgenote omhooghield, precies zoals hij voor zich zag hoe hij het hoofd van Ash omhoog had gehouden en quasi-geestige opmerkingen had gemaakt in de trant van: 'Moet je kijken wat er morgen op de voorpagina staat: "Elitaire kostschool krijgt nieuw hoofd"...' Dat was zijn soort humor, meedogenloos en simplistisch.

Hij richtte zich op het aan het licht brengen van de elementaire feiten. 'Je vertelde me daarnet dat de reis ernaartoe twee uur duurde.'

'Ongeveer,' beaamde Leach.

Dat betekende, bedacht Orme, dat het huis zich ergens in de *home-counties* moest bevinden. Hij had de hoop dat Leach het hem ooit nog zou vertellen opgegeven. Misschien wist hij het echt niet. Daar begon het wel op te lijken.

'Vinny,' zei hij, 'het is mogelijk dat Calvin een kind heeft ontvoerd om iemand naar hem toe te lokken.'

Leach hield op met snikken. Hij keek Orme vragend aan, alsof hij zich afvroeg wat dat met hem of de situatie waarin hij verkeerde te maken had. Orme vervolgde: 'Nou weet ik niet alles van je, Vinny, maar volgens mij is de gemiddelde boef, de gemiddelde keiharde boef, tot alles bereid, maar vindt hij een kind iets aandoen net één stapje te ver. Klopt dat?'

Leach knikte instemmend. Er liepen maar heel weinig criminelen rond die bereid waren een kind geweld aan te doen, en degenen die daartoe wél in staat waren wisten maar al te goed wat hen daarna in de gevangenis te wachten stond.

'Maar ik moet daar direct bij opmerken,' zei Orme, 'dat we Calvin niet direct een gemiddelde boef mogen noemen, hè?'

Opnieuw knikte Leach instemmend.

'Dit kind is vier jaar oud,' zei Orme. 'Ik móet hem zien te vinden.'

Leach zei niets.

'Dus als je weet waar dat huis ergens staat, zul je me dat toch echt moeten vertellen, Vinny. *Vertel het me!*'

Orme stond op het punt Leach bij zijn strot te grijpen en hem eens stevig door elkaar te schudden, maar Leach' enige reactie bestond uit een traan die langzaam over een mollige, pokdalige wang rolde. 'Meneer Orme,' zei hij, 'ik heb zelf ook kinderen. Ik mag dan een slechte bankrover zijn, en als echtgenoot heb ik ook al niet zoveel te betekenen, maar ik hou wél van kinderen. Ik zou alles doen om ervoor te zorgen dat een knakker die er eentje heeft ontvoerd achter de tralies belandt. Als ik zou weten waar de gebroeders Swift momenteel ergens zaten, zou ik u dat vertellen. Maar ik weet het niet – ik zwéér het u, ik weet het niet.'

Orme gaf het op. Het zag eruit alsof Leach de waarheid vertelde. 'Wat heeft hij met die schedel gedaan?' vroeg Orme.

Leach had geen flauw idee. Die vinden we nog wel, bedacht Orme. Maar eerst moest hij dat huis zien op te sporen waar Calvin Leach naartoe had gebracht. Hun kans om dat op korte termijn te vinden was uiterst klein. Een rit van twee uur vanuit het centrum van Londen, en Leach had geen idee in welke richting hij was gereden. Sussex, Essex, Oxfordshire, Berkshire, Hampshire, Wiltshire – *waar ergens?*

Toen hij de gevangenis verliet moest hij aan McLaughlan denken. Waar zit je ergens? Heb je Ocky bij je? Moet ik hopen dat dat het geval is, of juist niet? Wat is hier de waarheid?

Orme wist het niet. En totdat hij erachter zou komen kon hij zich niet permitteren enig risico te nemen.

36

Het was vier uur 's ochtends, en donker. McLaughlan had het grootste deel van de rit geslapen, maar George had het hele stuk gereden en was moe.

Tijdens de rit door de nacht was er maar weinig gesproken, terwijl sommige gespreksonderwerpen helemaal vermeden werden – zoals de matpartij tussen hen beiden tijdens hun laatste ontmoeting. Ook de naam Jarvis mocht niet plotseling in de conversatie opduiken, dus had McLaughlan niets gezegd over het feit dat hij hem vlak voor hij de nachttrein naar Glasgow had genomen vanaf het station had gebeld. Hij had Jarvis verteld wat hij van plan was. Jarvis had hem geadviseerd het niet te doen. Hij raadde hem nog steeds aan zich bij Orme aan te geven, maar McLaughlan was vastbesloten het op zijn manier aan te pakken. Hij had Jarvis laten zweren dat hij geen contact met Orme zou opnemen nadat hij had opgehangen. Jarvis had het beloofd, maar had ook gezegd: 'Als je niet wilt dat ik iets zeg, en je wilt niet dat ik iets doe, waarom bel je me dan op?'

McLaughlan was er toen mee voor de draad gekomen. 'Ik wil je iets zeggen – iets dat ik al een hele tijd geleden had moeten zeggen. Ik wil alleen maar dat ik weet dat je altijd goed voor me bent geweest. Bedankt voor alles, dat was 't.'

Toen hij een einde aan het gesprek maakte had hij zich afgevraagd waarom mensen altijd de behoefte hadden om dat soort dingen te zeggen in tijden dat ze groot persoonlijk gevaar liepen. Misschien dat er een soort doodsdreiging voor nodig was om mensen zover te krijgen dat ze hun ware gevoelens toonden. Misschien stelde zo'n dreiging hen eindelijk in staat voor zichzelf vast te stellen wat hun ware gevoelens waren. Hij wist het niet: maar als hij had gedacht dat zo'n bedankje voldoende was, dan had hij zich vergist. Jarvis had meer dan dat gewild. 'Je kunt dit niet doen zonder me te vertellen wat er met Tam is gebeurd.' McLaughlan had neergelegd. En nu had hij er spijt van dat hij Jarvis sowieso had gebeld. Hij zag al voor zich hoe Jarvis diep moest nadenken over zijn belofte geen contact met Orme op te nemen, terwijl hij in gedachten ook voor zich zag hoe de omgeving vol zit met politie.

Als dat het geval was, kon hij dat onmogelijk weten. Maar Swift zou er ongetwijfeld van op de hoogte zijn. Swift zou de omgeving vanuit elke denkbare hoek in de gaten laten houden. Zodra ze de ongemarkeerde terreinwagens zouden zien – iets opvallenders bestond er bijna niet – volgepropt met mannen die alleen maar van de politie konden zijn, zou Swift zich terugtrekken. En hij had McLaughlan gewaarschuwd dat hij geen tweede kans zou krijgen. 'Heb eens het lef te proberen me erbij te lappen, want vergis je niet – hij mag dan pas vier zijn, ik ruim hem moeiteloos uit de weg.'

McLaughlan moest weer aan dat meisje in die rolstoel denken, dat glimlachend iedereen groette terwijl ze over het trottoir van Old Kent Road werd voortgeduwd. Ze was buitengewoon aantrekkelijk geweest toen Calvin haar voor het eerst had opgemerkt – zeventien, en veel te onervaren om te beseffen waar ze in terechtgekomen was. Maar ze was snel volwassen geworden, en toen ze zich los wilde maken had ze ontdekt dat dat minder eenvoudig was dan ze dacht. *Vrouwen lopen niet bij me weg, lieverd.*

Ze had om politiebescherming gevraagd – en gekregen. Niet dat dat veel verschil had gemaakt. Er waren maar weinig boeven zó bedreven in rustig afwachten als Calvin. Haar wezenloze glimlach zorgde ervoor dat ze nog jonger, nog onschuldiger leek dan ze was. En haar moeder zou haar de rest van haar leven in een rolstoel moeten voortduwen. Ocky zou, als hij geluk had, een snelle dood krijgen. McLaughlan betwijfelde of Swift voor hém dezelfde genade in gedachten had.

Iedereen die in een soortgelijke situatie als hij verkeerde en zei dat hij niet bang was, loog. Maar angst was goed. Angst hield je in leven. En het was één ding om de held te spelen in situaties waarin je nauwelijks de tijd kreeg om na te denken, maar het was heel iets anders om te reageren op een ophanden zijnde dreiging ten opzichte van jezelf of de mensen om je heen. In momenten van crisis reageren sommige mensen instinctief – ze laten gewapende overvallers struikelen, duiken in rivieren, hollen branstemmende gebouwen binnen; kortom, soms geven ze hun leven al op nog voor ze zich goed en wel realiseren dat ze het risico lopen het te verliezen, en worden vervolgens omschreven als buitengewoon dapper. En misschien zijn ze dat in een bepaald opzicht ook wel, maar de meeste mensen zullen – als ze tijd hebben om na te denken en hun kans op een eventueel overleven rustig af te wegen – zich wel twee keer bedenken. Niemand heeft zin om dood te gaan – ook geen vaders die bereid zijn te sterven om het leven van hun zoon te sparen. Hij wilde dat hij die keus had, maar hij had geen enkele keus. Swift had Ocky in zijn macht, en daardoor ook alle troeven in handen.

Calvins instructies waren duidelijk geweest: McLaughlan had opdracht gekregen naar een bepaald landelijk gedeelte van Berkshire te rijden, waar hij een gedetailleerde routebeschrijving volgde en uiteindelijk terechtkwam op een doodlopend landweggetje. 'Aan je rechterkant bevindt zich een hek,' had Calvin gezegd. 'Het geeft toegang tot een weiland. Ga in het midden van die wei staan. Ik kom naar je toe.'

De koplampen van de auto hadden een hek met vijf stijlen beschenen. George schakelde de lichten en de motor uit. Hij en McLaughlan stapten uit, klommen over het hek en liepen de wei in, waarvan het gras kort was en de grond hard vanwege de recente strenge vorst.

George, die gewapend was met een semi-automatisch pistool, had ervoor gekozen met zijn rug naar een van de heggen te gaan staan. Hij keek toe hoe McLaughlan Swifts instructies opvolgde door naar een punt te lopen waarvan hij dacht dat het het midden van de wei was. Hij kon de begrenzing van het terrein flauwtjes zien, maar verder nauwelijks iets. Verspreide bewolking schermde een deel van het hemellicht af en vanaf de plaats waar hij stond kon hij langs de horizon niets onderscheiden.

Swift was slim geweest, bedacht hij. Als iemand in een weiland stond, en zo iemand wist niet zeker waardoor hij was omringd, werd het voor die persoon uiterst moeilijk om zich te verdedigen. Het geeft een enorm geïsoleerd gevoeld als je je in een positie bevindt waarin je aan alle kanten bent blootgesteld, en het was in strijd met al z'n instincten om daar te blijven staan.

Hij luisterde of hij een auto hoorde naderen, maar wat hij hoorde was een helikopter. Hij keek omhoog en zag de lichten van het toestel. Die bepaalden de vorm en de grootte van de heli en hij besefte onmiddellijk dat het een groot toestel was – misschien wel een voormalige militaire heli.

Het toestel verloor hoogte en landde op maar enkele meters afstand van de plaats waar hij stond, en McLaughlan werd bijna omvergeblazen door de neerwaartse stormwind die door de sneldraaiende rotorbladen werd veroorzaakt. De rotorbladen begonnen op een gegeven moment langzamer te draaien, maar stopten niet. Bij het geringste teken dat er problemen waren zou het toestel onmiddellijk weer kunnen opstijgen. Swift nam geen enkel risico, bedacht McLaughlan.

Het was moeilijk vast te stellen waar die heli vandaan kwam: net als de crossmotor die gebruikt was bij de moord op Doheny, was dit toestel helemaal zwart gespoten. Nergens was een code of een registratie te zien waaruit zou kunnen worden afgeleid wie de eigenaar was of waar het vandaan kwam. Geen logo. Helemaal niets waarmee het in verband met de Swifts kon worden gebracht.

Elke gram moed waarover hij beschikte had hij nodig om aan boord te klauteren, en onmiddellijk nadat hij zich in de deuropening had opgericht werd hij vastgegrepen.

Hij verzette zich niet toen zijn handen werden vastgebonden, maar hij verstarde toen er een kap over zijn hoofd werd getrokken. Die kap had hij niet verwacht en het ding werd als een koude, grijze schok over zijn ogen getrokken. Maar dat was nog niets vergeleken met dat wat hij voelde toen er een strop over de kap werd getrokken waarvan de knoop nadrukkelijk onder zijn linkeroor werd gepositioneerd, en vervolgens werd aangetrokken – een klassieke beulsstrop.

Op dat moment besefte McLaughlan wat ze van plan waren met hem te doen, en hij begreep nu ook hoe het hoofd van Ash uiteindelijk op het terrein van een kostschool was terechtgekomen. Misschien zou zijn eigen hoofd over een paar minuten ook wel op een plaats belanden waar de Swifts het onverstandig achtten te landen om naar een geschikte plek op zoek te gaan, en zou zijn lichaam even later aan een brug over de grote toegangsweg naar Heathrow Airport bungelen.

De rotorbladen begonnen weer sneller te draaien en de heli kwam van de grond. Hij voelde het moment waarop het toestel laag over de bomenrij vloog en onwillekeurig drong er zich een gedachte aan hem op: *Robbie McLaughlan – dit is de nacht waarin je zult sterven.*

Daar aan de rand van het weiland te staan en te moeten zien hoe de helikopter uit het zicht verdween, zorgden ervoor dat hij zich hulpeloos voelde. En hij was er de man niet naar om zich hulpeloos te voelen.

Hij realiseerde zich dat, door bepaalde zaken aan te nemen, hij en Robbie zich volkomen hadden blootgegeven: ze hadden aangenomen dat Swift of degene die hij zou sturen, per auto zou arriveren. Daarin hadden ze zich vergist. Ze hadden aangenomen dat op een bepaald punt tijdens de gebeurtenissen het voertuig of de mensen die er in zaten kwetsbaar zouden zijn en aangevallen zouden kunnen worden. Ook daarin hadden ze zich vergist.

De enige troost lag in het feit dat zelfs een in hinderlaag liggende politie geen enkel verschil zou hebben gemaakt. Gewapende politiemannen hadden het vuur op de heli kunnen openen, maar hadden waarschijnlijk alleen maar wat deukjes in de gepantserde romp van het toestel kunnen veroorzaken. En de Swifts zouden bij het eerste teken van onraad zijn opgestegen – en er zou geen enkel bewijs zijn geweest dat zij bij dit alles betrokken waren.

De navigatielichten van de heli verdwenen langzaam maar zeker in de verte. Nog eventjes en hij zou ze niet meer kunnen zien, maar hij bleef het toestel zo lang mogelijk volgen, want hij besefte nu dat hij geen andere keus had dan de politie erbij te betrekken, en die zou ongetwijfeld willen weten in welke richting het toestel was verdwenen nadat het Robbie aan boord had genomen.

Uiteindelijk verdween de heli in laaghangende bewolking, en dat was het moment waarop hij zich wilde omdraaien om naar de auto terug te lopen.

Maar er was iets dat hem tegenhield. Iets dat hard tegen zijn slaap werd gedrukt.

Tijdens zijn hele loopbaan was er nog nooit een wapen tegen zijn slaap gezet, maar hij voelde er nu wel degelijk een, en hij besefte onmiddellijk wat het was. 'George,' zei hij, en hij voelde hoe het wapen werd weggehaald.

George McLaughlan had niet meer verbijsterd kunnen zijn. 'Jarvis?'

Hij had bij het hek weliswaar een silhouet zien staan, maar had gedacht dat het iemand was die voor de Swifts werkte. 'Wat doe jíj hier?'

'Hetzelfde als jij,' zei Jarvis. 'Proberen te voorkomen dat de Swifts jouw zoon ombrengen.'

Het was niet gemakkelijk om hem in het duister te bekijken, maar Jarvis' eerste indruk was dat George nog steeds een boom van een kerel was. Als dat nodig mocht zijn, was hij nog steeds in staat om enkelen van Whalley's mannen gelijktijdig onschadelijk te maken, besefte Jarvis grimmig.

Hij liet het pistool zakken, wat voor Jarvis maar een schrale troost was, die er nog steeds rekening mee hield dat hij elk moment van gedachten zou kunnen veranderen om alsnog de trekker over te halen. Hoewel George nooit meer had geprobeerd hem te grazen te nemen, en Jarvis wist niet waarom niet. Hij was ook niet van plan ernaar te vragen. In plaats daarvan vertelde hij hem snel dat Robbie hem vanuit het station had gebeld en hem had doorgegeven waar en wanneer hij met Swift had afgesproken, en eraan had toegevoegd: 'Ik wil dat je goed om je heen kijkt, zodat je Orme op de hoogte kunt brengen als Swift een smerig spelletje blijkt te spelen en we beiden het loodje leggen.'

Na Robbies telefoontje was Jarvis sterk in de verleiding gekomen om contact met Orme op te nemen. Hij kende hem niet, maar uit het weinige dat Robbie hem had verteld kreeg Jarvis het gevoel dat het een eerlijke en redelijke kerel moest zijn.

Hij had Orme niet gebeld. Niet omdat hij had beloofd het niet te doen, maar omdat hij wist dat Robbie het hem nooit zou vergeven als Orme met versterkingen ten tonele zou verschijnen, met als mogelijk gevolg dat Ocky iets zou overkomen. En hij zou het zichzélf nooit vergeven.

Hij legde dat uit terwijl ze het weiland verlieten en in Georges auto stapten, waarna ze achteruit terugreden over het weggetje, dat zo smal was dat ze er onmogelijk konden keren, om daarna in de door Jarvis aangegeven richting te rijden.

'Je kunt iemand van wie je geen flauw idee hebt waar hij zit onmogelijk redden,' merkte George op.

Daar zat iets in, bedacht Jarvis, maar daar stond tegenover dat hij informatie had waarover waarschijnlijk noch George noch Robbie noch de politie beschikte. 'Herinner jij je Hunter nog?' vroeg hij.

George, die achter het stuur zat, knikte.

'Nadat hij uit de gevangenis was ontslagen heeft hij een boek geschreven.'

'Ieder zijn meug,' zei George. 'Ik persoonlijk gaf er toch liever steeds de voorkeur aan om mijn oude werkzaamheden weer op te pikken.'

'Tja,' zei Jarvis. 'Nou, maar niet iedereen heeft het geluk in de positie te verkeren om na een gevangenisstraf zijn favoriete werkzaamheden weer op te kunnen pakken, dus schreef Hunter een boek over enkelen van de meer beruchte boeven met wie hij als politieman te maken had gehad.'

'Heb ik mijn eigen hoofdstuk in dat boek?' vroeg George.

'Nee, maar je komt wel ter sprake,' antwoordde Jarvis. 'Maar belangrijker is nu het feit dat de Swifts ook worden genoemd, hoewel het niet veel om het lijf heeft.'

'Daar sta ik van te kijken,' zei George. 'Je zou denken dat aan die lui zo langzamerhand wel een heel boek gewijd zou zijn.'

'Iemand zal dat boek ongetwijfeld op korte termijn gaan schrijven,' zei Jarvis, 'maar Hunter heeft zíjn boek nu al zo'n dertig jaar geleden geschreven. De gebroeders Swift waren toen net in de twintig. Ze hadden nog niet écht naam gemaakt, maar hadden wel al kans gezien om als runners voor een bekende firma uit het East End behoorlijk wat geld te verdienen.'

'Jouw vrienden en de mijne?' vroeg George.

'Misschien de jouwe,' reageerde Jarvis.

'Kom ter zake,' zei George.

'Hunter noemde hen weliswaar in zijn boek, maar zei er verder nauwelijks iets over. Zoals ik al zei, wás er in die tijd nog maar weinig over ze te vertellen, want het waren nog maar runners, manusjes-van-alles. De enige reden dat hij ze noemde was ter illustratie van het feit hoeveel geld dit soort knapen kon verdienen door voor specifieke opdrachtgevers specifieke opdrachten uit te voeren.'

'Vertel me eens wat nieuws,' zei George.

'Voldoende geld om in Berkshire een oude boerderij te kopen.'

'Waar ergens.'

'Dat vermeldde het boek niet,' zei Jarvis.

'Wat hébben we dan aan dat soort informatie?'

'Ik heb Hunter gebeld,' zei Jarvis, maar vertelde er niet bij hoe Hunter gereageerd had toen hij zijn stemgeluid door de telefoon hoorde. 'Ga me nou niet vertellen dat je nóg met de McLaughlans in de clinch lig – ik had gedacht dat je zo langzamerhand je lesje wel geleerd had.'

Jarvis zei: 'Ik heb hem gevraagd wat hij nog van de Swifts wist. En toen bleek dat dat nog behoorlijk wat was.'

'Als er één man is die over die lui iets weet, is het Hunter,' zei George.

'Ik legde hem het probleem uit en vroeg toen of hij iets over het vastgoedbezit van beide knapen wist, informatie die bij het grote publiek niet bekend is. Hij zei dat hij in de loop van de jaren een paar interessante gegevens boven water had weten te krijgen, maar dat hij die informatie niet bij de hand had en dat hij me terug zou bellen.'

In gedachten zag Jarvis al voor zich hoe Hunter aan het zoeken was in archiefdozen die waren opgeslagen op een zolder van een huis dat vergeleken met de woning die hij had bewoond vóór hij was gearresteerd, aanzienlijk eenvoudiger genoemd mocht worden. Hij zei: 'Binnen het uur belde hij me terug. Volgens zijn aantekeningen waren ze nog steeds eigenaar van de boerderij waar Calvin en Barbara tijdens hun huwelijk hadden gewoond. Het huis lag voldoende dicht bij Newbury om Ray het gevoel te geven dat hij deel uit maakte van de plaatselijke race-*scene*. Hij heeft zelfs nog overwogen om er stallen te bouwen en een manege aan te laten leggen. Maar toen verdween Barbara spoorloos en draaide Calvin de bak in vanwege een gewapende overval. De boerderij heeft toen een tijdje leeggestaan. En daarna zou het complex worden verkocht – alleen vermoedt Hunter dat ze het nooit echt verkocht hébben.'

'Wat is de zin om te doen alsóf?'

'Kom op, George, jij weet net zo goed als ik dat het voor sommige mensen – en dan denk ik vooral aan mensen zoals jij – heel erg handig is als ze kunnen beschikken over een plek waar ze zich verborgen kunnen houden, waar ze kunnen onderduiken, een plek die simpelweg nooit met hen in verband zal worden gebracht.'

'Hij was een prima politieman, die Hunter – wist altijd wat iedereen in z'n schild voerde, en waar iemand uithing. Dat moet je de man in elk geval nageven.'

Jarvis betwijfelde of de Metropolitan Police net zo'n hoge pet op had van Hunter als George, maar hij sprak zijn twijfels maar niet hardop uit.

'Had hij ook een adres?' vroeg George.

Jarvis haalde een velletje papier uit zijn zak, dat hij vervolgens aan George gaf, die een wegenkaart pakte en die op de schoot van Jarvis mikte. 'Zoek maar op,' zei hij.

'Niet nodig,' zei Jarvis. 'Ik weet precíes waar het is. Ga hier maar linksaf.'

McLaughlan stond met zijn rug naar de koude nachtlucht. De strop rond zijn nek zat vast aan een stalen lus boven zijn hoofd. Als hij door de geopende deur naar buiten viel, zou de val ervoor zorgen dat zijn nek brak. Dus dit is het, dacht McLaughlan. Zo doen ze het. In gedachten zag hij zichzelf over een paar minuten aan zijn nek onder een heli bungelen.

Ze sloegen op hem in, een ritmisch stompen en schoppen over zijn hele lichaam. Toen voelde hij hoe hij bij zijn schouders werd beetgepakt en in de richting van de deur werd geschoven.

Hoewel zijn handen gebonden waren begon McLaughlan toch terug te vechten, waarbij hij gebruikmaakte van zijn hoofd en schouders, en alles deed om te voorkomen dat ze houvast op hem zouden krijgen.

Hij wist dat hij over een grote lichaamskracht beschikte, maar hij wist ook dat dit een gevecht was dat hij nooit zou kunnen winnen. Ze duwden hem in de richting van de deur, en hoewel hij oersterk was, had hij geen schijn van kans in z'n eentje. Met vereende krachten stootten ze tegen hem aan en een ogenblik lang balanceerde hij op het randje –

– en viel toen. Niet snel, maar traag, althans, die indruk kreeg McLaughlan, en hij wachtte tot de strop rond zijn nek haar werk zou doen.

37

Swift, bedacht Jarvis, zou niet langer in de lucht willen zitten dan strikt noodzakelijk was. De heli was laag blijven vliegen, en vloog ongetwijfeld zonder dat daar toestemming voor was gegeven. Hij was ook opmerkelijk dicht bij huis gebleven, want ze hadden er minder dan een uur over gedaan om van het weiland naar de boerderij te rijden. Dat betekende volgens Jarvis dat de heli hoogstens een kwartiertje in de lucht had gezeten.

Ze parkeerden de auto bij het begin van een weggetje tussen de bomen, zodat niemand hem zou opmerken, en stapten uit, waarna George en Jarvis dwars door weilanden en akkers in de richting van de boerderij begonnen te lopen.

De inspanning van het over hekken klimmen en het oversteken van weilanden had ervoor gezorgd dat Jarvis hevig transpireerde. Het gemak waarmee George zich door het terrein voortbewoog maakte dat hij zich nog ouder voelde dan hij al was. Er verandert ook helemaal niets, bedacht Jarvis. Hier lopen we dan, twee oude mannen, en hij geeft me nog steeds het gevoel dat ik fysiek de mindere ben.

Af en toe hield George zijn pas in om Jarvis de gelegenheid te geven enigszins op adem te komen, en tijdens zo'n moment van rust zei Jarvis: 'Hoe komt het toch dat je nooit geprobeerd hebt me af te straffen? Je hebt al die jaren nooit de moeite genomen me op m'n lazer te geven – waarom niet?'

Tot nu toe had geen van beiden Elsa ter sprake gebracht, en Jarvis had haar naam nog niet goed en wel uitgesproken, of hij vroeg zich af of hij niet een enorme vergissing had begaan.

George antwoordde met een tegenvraag, een vraag waar Jarvis liever geen antwoord op gaf. 'Ze heeft me verteld dat je zonder iets te zeggen bent weggelopen. Is dat zo?'

Jarvis zei niets.

'Kom op, Mike. Ik heb je met rust gelaten. Dan kun je me op z'n minst wel eens vertellen waarom je bij haar bent weggegaan.'

Jarvis moest weer aan de koekjestrommel denken. Hij was er in op zoek geweest naar een rolletje plakband. Om daar bij te kunnen moest hij eerst de geboorteakten van Tam en Robbie er uithalen. Die had hij al tientallen keren eerder gezien, alleen was deze keer zijn oog er net wat langer dan gewoonlijk op blijven rusten, waarbij hem plotseling iets opviel: zoals hij had verwacht werd George als hun vader genoemd, en luidde hun achternaam McLaughlan. Maar Elsa's achternaam daarentegen stond als Richards vermeld, en opeens besefte hij dat Tam en Robbie waren geboren vóór zij en George getrouwd waren. Als dat inderdaad zo was, dan had ze daar nooit iets over gezegd, wat niet zo heel erg vreemd was: in die tijd werd het krijgen van een buitenechtelijk kind nog steeds als een schande beschouwd, dus het was niet vreemd dat ze het niet van de daken had geschreeuwd.

Hij was in de trommel naar iets anders op zoek gegaan – iets waarnaar hij nog nooit eerder had gezocht. En hoe goed herinnerde hij zich het moment nog waarop hij gevoeld had dat ze de keuken binnenkwam. Hij had niet hoeven kijken om te weten dat ze hem vanuit de deuropening gadesloeg. 'Waar ben je naar op zoek?'

Hij had eigenlijk 'een knoop', 'een speld' of 'een rolletje plakband' moeten antwoorden, maar in plaats daarvan vertelde hij haar de waarheid. Hij gaf haar de geboorteakten, waarbij hij opmerkte: 'Je heb me nooit verteld dat de jongens buiten het huwelijk zijn geboren.'

Wat een ouderwetse uitdrukking, bedacht Jarvis. *Buiten het huwelijk geboren!* Alleen al door het op die manier te zeggen voelde hij zich een ongetrouwde tante. Maar Elsa's reactie was even ouderwets geweest: ze was gaan blozen, en stamelend had ze uitgebracht: 'Ik wist niet zeker hoe je daarop zou reageren.'

'Ik zou het niet erg hebben gevonden,' zei Jarvis. 'Het zou het een en ander alleen maar een stuk makkelijker hebben gemaakt.'

'Hoe bedoel je?'

'Dan hadden we kunnen trouwen. Dan hadden we niet hoeven wachten tot George uit de gevangenis zou komen, en zou je ook minder schuldgevoel over het aanvragen van een scheiding hebben gehad.'

Haar gezicht was nóg roder geworden.

'Maar je wilt nog steeds blijven wachten, hè?' zei Jarvis.

Ze had hem de beide geboorteakten teruggegeven. 'Ik dacht dat we het daarover eens waren. Waarom begin je daar nu weer over?'

Maar Jarvis was nog niet klaar. 'Waar is jóuw akte, Elsa?'

'Waarom zou jij mijn geboorteakte willen zien?'

'Ik heb het niet over je geboorteakte. Ik bedoel je tróuwakte. Waar heb je die?'

'Die moet ook in deze trommel zitten.'

'Nee,' zei Jarvis. 'Die zit er niet in.'

'Hij móet erin zitten.' Ze had de trommel gepakt en hij had toegekeken hoe ze met veel omhaal op zoek was gegaan naar iets dat helemaal niet bestond. Hij had zijn hand op de hare gelegd om haar op te laten houden met het zinloze zoeken, rommelend tussen schoenveters en klosjes garen, en hij zei: 'Hou daar mee óp.'

De manier alleen al waarop hij dat zei. 'Mike – ' begon ze, maar Jarvis was de keuken al uit. Ze volgde hem naar de gang en zag hoe hij zijn jas aantrok. En toen hij de flat verliet schreeuwde ze hem na: 'Mike!'

Er was een ondertoon van paniek in haar stem te horen geweest, maar de paniek was niet die van een vrouw die het gevoel had de man te verliezen van wie ze hield: de paniek werd veroorzaakt door een visioen van een steeds hoger wordende stapel rekeningen, van een verhuizing naar een kleiner huis in een armere wijk. 'Mike!'

'Ik heb haar gevraagd of ze met me wilde trouwen,' zei Jarvis. 'Niet één keer, maar tientallen keren. En haar antwoord luidde steeds hetzelfde.'

Jarvis hield op met praten. Hij keek naar George. Met zijn ene massieve hand hield hij het pistool beet, en in de andere bevond zich een pluk tabak en een sigarettenvloeitje. Met een razendsnelle beweging van zijn vingers rolde hij een sigaret. De beweging fascineerde Jarvis, die het gevoel had dat het een truc was die een man alleen maar in de gevangenis kon leren. George moest hem al op jeugdige leeftijd eigen hebben gemaakt. En hij had zijn hele leven lang de gelegenheid gehad hem te perfectioneren. Hij stak de sigaret tussen zijn lippen en rookte hem op in de stellige overtuiging dat ze nog voldoende ver van de boerderij verwijderd waren om door een brandende sigaret de aandacht te kunnen trekken.

'Ga verder,' zei George.

'Ze zei me dat ze geen scheiding wilde aanvragen zolang jij nog achter de tralies zat. Ik geloofde haar. Ik was bereid te wachten. Ik had geen keus. En toen, op een dag, keek ik toevallig in die trommel.'

George gaf een kort knikje. Hij kende de trommel waarover Jarvis het had.

'Ik realiseerde me dat jullie niet waren getrouwd toen de jongens werden geboren. Daardoor werd ik nieuwsgierig. Ik ging op zoek naar een trouwakte.'

'Die zou je nooit gevonden hebben,' merkte George op.

'Nee,' zei Jarvis. 'Dat weet ik. En toen besefte ik nog iets anders – iets dat ik me jaren eerder al had moeten realiseren.'

'En wat was dat dan wel?' zei George.

'Ik besefte dat het er nooit iets toe zou doen wat jij haar deed of wat ik voor haar gedaan had, dat ze altijd aan jou zou toebehoren.'

George zei: 'Nog geen minuut geleden vroeg je me waarom ik het je nooit betaald heb gezet.'

Jarvis knikte.

'Ik heb altijd geweten dat je nooit een bedreiging voor me zou vormen.'

Van alles wat hij had kunnen zeggen om me te vernederen, bedacht Jarvis, was dit misschien wel het ergste.

Hij zat in het totale duister ineengedoken in een kleine ruimte. Maar duisternis was iets waarvoor McLaughlan beter geëquipeerd was dan de meeste andere mensen. Als kind had hij soms dagenlang in de kelder doorgebracht, en 's nachts was het daar volkomen donker geweest – geen schijnsel van straatlantaarns of van koplampen van passerende auto's.

De muren van de kelder waren van baksteen geweest, en de wanden van de ruimte waar hij nu opgesloten zat waren ook van steen. Vertrouwde zaken, bedacht McLaughlan, hoewel de kelder groot genoeg was geweest om heen en weer te kunnen lopen, terwijl dit ding misschien net twee bij twee meter mat.

Hij kon niet staan, dus zat hij op z'n hurken, terwijl zijn handen nog steeds op zijn rug gebonden zaten. Hij raakte met zijn gezicht het plafond aan. Dat was van metaal. Geen beweging in te krijgen. Het voelde aan als golfplaat, maar als het dat inderdaad was, was er wel iets zwaars opgelegd. Hij wist niet waar hij was of hoe hij hier was terechtgekomen. Het enige dat hij zich nog kon herinneren was de val, waarvan hij had gedacht dat het zijn dood zou worden.

Toen hij bij bewustzijn kwam lag hij languit op zijn rug. De kap over zijn hoofd was weggenomen, maar de strop lag nog steeds als een soort navelstreng rond zijn nek. Die had Calvin gebruikt om hem overeind te rukken, en daarna had McLaughlan gezien dat hij zich op een grasveld naast een huis bevond. De helikopter stond een eindje verderop, en Ray en twee mannen hadden ernaast met elkaar staan praten.

Hij had moeite moeten doen weer een beetje scherp te kunnen zien. Calvin was weinig meer geweest dan een vage vlek, maar zijn woorden hadden maar al te duidelijk geklonken. 'Jij dacht dat we je zouden ophangen, hè?'

McLaughlan was té gedesoriënteerd om te beseffen wat ze met hem hadden uitgespookt.

'Nog niet, McLaughlan. We hebben eerst nog bepaalde plannen met jou.'

Met dit alles kon hij overweg, hij kon het rationaliseren en hij kon er plannen tegen ontwikkelen. Waar hij niet mee overweg kon, was het feit dat hij vlak bij hem een kind hoorde snikken. Het huilen bleef ononderbroken doorgaan, een hartverscheurend, diepbedroefd geluid.

Hij kende dat gehuil. Hij wist dat het Ocky was. Hij schreeuwde het uit en ramde met zijn hoofd tegen het metalen plafond.

Maar dat had alleen maar tot gevolg dat het huilen nóg luider begon te klinken.

George ving het geluid van een klein kind dat huilde veel eerder op dan Jarvis. Betere oren? Betere genen? Jarvis wist het niet. George had altijd al over meer dierlijke instincten beschikt dan de meeste andere mannen. Ondanks zijn leeftijd en zijn omvang bewoog hij zich over het terrein voort als een jonge hinde, met een uiterst lichte tred en bewegingen waaruit één en al doelbewustheid sprak.

Jarvis was achter hem aan gestrompeld, en was misschien wel recht

tegen de boerderij aangelopen als George hem niet op tijd had tegengehouden. Hij bracht een hand omhoog en Jarvis bleef beweginloos staan.

George had het huilen al gehoord. Nu hoorde Jarvis het ook. Het
kwam van een terrein aan de zijkant van het huis.

Ze liepen er behoedzaam naartoe en merkten dat er diepe voren liepen, alsof de akker jarenlang niet gecultiveerd was geweest. Een heuvel in
het midden van het terrein wekte bij Jarvis de indruk dat hier in de
Bronstijd ooit een nederzetting gevestigd was geweest, dat die heuvel
uiteindelijk een grafheuvel zou blijken te zijn. Maar als het inderdaad
een grafheuvel was, dan had iemand wel een heel vreemde opvatting van
het bewijzen van de laatste eer.

Naast het heuveltje lag een cassetterecorder. Er werd een bandje afgespeeld, en het ten gehore gebrachte geluid was dat van een kind dat on-
troostbaar huilde.

'De schoften,' zei Jarvis.

Ze liepen in de richting van de recorder en Jarvis boog zich voorover
om het ding uit te zetten, maar George hield hem tegen. 'Misschien kunnen ze het vanuit het huis horen. Als we hem uitzetten zou dat wel eens
als waarschuwing voor die lui kunnen fungeren.'

Wat is het instinct om een kind te laten ophouden met huilen toch
sterk, bedacht Jarvis. Maar George had gelijk, en hij kwam weer overeind.

George ging door zijn knieën en legde een hand op het gras dat de
heuvel bedekte. Jarvis deed hetzelfde en merkte dat het, in tegenstelling
met het gras dat onder hun voeten groeide, zacht was. George pakte een
graspol beet en trok eraan. Een keurig vierkante graszode kwam los van
de rest.

Jarvis zag het en begon nu ook graszoden te verwijderen. Eronder bevonden zich enkele ijzeren golfplaten. Eén ervan trokken ze opzij.

Ze tuurden in de beerput. 'Robbie,' zei George, en terwijl hij dat zei
zag Jarvis vanuit zijn ooghoeken hoe iemand vanuit het duister naar voren schoot en naar het pistool in Georges hand uithaalde.

George liet het wapen vallen en draaide zich razendsnel om, om oog
in oog te staan met Ray Swift, die een honkbalknuppel in zijn handen
had. Jarvis wilde zien wat de twee mannen zouden gaan doen, maar liet
tegelijkertijd zijn blik over de grond glijden om te kijken waar het
pistool was terechtgekomen.

Met een snelle beweging rukte George de knuppel uit Ray's handen en gooide die buiten hun bereik. Ray keek hem geringschattend aan en er verscheen een zelfgenoegzaam glimlachje op zijn gezicht, want wat hij voor zich zag was een man die ruim vijftien jaar ouder was dan hijzelf. 'Kom op, dan,' zei Ray. 'Probeer me eens te raken, als je durft.'

Meer aanmoediging had George niet nodig. Hij deed een paar passen in de richting van Ray, die een stoot probeerde te plaatsen op het gezicht van zijn George, maar die dook weg, en Ray ondernam een nieuwe poging.

Deze keer schampte de stoot af langs Georges kin, waarbij het leek alsof er een soort glijmiddel op zijn kin was aangebracht, en Ray schreeuwde: 'Klootzak!' Het klonk eerder verbaasd dan bang. George leek veel te oud om zich zo snel te kunnen bewegen, en Ray, die geheel ten onrechte het gevoel had dat hem niets kon overkomen, ging tot de aanval over, en haalde heftig maar slecht getimed uit.

George weerde de stoten af door zijn armen omhoog te brengen, zodat ze van hem afgleden, alsof hij met een stoeiend kind te maken had. Jarvis kreeg de indruk dat George op elk gewenst moment Ray's polsen vast had kunnen grijpen, om hem vervolgens met de vlakke hand een paar flinke draaien om zijn oren te geven. Kinderspel. Iets waardoor een kind opgetogen zou kunnen raken, zeer onder de indruk van de kracht en het overwicht van zijn eigen vader.

En toen, zo leek het voor Jarvis, raakte George verveeld, of boos, of beide. Of misschien had hij zijn woede die hij had gevoeld vanaf het moment dat Robbie hem had verteld dat de Swifts Ocky in hun macht hadden, alleen maar tot dan toe onderdrukt. Maar wat het geval ook mocht zijn, hij haalde plotseling enorm uit naar Ray, en hoewel Jarvis wist dat zoiets niet mogelijk was, was hij er half en half van overtuigd dat hij kon voelen hoe de lucht rond de vuist opzij werd geperst. George plaatste een stoot en moeder Natuur in hoogsteigen persoon had een stapje opzij gedaan.

Bij het getuige zijn van de kracht achter die stoot, bij het horen hoe die contact maakte met het kaakbeen dat verbrijzelde alsof het om teer porselein ging, moest Jarvis onwillekeurig aan Jimmy denken. Hij had hem ooit eens als amateur in Londen zien boksen, en zelfs toen al, hoe jong hij ook was, was duidelijk geweest dat Jimmy een grootse toekomst tegemoet zou gaan.

Ray stond te zwaaien op zijn voeten en tegelijkertijd begonnen zijn knieën te trillen. Jarvis had filmbeelden gezien van mannen die op precies dezelfde manier reageerden nadat ze enkele seconden daarvoor door het hoofd waren geschoten. Nog heel even, dacht Jarvis, en dan zakt Ray op de grond in elkaar. Maar Ray was dat blijkbaar nog niet van plan. Hij stond te wankelen, nog bijkomend van de keiharde klap, terwijl Jarvis de beerput in sprong en Robbie van zijn boeien begon te ontdoen.

Zodra hij bevrijd was tastte McLaughlan de vloer van de put af, op zoek naar het pistool. Hij vond hem, waarna hij en Jarvis snel de put uit klommen.

Ray stond nog steeds overeind. Voor zijn eigen bestwil hoopte Jarvis dat hij zijn trots zou inslikken en toe zou geven aan wat volgens hem een alles overweldigende behoefte moest zijn om zich op de grond te laten vallen en zich op te rollen tot een foetushouding. Als hij dat maar deed, bedacht Jarvis, zou hij het overleven. Misschien dat George hem als een grizzlybeer nog een paar harde aaien zou toedienen, maar daarna zou hij hem met rust laten. Maar als Ray zich bleef verzetten, als hij doorvocht, zou George net zo lang op hem inbeuken tot hij morsdood was.

Ray, zich niet bewust van de etiquette die hem wellicht het leven had kunnen redden, schraapte al zijn krachten bij elkaar. Hij keek George met knipperende ogen aan en bracht toen zijn vuisten weer omhoog. Onmiddellijk daarop greep George hem bij zijn nekvel en begon woedend op hem in te slaan. Het geheel had iets uiterst primitiefs en wreeds, vond Jarvis. Het was het soort kloppartij waarop een bokser zijn tegenstander zou trakteren wanneer het niet zozeer om een overwinning ging, als wel om het nemen van wraak. De gebroeders Swift hadden zijn kleinzoon ontvoerd. Ze hadden geprobeerd zijn zoon te vermoorden. En om de ene belediging op de andere te stapelen bezat deze Swift ook nog eens de brutaliteit om met een honkbalknuppel naar hem uit te halen. George was niet zozeer woedend, als wel tot in de grond van zijn hart beledigd. De enige troost, bedacht Jarvis, bestond uit het feit dat Ray allang geen flauw benul meer had wat hem overkwam. Hij stond nog overeind, maar dat kwam omdat George hem bij zijn keel had vastgegrepen. Maar hij was al eventjes bewusteloos toen George hem een laatste, dodelijke stoot toediende.

Of hij echt de bedoeling had gehad hem te doden kon Jarvis niet zeggen. Hij wist alleen dat de kracht achter de stoot voldoende was geweest om Ray Swifts nek te doen breken. George liet hem los en hij viel op de grond met het geluid dat nog het meest leek op een brekende tak, maar die droge knal bleek een schot uit een geweer, afgevuurd door Calvin.

Jarvis en McLaughlan wierpen zich tegen de grond. George had daar geen tijd meer voor, kon niet meer worden gewaarschuwd – hij werd vol in de onderbuik getroffen en ging neer.

Op hetzelfde moment dat Calvin het wapen op hen richtte, schoot McLaughlan hem dood. Wat ging dat razendsnel, flitste het door Jarvis' hoofd. Geen enkele dramatiek. Geen tijd om na te denken. Dertig seconden geleden had Ray George uitgenodigd 'te proberen hem eens te raken'. Binnen een halve minuut lagen er twee man dood in het gras, terwijl een derde misschien wel stervende was.

Op dat moment kwam Sherryl uit het huis gerend, terwijl McLaughlan overeind sprong en het geweer bij Calvins lijk weggriste. Hij holde naar George, die op de grond lag te kronkelen van de pijn. 'Ga achter Ocky aan,' bracht George moeizaam uit.

McLaughlan sprintte naar Sherryl en richtte het geweer op haar. 'Haal geen flauwekul uit, meid. Waar is hij?'

Sherryl keek langs hem heen naar de plek waar de lichamen van Ray en Calvin lagen. Ze deed haar mond open om iets te zeggen, maar was daartoe niet in staat, en McLaughlan gooide het geweer naar Jarvis. 'Pas op, ze is niet te vertrouwen,' zei hij, en Jarvis antwoordde met een eigen waarschuwing: 'Vergeet niet dat er hier nog andere lieden kunnen rondlopen.'

Sherryl holde naar de lichamen van haar vader en oom, en begon toen te krijsen, alsof ze dacht dat ze hen op de een of andere manier weer tot leven zou kunnen schreeuwen.

Jarvis stak zijn hand naar haar uit, en zou haar hebben getroost als hij daartoe in staat was geweest. Maar hij ging ervan uit dat Robbie hem niet zonder reden voor haar had gewaarschuwd, dus hield hij afstand tot haar. Hij liep snel naar George en zag dat hij uit zijn onderlichaam bloedde. Het is straks met deze man gebeurd, besefte Jarvis, die naar het huis keek, waar Robbie op dat moment net de deur had bereikt. Sherryl had hem open laten staan. Zo te zien brandde er in elk vertrek licht. Hij zag hem de keuken binnengaan alsof hij achter de deur gewapende mannen verwachtte aan te treffen.

Hij hoorde een jong kind huilen, en Jarvis besefte dat ze de cassetterecorder nog steeds niet hadden uitgezet. De tape had zichzelf automatisch teruggespoeld. Het gehuil was weer helemaal van voren af aan begonnen.

McLaughlan had er maar enkele ogenblikken voor nodig om vast te stellen dat het huis verder leeg was. De mannen die geholpen hadden hem in de helikopter af te rossen – een klus waarvoor Calvin ze ongetwijfeld ruim en in contanten had betaald – waren verdwenen.

Nadat hij behoedzaam de trap op was geslopen, kwam hij bij een deur die op slot zat. Hij trapte hem open en deed het licht aan. In het bed lag een nietige gestalte, terwijl de dekens zover omhoog waren getrokken dat het gezichtje niet te zien was.

McLaughlan trok de dekens terug en het volgende moment keek Ocky naar hem op, eigenlijk eerder verbaasd kijkend dan angstig. 'Pappa!'

Hij tilde zijn kind op, drukte hem dicht tegen zich aan en bracht hem naar buiten, naar Jarvis.

George lag op zijn rug in het gras. De cassetterecorder was uitgezet, maar het geluid van het snikken overheerste nog steeds. Deze keer was dat van Sherryl afkomstig, en haar gehuil kwam niet van een bandje.

McLaughlan keek naar de verwondingen in zijn vaders onderbuik. Hij was geen arts, maar hij wist dat elke buikwond buitengewoon ernstig was. Mensen konden er heel snel aan overlijden. Of ze konden er heel erg langzaam aan doodgaan. Sommigen gingen dood vanwege het bloedverlies of door shock, en als dat niet gebeurde stierf je over het algemeen aan gangreen. 'Je moet zo snel mogelijk naar een ziekenhuis.'

'Nee,' zei George. 'Geen ziekenhuis.'

Jarvis probeerde hem op andere gedachten te brengen, maar George wilde er niet van horen. 'Ik heb de man doodgeslagen – daar staat levenslang op. Ik moet er niet aan denken opnieuw de bak in te draaien. Breng me naar huis,' zei George. 'Breng me terug naar Glasgow.'

McLaughlan kwam overeind, nog steeds met Ocky in zijn armen.

'Hou je je nog aan je woord?' vroeg George. 'Vertel je me nog wat er met Tam is gebeurd?'

Ocky bracht nog steeds een zacht geweeklaag voort. McLaughlan gaf hem aan Jarvis over en ondersteunde vervolgens zijn vader naar de auto.

Hij installeerde hem zo comfortabel mogelijk op de achterbank, maar gezien zijn lengte en omvang kon George daar alleen maar dubbelgevouwen en creperend van de pijn moeizaam liggen.

Jarvis ging voorin naast McLaughlan zitten, met Ocky op zijn schoot. 'Misschien kunnen we beter toch maar naar een ziekenhuis rijden, wat we ook met –'

'Nee,' zei George. 'Geen ziekenhuizen. Geen politie. Geen Barlinnie. *Ik heb genoeg ellende achter de rug.*'

McLaughlan reed de auto in z'n achteruit bij de boerderij vandaan. Sherryl werd een ogenblik lang vastgehouden door het schijnsel van de koplampen. Ze zat over het lichaam van haar vader gebogen en plotseling leek Jarvis bij zinnen te komen.

'We kunnen niet zomaar –'

'Dat kunnen we wel dégelijk.'

'We moeten de politie waarschuwen. Die zullen verklaringen willen afnemen.' George lag achter in de auto. Hij kreunde zachtjes toen de auto in beweging kwam. 'En we moeten hém naar een ziekenhuis brengen.'

'Je hebt gehoord wat hij zei,' reageerde McLaughlan. 'Geen ziekenhuizen. Geen politie. En ook geen aanklachten, rechtszaken en veroordelingen wegens moord. Hij heeft genoeg meegemaakt.'

'Maar we kunnen hier niet zomaar wegrijden, dat is in strijd met de wet.'

McLaughlan bracht de auto tot stilstand. 'Zeg het maar,' zei hij. 'Als je uit wilt stappen en terug wilt gaan, dan is dit je kans.'

'En jij dan?'

'Ik ga naar Glasgow,' zei McLaughlan. 'Ik breng hem naar huis. Ik breng hem naar de plaats waar Tam –'

Hij maakte zijn zin niet af, maar dat hoefde ook niet, en Jarvis had verder geen overreding nodig: dertig jaar lang had het mysterie rond de verdwijning van Tam aan hem geknaagd. Dit zou wel eens de enige kans kunnen zijn om erachter te komen wat er was gebeurd. Sherryl zou waarschijnlijk nog wel een tijdje doorgaan met haar geweeklaag, en de politie moest nog maar even wachten. Ray en Calvin zouden tussen nu en het moment dat de politie ter plaatse arriveerde echt niet weglopen. 'Oké,' zei hij. 'Oké.'

George verloor regelmatig het bewustzijn. Tijdens het overgrote gedeelte van de rit zei Jarvis maar weinig, terwijl McLaughlan nóg minder zei. Ocky had zich aan Jarvis vastgeklampt en was in slaap gevallen.

Op een gegeven moment kwam George weer even bij en Jarvis hoorde hem zachtjes roepen: 'Jimmy!' Hij probeerde zich, zonder Ocky wakker te maken, om te draaien om naar George te kijken.

George was nauwelijks nog bij bewustzijn. Enkele kilometers lang had hij onsamenhangend liggen mompelen, en uit het weinige dat verstaanbaar was geweest was niets zinnigs op te maken. Maar plotseling zei hij iets dat wel degelijk zinnig had geklonken, en Jarvis draaide zich met een ruk om, zodat Ocky van het ene op het andere moment wakker was geworden. 'Wat was dat, George? Wat zei je daar?'

Of hij zich nu bewust was wie of waar hij was, kon Jarvis onmogelijk zeggen. Misschien besefte hij niet eens wat hij had gezegd. Maar hoe dan ook, het omvatte een soort bekentenis, en Jarvis moest weer denken aan die keer, nu dertig jaar geleden, dat Whalley helemaal gek werd van het feit dat hij enkele maanden na de moord op Jimmy nog steeds nauwelijks verder was gekomen met zijn onderzoek, dat hij alleen maar zeker wist dat Jimmy óf samen met zijn moordenaar de sportschool binnen was gegaan, óf later de deur voor hem had geopend.

Volgens de patholoog-anatoom waren er op het lichaam van Jimmy geen verwondingen aangetroffen waaruit zou kunnen worden opgemaakt dat er een worsteling had plaatsgevonden. Er waren ook geen aanwijzingen gevonden waaruit zou kunnen worden afgeleid dat hij op de Christine Keeler-stoel, zoals die door Jarvis was genoemd, vastgebonden had gezeten. Kortom, deze factoren wezen erop dat Jimmy óf onder bedreiging van een vuurwapen op die stoel was gaan zitten, óf uit eigen vrije wil.

Wat het ook geweest mocht zijn, hij had erop gezeten, met zijn gezicht naar de kast met de bekers, foto's en krantenknipsels. Daarna was hij in het achterhoofd geschoten en was hij van de stoel gevallen. Er was niets gestolen en er was niets aan het licht gekomen waaruit Whalley zou kunnen opmaken in welke richting hij moest zoeken om de moordenaar te vinden, terwijl hij ook wat de reden betrof volledig in het duister tastte. 'Zoals ik al eerder zei,' merkte Whalley op, ' krijg ik de indruk dat het hier om een soort wraakneming gaat – zoals onder bepaalde omstandigheden wel eens gebeurt met lieden die als informant hebben opgetreden. Wat denk jij?'

Jarvis had niet geweten wat hij ervan moest denken.

Tot op dit moment.

'Wat zei je daar, George?'

En George had datgene herhaald wat Jarvis gemeend had hem te horen zeggen: 'Hij wilde dat die krantenknipsels het laatste zouden zijn wat hij te zien kreeg.'

Dat was bijna exact hetzelfde als wat toentertijd Whalley had gezegd.

'George,' zei Jarvis, 'waar heb je het nou over?'

'Hij kon het niet langer meer verkroppen zo te moeten leven,' zei George. 'Hij wilde sterven als een man, niet als een of ander mietje dat daarvoor een fles met pillen nodig heeft. Hij smeekte me hem dood te schieten, maar niet thuis. Dat wilde hij Iris niet aandoen.'

En hij verloor het bewustzijn weer.

Jarvis keek naar Robbie.

McLaughlan hield zijn ogen op de weg gericht en zei niets.

38

Orme had maar al te vaak spijt gehad van opdrachten die hij had gegeven in de trant van 'Als er in deze zaak iets belangrijks gebeurt, wil ik dat onmiddellijk weten – ook als dat betekent dat je me midden in de nacht uit mijn bed moet bellen'. Het was er maar al te vaak op uitgedraaid dat zijn vrouw haar kussen over haar hoofd had getrokken en hij het telefoontje mocht beantwoorden dat hem in eerste instantie uit zijn slaap had gehaald en er in tweede instantie voor zou zorgen dat hij zijn bed uit moest.

Het nieuws dat de politie van Thames Valley contact had opgenomen met de Metropolitan Police om te melden dat Calvin en Ray Smith waren vermoord, was voldoende geweest om hem onmiddellijk klaarwakker te laten worden. 'Wil je dat nog eens herhalen?' vroeg Orme.

Zijn vrouw, met een stem die loom was van de slaap, zei: 'Leonard?'

Orme hield een vinger voor zijn lippen en ze vroeg niet verder, terwijl hij luisterde naar de persoon die uitlegde dat een hysterische Sherryl Swift de politie had gebeld om te zeggen dat haar vader was doodgeslagen en Calvin was doodgeschoten.

De politie van Thames Valley was er naartoe gegaan om het na te trekken, en omdat het om beruchte Londense criminelen ging was onmiddellijk de groep Ernstige Delicten van de Metropolitan Police gewaarschuwd.

'Wat is er volgens Sherryl gebeurd?' vroeg Orme, en als de persoon met wie hij sprak het gevoel kreeg dat hij niet noodzakelijkerwijs bereid was om er ook maar één woord van te geloven, dan liet hij daar verder niets van merken.

'Ze zegt dat Ray buiten iets hoorde en toen op onderzoek is gegaan, op de voet gevolgd door Calvin. Enkele seconden later hoorde Sherryl een schot. Ze keek door het raam en zag hoe er een auto wegreed. Ze is naar beneden gegaan en trof Ray en Calvin even later dood in de achtertuin aan.'

'Ik neem aan dat ze geen idee heeft door wie ze gedood zijn?'

'Misschien weet ze het, maar ze heeft er verder met geen woord over gerept.'

Daar zal ze zo haar redenen wel voor hebben, bedacht Orme. 'Je had het erover dat ze naar buiten keek en zag dat er een auto wegreed.'

'We hebben een opsporingsbericht laten uitgaan.'

'Heeft ze een beschrijving van die auto kunnen geven?'

'Nog veel beter – ze heeft het kenteken opgeschreven.'

Dat was duidelijk een geval van razendsnel nadenken geweest, vond Orme.

'Tien tegen een dat die wagen gestolen is, maar de knaap van wie de moordenaar de wagen gestolen heeft was toevallig wel een crimineel – George McLaughlan. Een van je oude bekenden uit Glasgow, een knaap van de oude school, maar in zijn hoogtijdagen wel degelijk een zwaargewicht. Veroordeeld wegens het toebrengen van zwaar lichamelijk letsel, gewapende roofovervallen...'

McLaughlan! dacht Orme. Hij kon niet geloven wat er gezegd werd. Dit had met elkaar te maken. Dat kon niet anders. En als deze George McLaughlan ooit was veroordeeld wegens gewapende roofovervallen, lag het voor de hand dat hij in het verleden met de Swifts te maken had gehad. Misschien dat George en Robbie McLaughlan al een hele tijd met de Swifts te maken hadden gehad.

Het was zó'n onthulling voor hem, dat hij er niet goed een vinger achter kon krijgen. En als ik het nou eens bij het verkeerde eind heb? dacht hij plotseling. Maar alle stukjes pasten te goed in elkaar om het bij het verkeerde eind te kúnnen hebben.

Plotseling zag hij het allemaal duidelijk voor zich: de Swifts en de McLaughlans hadden al een tijdje zaken met elkaar gedaan. Op een gegeven moment was het met deze zakelijke relatie om de een of andere reden fout gegaan. Ash had aan Robbie McLaughlan doorgegeven dat er een bankoverval plaats zou vinden. McLaughlan had Stuart doodgeschoten. Calvin had het vervolgens op McLaughlan gemunt. Die was in paniek geraakt, had de hand op een vuurwapen weten te leggen en had vervolgens geprobeerd zichzelf te beschermen.

Misschien dat McLaughlan zijn zoon had ontvoerd met de bedoeling te verdwijnen en ergens een nieuw leven te beginnen, of misschien hadden de Swifts het kind ontvoerd en was McLaughlan achter hén aan gegaan. Hij wist precies waar hij hen zou moeten zoeken, iets dat Orme niet kon zeggen. Er had een gevecht plaatsgevonden. Hij had ze omgebracht. En nu was hij op de vlucht.

Orme kreeg te horen dat het voertuig in noordelijke richting reed. Het werd op veilige afstand gevolgd door een niet als zodanig herkenbare politieauto, waarvan de chauffeur de opdracht had gekregen er niet te dicht in de buurt van te komen, en vooral niet te proberen de wagen tot stoppen te dwingen, omdat het er naar uitzag dat McLaughlan twee mannelijke passagiers en een kind bij hem aan boord had.

Ocky, dacht Orme. De vraag was, had McLaughlan hem uit handen van de Swifts weten te redden, of had hij Ocky al de hele tijd bij hem gehad? Wat die twee mannelijke passagiers betrof: Orme had geen flauw idee wie dat konden zijn.

De politie van Thames Valley wachtte wat betreft het aanpakken van een en ander op zijn beslissing, en Orme was alleen maar dankbaar dat hij in dit soort situaties over een solide procedure beschikte om op terug te vallen. Hij gaf de enig mogelijk opdracht.

'Blijf dat voertuig volgen, maar vergeet niet dat McLaughlan een politieman is – hij zal er altijd op blijven letten of hij al dan niet gevolgd wordt. Als je het idee hebt dat hij je heeft gezien, trek je dan terug. Het is beter om hem uit het oog te verliezen, dan de kans te lopen dat het kind iets overkomt. We volgen hem naar zijn plaats van bestemming. Dan schuiven we iemand naar voren die met hem moet onderhandelen en kijken we of hij bereid is om Ocky vrij te laten.

De woorden *noordelijke richting* waren Orme bijgebleven, en hij herinnerde zich weer dat het adres waarop het kentekenbewijs stond ingeschreven een adres in Glasgow was. Hij voegde eraan toe: 'Zodra het ernaar uitziet dat hij op weg is naar Glasgow, regel dan een helikopter die me hier kan oppikken, en vraag aan de politie van Strathclyde of ze een gewapende eenheid beschikbaar houden.'

39

Er was maar weinig gedaan om dit oord een ander aanzien te geven, vond Jarvis. Nog steeds dezelfde rivier. Dezelfde stank. Dezelfde troep in het kanaal. Nog steeds dezelfde bordjes langs de waterkant om kinderen te waarschuwen dat ze uit de buurt moesten blijven. Het was nu dertig jaar later en nog steeds was niemand in staat geweest hier iets neer te zetten. Naar alle waarschijnlijkheid was het ze niet gelukt om daarvoor het geld bij elkaar te sprokkelen.

Ze liepen langs de oever van de rivier, op de voet gevolgd door Ocky, terwijl Jarvis en McLaughlan George ondersteunden. Nu hij weer in beweging was gekomen was ook het bloeden weer erger geworden, en Jarvis vroeg tegen beter weten in: 'Weet je zeker dat we je niet naar een ziekenhuis moeten brengen?'

'Het vooruitzicht opnieuw de gevangenis in te moeten kan ik niet verdragen, Mike. Zullen we het er maar niet meer over hebben, oké?'

George was blijkbaar van mening dat hij het zou overleven, en moest er niet aan denken nog eens een keertje levenslang te krijgen, bedacht Jarvis. En de kans op levenslang was erg groot. Elke openbaar aanklager die ook maar een knip voor de neus waard was zou de patholoog-anatoom als getuige-deskundige laten oproepen, en de patholoog-anatoom zou met de verklaring komen dat Ray Swifts verwondingen zo ernstig waren, dat er een punt geweest moest zijn waarop hij zich niet meer had kunnen verdedigen. 'Het is daarom niet onredelijk om aan te nemen dat de verdachte, George McLaughlan, duidelijk van plan was hem om te brengen, edelachtbare.'

Ze strompelden nog een kleine kilometer langs de rivieroever voort, waarbij McLaughlan steeds meer moeite had het gewicht van zijn vader te dragen.

Op een punt waar de Clyde aan haar gracieuze bocht begon zette hij hem op de oever neer. Vanaf hier tot aan de stad, wist Jarvis, was het nog ruim vijfentwintig kilometer. De rivier zou breder worden, dieper ook, en kracht winnen tot een uitgestrekte, indrukwekkende waterweg. 'Wat een rivier,' merkte hij op.

McLaughlan trok zijn jas uit en sloeg die om de schouders van zijn vader. Het was hier guur. Nauwelijks beschutting. En de wind die het wateroppervlak tot golven opzwiepte, kwam recht van zee.

Ocky had het koud. Hij klampte zich aan Jarvis vast, eerder nog om wat warmer te worden dan om geborgenheid, en Jarvis sloeg zijn jas om hem heen. Hij wilde liever niet denken aan datgene wat dit kind de afgelopen paar dagen had moeten doorstaan. Maar hij was nog erg jong, bedacht Jarvis. Veel van wat er was gebeurd zou hij niet begrijpen en met een beetje geluk zou hij in de loop van de tijd het meeste ervan vergeten.

George, die nog maar nauwelijks bij bewustzijn was, zei iets dat McLaughlan niet kon verstaan. Hij boog zich voorover om hem te kunnen horen, en hoorde zijn vader iets fluisteren: 'Crackerjack.'

Jarvis had wel eens horen vertellen dat mensen die stervende zijn soms geesten zien van mensen die hen tijdens hun leven het meest dierbaar zijn geweest, en hij vroeg zich af of dat nu ook bij George gebeurde. Maar toen besefte hij dat George alleen maar in de war was: hij wilde weten of dit de plaats was waar ze het lichaam van Crackerjack hadden achtergelaten, en als dat inderdaad zo was, wat ze hier dan deden.

McLaughlan herinnerde George eraan dat ze een afspraak hadden: hij had beloofd hem naar de plaats te brengen waar hij Tam voor het laatst had gezien. Dit wás die plaats.

Jarvis vroeg waarom hij en Tam hierheen waren gegaan, en McLaughlan antwoordde dat ze dat hadden gedaan om naar Crackerjacks lichaam op zoek te gaan.

'Hoe wist je dat dat hier moest liggen?' vroeg Jarvis, en McLaughlan moest weer terugdenken aan die keer dat hij en Tam boven aan de trap hadden gestaan die naar de kelder leidde. Elsa was over haar toeren geweest, doodsbang dat elk moment de politie op de stoep kon staan. George had geprobeerd haar te kalmeren door te beloven het lichaam direct na het invallen van de duisternis ergens heen te brengen. Hij zei: 'We hoorden hem tegen onze moeder vertellen waar hij het lichaam wilde dumpen.'

'Maar waarom ben je er dan later nog naartoe gegaan?'

'Uit nieuwsgierigheid,' antwoordde McLaughlan. 'We wilden zien hoe het eruitzag.'

Ze hadden niet precies geweten waar het lichaam moest liggen, maar ze kenden het gebied vrij goed en het was dan ook niet moeilijk geweest het te vinden. Ze waren verbijsterd geweest over de mate waarin het al in ontbinding verkeerde. Het had er al een paar maanden gelegen, en als ze niet hadden geweten dat het hier om Crackerjack ging, zouden ze het nooit hebben herkend. De aanblik ervan had ervoor gezorgd dat McLaughlan last van nachtmerries kreeg die veel erger waren dan de boze dromen die door Jimmy werden veroorzaakt. 'Het stonk,' zei hij. 'Je zou denken dat die stank alleen al voldoende moest zijn om ervoor te zorgen dat er iemand op af zou komen, maar tja, dit is nooit het soort terrein geweest waar mensen hun hond nou eens gezellig gaan uitlaten.'

Jarvis begreep heel goed waarom de gemiddelde burger zich niet graag op dit uitgestrekte, lege gebied wenste te wagen. Het leidde nergens naar en er was niets van belang te vinden. Het enige wat je ervan kon zeggen, was dat het langs een gedeelte van de Clyde lag die noch mooi noch waardevol genoemd mocht worden. Er waren heel wat van dit soort oorden die door fatsoenlijke mensen instinctief werden gemeden, het gebied overlatend aan dealers, aan criminelen, aan lieden die hier hun doden dumpten – elementen van de maatschappij die aan dit soort plaatsen behoefte hadden.

McLaughlan vervolgde: 'We vonden het lichaam, maar wisten niet precies wat we toen doen moesten. Tam wilde nog wat langer blijven, maar ik wilde er weg – ik was doodsbang dat we de trein zouden missen – dus liepen we terug langs het jaagpad, maar de oever was niet bepaald stabiel. Tam kwam te dicht bij de kant en viel in het water.'

McLaughlan zweeg. Enkele ogenblikken later, alsof hij een opmerking over het weer maakte, voegde hij er bijna terloops aan toe: 'Hij verdronk.'

Hij tuurde over de rivier, en door zijn blik te volgen besefte Jarvis plotseling dat iemand die hier in de rivier viel, er verdomde moeilijk weer uit zou kunnen klauteren. De rivier was hier diep en snel, en de in elkaar grijpende dodelijke stromingen maakten het water hier tot een regelrechte moordenaar. De rivier had Tam verzwolgen, had Tam meegevoerd naar zijn dood.

Maar hoe komt het dan dat de rivier hem niet ergens in de stad heeft laten aanspoelen, hem daar niet heeft uitgespuwd?

Er móest nog meer aan vastzitten, bedacht Jarvis. Maar misschien was het daar nu niet het geschikte moment voor. Het enige dat hij zei was: 'Waarom heb je in gódsnaam niemand iets verteld?'

'Hoe kon ik dat nou doen?' reageerde McLaughlan. 'Hoe kon ik nou uitleggen dat we wisten waar het lijk van Crackerjack lag, zonder daarbij onmiddellijk toe te geven dat we hadden staan luisteren toen onze vader vertelde waar hij dat zou gaan dumpen? Ik had helemaal geen trék om degene te zijn die hem op die manier met die overval in verband bracht. Ik wilde niet dat de politie door mijn toedoen rechtstreeks zijn kant uit zou worden geleid.'

'Maar waarom was je er zo op gebrand hem te beschermen?' wilde Jarvis weten, en McLaughlan deed hem aan de zoons van Robert Maxwell denken toen hij simpelweg antwoordde: 'Hij was mijn vader. Ik hield van hem.'

Hij was jouw vader, dacht Jarvis. Natuurlijk hield je van hem. En hij moest weer denken aan het moment waarop Robbie samen met Iris boven aan de trap had gestaan, toekijkend hoe George, onder schot gehouden door gewapende politie, naar het politiebusje werd geëscorteerd. *'Ze hebben m'n vader meegenomen!'*

'Nadat hij naar de gevangenis was gestuurd wilde ik de waarheid vertellen, maar Elsa hield vast aan het idee dat Tam nog leefde. Ik wist niet hoe ik haar moest vertellen dat ik zeker wist dat hij dood was. Ik was tien jaar oud. Ik wist niet hoe ik dat moest aanpakken. En na verloop van tijd werd het alleen maar erger, niet beter. Ze blééf volhouden dat Tam naar Australië was gegaan, dat hij op een dag weer terug zou komen. Ik wilde niet weten wat het met haar zou doen als ik het haar alsnog zou vertellen.'

Mijn god, dacht Jarvis, waarom heb ik dit allemaal niet gezien? Ik dacht dat ik hem zo goed kende. Wat kennen we de mensen die ons het meest na zijn toch slecht.

In de periferie van zijn gezichtsveld meende hij iets te zien bewegen, en hij draaide zich om. Wat hij zag verraste hem. Op het eerste gezicht zou je zeggen dat de topografische indeling van het gebied zodanig was dat het onmogelijk was om ongezien dichterbij te komen, maar dat was blijkbaar toch niet zo. De greppel aan beide kanten van het spoorwegtaluud zorgde voor dekking, en gewapende politiemensen hadden er gebruik van gemaakt om hen tot op enige meters te naderen.

Een van hen schreeuwde: 'Gewapende politie. Ga bij dat pistool vandaan.'

McLaughlan bewoog zich niet.

'Robbie,' zei Jarvis, maar McLaughlans enige reactie bestond eruit op z'n hurken te gaan zitten. Hij deed het uiterst langzaam, en het was dan ook geen bedreigende beweging, maar alleen het feit al dat het pistool vlak voor hem lag verhoogde de spanning aanzienlijk. Jarvis kon bijna voelen hoe er tien, twaalf vingers rond trekkers van automatische wapens gekromd werden. Het was geen plezierig gevoel om in de vuurlinie van zoveel wapens te zitten.

Op dit moment, bedacht Jarvis, is de politie nog niet van de waarheid op de hoogte. Als ik ze vertel dat Ocky in handen van de Swifts was, en dat ze Robbie naar het huis hebben gelokt met de bedoeling hem daar te vermoorden, zullen alle puzzelstukjes wel op hun plaats vallen. Ze zullen beseffen dat Swift de hulp van een huurmoordenaar had ingeroepen, dat die per ongeluk Doheny had doodgeschoten, en dat Robbie, door zich van een wapen te voorzien, alleen maar had geprobeerd zijn gezin en zichzelf te beschermen.

Maar dat zou er niet voor kunnen zorgen dat hij bij politie mocht blijven, wist Jarvis. Misschien had hij bij zijn sollicitatie dan wel niet gelogen, hij had in elk geval informatie achtergehouden, wat op zich net zo erg was. En je kon ook niet om het feit heen dat hij door list en bedrog zijn voormalige woning was binnengedrongen, en dat hij de vrouw die daar nu woonde had bedreigd. Vervolgens had hij ook nog eens de plaats waar Doheny was doodgeschoten verlaten en was hij daarna voor de politie op de loop gegaan.

Van het weinige dat Robbie hem over Orme had verteld, meende Jarvis op te kunnen maken dat de man hem zo goed mogelijk zou helpen, maar dat betekende niet dat de feiten daardoor zouden veranderen. Het beste waarop Robbie zou kunnen hopen was dat er geen aanklacht tegen hem zou worden ingediend, maar misschien dat hem dat uiteindelijk niets uitmaakte. Misschien, dacht Jarvis, zou het feit dat hij nu eindelijk de geheimen waarmee hij door het leven had moeten gaan van zich had afgeschud, ertoe leiden dat hij in staat was verder te gaan met zijn leven. Hij hoopte het van harte. Hij hoopte ook dat, wat er ook mocht gebeuren, Robbie hem de kans zou geven Ocky wat beter te leren kennen – dichter bij een eigen kleinzoon zou hij nooit komen.

McLaughlan zat nog steeds op anderhalve meter bij het water vandaan op zijn hurken. Hij trok aan het grove, bijna olijfgroene gras dat in pollen langs de oever stond, en sprak zijn gedachten hardop uit:

Ik ken niemand die zó met z'n jongere broertje rondzeulde als jij, maar ik was toentertijd nog veel te jong om te beseffen hoe goed je voor me was. Ik beschouwde het als de normaalste zaak van de wereld.

Iris heeft je ooit eens gevraagd of je het niet erg vond om me constant op sleeptouw te moeten nemen, maar het enige dat je zei was dat je het leuk vond om me in de buurt te hebben. Zelfs nu, al die jaren later, geloof ik niet dat ik ooit iemand ben tegengekomen die het prettig vindt om met me op te trekken, niet op de manier zoals jij dat deed. Maar ik verwacht het ook van niemand. Dat soort ongedwongenheid maak je maar één keer in je leven mee. Zoiets heb je maar met één specifiek iemand. En ik had dat met jou.

Op zoek gaan naar Crackerjacks lichaam was jouw idee, en het was de enige gelegenheid waarbij jij het gevoel had dat ik beter thuis kon blijven. Maar ik bleef net zo lang doorzeuren dat ik meewilde, dat je uiteindelijk toegaf en ik met je mee mocht.

Je waarschuwde me dat ik er met geen woord over mocht reppen, en we vertelden dat we naar Glasgow gingen om naar pa te zoeken. Terwijl we nooit naar hem op zoek zijn gegaan, weet je nog? Zelfs als we dat wél hadden gedaan, dan nog hadden we hem nooit gevonden. Maar we vonden Crackerjack, probleemloos. We kenden dat gebied als onze broekzak en hem vinden was een fluitje van een cent.

Het was de eerste keer dat ik een dode zag, en het maakte me bang. Zijn lichaam had daar al een paar weken gelegen en hij zag er absoluut niet meer uit als de man die we ooit hadden gekend. Ik porde met een stok in zijn gezicht en zijn wang barstte open als de schil van een overrijpe vrucht. Ik vluchtte weg, maar uiteindelijk wist je me weer zover te krijgen dat ik terugkwam.

Met een andere stok tilde je z'n overhemd op. De kogelgaten liepen diagonaal van zijn onderbuik naar zijn schouder. En je zei dat hij erg sterk moest zijn geweest om het zolang te overleven als hij gedaan had. Ieder ander zou binnen een paar minuten zijn gestorven, zei je. Maar hij niet. En je was om die reden trots op hem.

Je mocht hem. Hij stak je af en toe vijf shilling toe. Hij vertelde je moppen, en hij gaf je zo nu en dan een flesje bier. Hij gaf jou het gevoel dat je een man was, maar bovenal gaf hij je het idee dat je 'iemand' was. En als zoon van een crimineel, ben je blij met elke vorm van respect dat je kunt krijgen – want dat ontbreekt er zo bij politiemensen die hun vuist door een scheepsmodel rammen waar je maanden mee bezig bent geweest. Je was maar de zoon van een crimineel. Wat deed het er nou toe dat ze je schip kapotmaakten? Wie zou hen moeten tegenhouden?

Je zei dat we hem eigenlijk zouden moeten begraven, dat zijn vrouw en kinderen dat wel prettig zouden vinden, dus begonnen we te graven, maar het enige waarmee we kónden graven was een stuk blik. Dat werkte niet en we gooiden het uiteindelijk weg. Maar jij liet je crucifix over hem heen bungelen en we prevelden een gebed ten behoeve van zijn zielenrust. Jij zei dat je wel eens een begrafenis had meegemaakt, dus dat je wist wat er gezegd moest worden. 'Onze vader die in de hemelen zijt... Het was geen echt slechte man. Hij is goed voor zijn vrouw en kinderen geweest. Hij kon alleen niet altijd op het rechte pad blijven. Hij deed zijn best. Amen.'

Toen liepen we terug via het jaagpad, waar het nu helemaal laagwater was. Het leek wel of de storm de rivier helemaal had leeggezogen.

De modder was zwart en kleverig, met de stroperigheid van teer. Ik bleef staan om er een paar stenen in te gooien, en je draaide je met een ruk om om te zeggen dat we op die manier de trein zouden missen. Het volgende wat ik weet is dat je uitgleed – maar je viel niet, en je zag eruit als iemand die probeert te schaatsen, zijwaarts glijdend, met uitgestrekte armen om je in evenwicht te houden.

Zodra je in de modder terechtkwam begon je weg te zinken, maar je zakte niet echt diep weg. Althans, niet in het begin. In eerste instantie zakte je weg tot aan je knieën. En toen tot je dijen – niet gelijkmatig, maar met rukjes, alsof er iemand onder de modder verscholen zat die je naar beneden trok.

Je lachte. Ik zal die lach nooit vergeten. Het was een hoog, nerveus lachje. Ik had je zo nog nooit eerder horen lachen, en het enige dat je zei was: 'Fuck!'

Ik geloof niet dat ik iets zei. Ik was veel te verbaasd, verrast. Meer was er niet, die eerste paar seconden – verrassing, verbazing, maar geen schrik of angst. Er was iets ongewoons gebeurd en we waren erdoor verrast. Maar we zouden dat wel eens rechtzetten. We zouden het van ons af lachen, ons schoonmaken, terug naar huis gaan, en misschien, later, zouden we ons realiseren –

Je riep me en zei: 'Ik kom er wel uit – alleen duurt dat een minuutje,' maar een minuut later was je al tot je borst in de modder weggezakt.

De blik op je gezicht – ik was zó bang dat ik niet eens meer overeind kon staan. Ik zat op de oever en begon te krijsen, en jij zei me dat ik hulp moest halen. Maar we zaten kilometers van de weg vandaan. Ik wist dat als ik weg zou gaan, je dood zou zijn voordat ik terug was. En ik wilde blijven. Het zouden de laatste paar minuten worden waarin ik een broer had. Ik wilde dat die eeuwig zouden duren. En al die tijd schreeuwde ik je toe dat je iets moest doen, wat dan ook, om jezelf uit die troep te werken.

Toen, heel even, zakte je niet verder weg, alsof je een harde bodem had bereikt, iets waardoor je zo zou blijven staan, zodat ik hulp zou kunnen halen. Zo bleef je pakweg twintig seconden lang staan. En toen zakte je plotseling weer verder weg en kwam de modder tot aan je nek. Toen wist je dat het afgelopen was. En ik wist het ook – je zou met geen mogelijkheid nog uit die blubber kunnen komen. Die modder stonk als de hel, maar je angst reikte eroverheen en bereikte mij in golven van pure paniek.

Ik kroop langs de oever naar beneden, zo dichtbij als ik maar kon. Je gilde me toe dat ik dat níet moest doen, maar ik dacht steeds: als ik nou maar nóg iets dichterbij kan komen – zodat ik mijn hand uit kan steken – dan kan ik misschien nog net bij je komen. Je slaagde er op een gegeven moment bijna in mijn hand te pakken te krijgen. Dat was misschien nog wel het ergste van alles. Het was een kwestie van een paar centimeter. En toen had je een idee – je rukte het crucifix van je nek en gooide het mijn kant uit. Ik kreeg het kruis te pakken. De ketting vormde een brug tussen jouw hand en de mijne. Ik dacht dat het je redding zou gaan worden.

Erop terugblikkend denk ik nog steeds niet dat het onder jouw gewicht heel zou zijn gebleven, en ik geloof ook niet dat het had kunnen voorkomen dat je nog dieper zou zijn weggezakt en iemand anders je uiteindelijk alsnog op het droge had kunnen helpen. Maar als je wanhopig bent, kun je niet meer logisch denken en ik trok aan het kettinkje alsof ik je eraan uit de modder had kunnen trekken. Het brak als een wollen draad.

Je zei me dat ik me geen zorgen moest maken, dat het niet mijn fout was, en toen stond de modder al tot aan je mond, en je durfde je niet meer te bewegen. Je tilde je gelaat omhoog naar de hemel, en dat was het enige dat ik van je kon zien, alsof iemand een masker op de modder had neergelegd. Het zonk, en er bleef alleen maar een afdruk achter, alsof jouw gezicht de modder dusdanig had gemarkeerd dat die afdruk daar voor altijd zou achterblijven. En toen zag ik die afdruk verdwijnen. En toen ben ik weggehold.

McLaughlan zat nog steeds op zijn hurken langs de oever, het pistool bij zijn voeten op de grond liggend. Het feit dat hij het wapen niet vasthield was voor Orme geen enkele troost. Hij wist maar al te goed hoe snel iemand een wapen op kon pakken, en hij wist ook heel goed hoeveel verwoesting dit soort lieden kon aanrichten voor ze neergeschoten of ontwapend konden worden. De kans bestond dat hij hem neer moest schieten. Misschien had hij geen andere keus. Maar eerst zou hij proberen hem te overreden zich over te geven.

Hij gebruikte dezelfde soort stem die hij had gebruikt om Stuart Swift zover te krijgen dat hij het kind vrijliet. 'Robbie, we moeten eens praten.'

McLaughlan kwam langzaam overeind, draaide zich bij het pistool vandaan en wendde zich vervolgens van de rivier af. Hij stak zijn handen naar Ocky uit, en Jarvis gaf het kind aan hem over.

Orme en zijn mannen lieten hun wapens zakken toen Jarvis en McLaughlan hun kant uit kwamen lopen, om ze even later over het pad naar de schots en scheef geparkeerde auto's te volgen.